P9-CQS-992

АНДРЕЙ КОНЧАЛОВСКИЙ

НИЗКИЕ ИСТИНЫ

КОЛЛЕКЦИЯ
«СОВЕРШЕННО СЕКРЕТНО»
МОСКВА 1998

УДК 882
ББК 84(2 Рос-Рус)6
К 64

Литературная запись
Александра Липкова

Переплет художника
Кирилла Ильющенко

В книге использованы
фотографии из личного архива
Андрея Кончаловского

ISBN 5-89048-057-X

ЧАСТЬ ПЕРВАЯ

НАЧАЛО

«Я бы желал, чтобы отец мой или мать, а то и оба они вместе – ведь обязанность эта лежала одинаково на них обоих, – поразмыслили над тем, что они делают, в то время, когда они меня зачинали. Если бы они должным образом подумали, сколь многое зависит от того, чем они тогда были заняты, – и что дело тут не только в произведении на свет разумного существа, но что, по всей вероятности, его счастливое телосложение и темперамент, быть может, его дарования и самый склад его ума – и даже, почем знать, судьба всего его рода – определяются их собственной натурой и самочувствием – если бы они, должным образом все это взвесив и обдумав, соответственно поступили, – то, я твердо убежден, я занимал бы совсем иное положение в свете, чем то, в котором читатель, вероятно, меня увидит... Но я был зачат и родился на горе себе...»

Это из английской классики. XVIII век. Лоренс Стерн. «Жизнь и мнения Тристрама Шенди, джентльмена».

Продолжая размышления этого неглупого автора, замечу, что если б отец мой и мать в аналогичный момент поразмыслили, в каком году они собираются произвести меня на свет, то, не исключаю, от своего намерения бы отказались. В свою очередь и я, если бы знал, что зачинаюсь, и знал, каким будет 1937 год, в котором мне предстоит родиться, и если б к тому же имел возможность выбирать, появляться или не появляться на свет, то, скорее всего, предпочел бы последнее – от ужаса перед грядущим. Это было бы логично. Но пути Господни неисповедимы. Родившись в год самого страшного сталинского террора и прожив достаточное количество лет, могу сказать, что мне повезло появиться на свет. Немалая часть этого везения – семья, в которой я родился, по линии матери в особенности, да и по линии отца тоже.

Об этом своем везении я и собираюсь рассказать в этой книге. И собираюсь сделать это со всей возможной правдивостью. Да, не всегда и не обо всем можно сказать правду, но всегда можно избежать лжи. Лжи в этой книге нет. Во всяком случае, я думаю, что ее нет. Мне этого достаточно.

Итак, о чем я буду писать здесь? О себе. О людях, с которыми встречался. О фильмах, которые снимал. О поступках, которые совершал или не совершал. О мыслях, которые передумал.

«Тьмы низких истин нам дороже нас возвышающий обман», – сказал Александр Сергеевич Пушкин. Что же такое – «низкие истины»?

Они – то, что о себе знаешь, но что знать, а тем более от других слышать, неприятно. То, что от себя гонишь. То, что требует задумываться, заставляет почувствовать себя неудобно. А в целом – расти. Возвышающий обман не способствует росту. «Курочка Ряба» – фильм о «низких истинах». Думаю, поэтому многие ее не принимают.

Почему не принимали Чаадаева, почему его объявляли сумасшедшим? Иные и сегодня его категорически отрицают. Хотя он был во многом прав. Но он говорил о «низких истинах», которые вызывали чувство дискомфорта, о которых не принято было говорить. Никого еще не сажали в сумасшедший дом за «возвышающий обман». А за «низкие истины» пострадало достаточно. Как правило, именно за них.

И так не только в России – никому в мире не нужна пугающая правда. Она нужна, чтобы ее скрывать. Чтобы ее знали немногие и не допускали до нее остальных. Что такое, как не сокрытие правды, «политическая корректность»? Сейчас этот термин очень в ходу, особенно на Западе. Подразумевается, что есть вещи, о которых вслух лучше не говорить. О расах, о том, что не все равны, что братства не было, нет и не будет. Известно, например, что часть исследований по физиологии и психологии разных рас запрещены к публикации, ибо приводят к политически некорректным выводам.

Иногда политическая корректность – это умалчивание истины. Ведь очевидно, что демократия в России сродни демократии в Заире или Эфиопии, но все продолжают говорить о демократических выборах.

Я прочитал когда-то: ничто на свете не имеет никакого другого смысла, кроме того, который вы сами вкладываете. Мысль эта – одна из тех, которые позволяют мне не только черпать энергию в моменты неудач, но и оправдывать себя, хотя надо признать, что она исключает понятие морали и тем самым достаточно безжалостна к общепринятой системе ценностей.

Что такое любовь и почему она не вечна? Сколько раз казалось, что ты нашел именно то, что искал, что так было тебе необходимо! Сколько раз ты был уверен, что это уже навсегда! А потом вдруг приходило ощущение, что все кончено. Ладно, любовь к женщине! Возьмите – любовь к друзьям. Кажется, не разольешь водой. Так почему ж и это кончается? Не потому ли, что меняется смысл отношений, а смысл им даете вы сами? С друзьями особенно сложно. В моей жизни не раз случалось так, что я оставался совершенно один.

Поражение может казаться катастрофой, а через два года вспоминаешь о нем как о великом счастье. Странная вещь – человеческая натура! Она вся из контрастов, из противоположностей. Кажется, все ясно: я люблю. А оказывается, точнее сказать – люблю и ненавижу. Счастливы люди, не знающие взаимоотрицающих полюсов!

Мое ощущение мира делится на ряд периодов, в которые я исповедовал радикально отличные друг от друга истины. Истины, которые в тот момент казались незыблемыми. Первый, еще детский, исходил из того, что все идет как надо. Во втором, начавшемся с десталинизации, хрущевской оттепели, открылось, что не все так, как казалось и как мы о том думали. Многие вещи стали подвергаться сомнению, истина стала казаться относительной. Очень серьезную роль во всем этом сыграла книга Дмитрия Кончаловского «Пути России», о ней речь впереди. Этот же период включает в себя и ВГИК, и дружбу с Андреем Тарковским, и работу с ним. Попутно шло набирание опыта, расширение горизонтов, обретение новых истин, убеждений, новой философии, приобщение к религии, до того казавшейся скучной.

А потом настали годы вне России, все в моей жизни перевернулось, хотя, как ни странно, именно в это время к России я был более, чем когда-либо, близок и более, чем когда-либо, по-православному религиозен.

Вся Россия для меня тогда сконцентрировалась в иконке Андрея Первозванного, принадлежавшей еще Василию Ивановичу Сурикову. Она была в черном кожаном чехольчике, мама сшила его своими руками – любила все делать сама. Она дала мне эту иконку, и с тех пор та всегда со мной. Еще мама дала мне молитвослов и свою фотографию. Эти вещи тоже всегда были со мной: кладя их на ночь у изголовья, я чувствовал себя дома. От них, мне казалось, исходила какая-то неведомая энергетическая сила, очень много мне дававшая, особенно тогда, когда было плохо.

А потом настал новый период: случилось то, о чем прежде и не мечталось. Помню, видя Горбачева в Америке, я не мог сдержать слез восторга и гордости. Теперь можно было уже не стыдиться за свою страну. Человек из коммунистической России не мог жить в Америке иначе как с чувством стыда. Невозможно объяснить американцам, что такое Россия и что она далеко не во всем так плоха, как они привыкли думать. Стоит только начать разговор о чем-то подобном, сразу же подозрение, что ты – агент КГБ. Обо мне даже было несколько статей в русской эмигрантской прессе, прямо заявлявших, что я заслан в Америку со специальным заданием. Мне это очень мешало найти работу, начать снимать. Было до отчаяния обидно, закипали слезы бессилия. Казалось, ярлык агента КГБ от меня уже никогда не отклеится. Правда, года три назад в Москве были опубликованы списки тех, кто находился под пристальным наблюдением этой могучей организации, – не обошлось там и без моей фамилии, но на эту публикацию никто и внимания не обратил. Кого сейчас все это волнует! Но в Голливуде-то мне приходилось жить с этим мало украшающим ярлыком!

Как могли меня воспринимать американцы? Я был сыном автора Государственного гимна, председателя Союза писателей, депутата Верховного Совета СССР и Российской Федерации, куда, ясно же, не выбирали, а назначали. Диссидентством я не отличался, Россию не ругал. Не ругаю ее и теперь, когда все разрешено. Не ругал ее и в «Курочке Рябе», хотя кому-то очень хочется представить дело именно таким образом.

А следом за перестройкой снова пришла пора перемен, и опять начались сомнения по всем пунктам. Когда в церкви видишь столько лиц, еще вчера усердствовавших в угождении коммунистической власти, трудно счесть этих людей верующими. Моей вере они, естественно, не мешают, но и не то чтобы ей способствуют. Пора мистицизма в моей душе прошла, настала пора серьезных сомнений относительно устройства мира, обоснованности религий, присутствия Бога. В чем-то я завидую своему брату, у которого ясность в голове и душе, твердая непоколебимая философия, дающая покой и уверенность.

Последние его ленты пользуются гораздо большим

успехом, чем мои. Они поднимают человека, внушают ему светлые чувства. У меня тяга к светлым чувствам, начиная с «Поезда-беглеца», все слабее. Я по-прежнему искренен в своих картинах, хотя теперь они заметно менее оптимистичны.

Неважно, прав или не прав Никита в своей обретенной истине, но она дает ему основу для дела, которое он делает. Замечательно иметь ясные идеалы и ценности! У меня их нет. Идеалы размыты.

Если всерьез задуматься, человеком движет страх смерти и тщеславие. Но тщеславие есть тоже выражение страха: хочется быть заметным, хочется, чтобы на тебя обратили внимание, не подумали плохо, стали думать лучше, чем прежде. Страшно, если не подумают лучше.

Для чего я пишу эту книгу? Для того, чтобы познать правду о самом себе? Но нужна ли человеку правда о себе? Обман приятнее. Он утешает, возвышает.

Если задуматься, то и книга эта сама по себе – в какой-то мере тщеславие. Если хоть немного заглянуть в глубину самого себя, это так. Правильно говорит индийский философ Кришнамурти: жизнь, если вглядеться попристальнее внутрь самого себя, – это пустота. Если приглядеться повнимательнее – мы внутри себя пусты. Но зачем-то мы все-таки сотворены. Как понять – зачем?

У каждого из нас несколько разных форм существования. Одна – на службе, другая – в семье, третья – на отдыхе, четвертая – в туалете. Всюду свой стереотип. Что хорошего, если человек на улице ведет себя как в туалете? Но вот ты наедине с собой и подчас очень хочется от себя бежать. Не ловили ли вы себя на том, что страшно задуматься, кто ты есть на самом деле? И не дай Бог узнать. И уж вовсе не дай Бог, если кто-то посторонний узнает.

Но мы таковы, каковы есть. Нет меня другого, есть я. Значит, надо себя любить. И уж если паче чаяния себя не любишь, не стоит мешать другим любить себя.

Нельзя ненавидеть себя и любить человечество. Не зря

сказано в Евангелии: возлюби ближнего, как самого себя. Значит, сначала возлюби себя, потом уже ближнего.

Любовь к самому себе я начал испытывать достаточно рано. Сначала это была как бы даже и не любовь, а просто биологическая потребность так себя ощущать. Эгоизм – только ли человеку присущ он? А животные? Они эгоистичны? Кто более эгоистичен: ребенок или взрослый? Наверное, ребенок, ведь для него, кроме него самого, в мире ничего не существует. А кто хуже – ребенок или взрослый? Наверное, все же не ребенок: он невинен. Но что же тогда получается? Выходит, эгоистичный ребенок лучше взрослого, который, может быть, даже альтруистичен. Что же тогда хорошо и что плохо?

Есть вопросы, на которые нет ответа. Но задавать их себе все же не лишне. Даже если, в конце концов, они приводят тебя к полнейшей самоиндульгенции. Самопрощение – прибежище эгоистов.

Кому хочется рассказывать о себе плохо? Зачем другим знать об этом? Говорят о себе плохое либо люди отчаявшиеся, либо обуянные великой гордыней. Но и эта высшая гордыня идет от себялюбия.

Любовь к своему телу – тоже проявление себялюбия, хотя и оно вовсе не лишено рационального зерна. Занимаешься спортом – укрепляешь организм.

Помню свой разговор с Занусси. Я сказал ему:

– Что это ты – то занимаешься спортом, то не занимаешься? Надо же поддерживать форму.

– Знаешь, тело – не очень-то это важно, мне интереснее другое.

Он имел в виду духовное совершенствование и как бы даже устыдил меня низменностью моей заботы о своем здоровье. А я, презренный, занимаюсь спортом, принимаю витамины, читаю литературу о том, что хорошо и что плохо в еде. Говорят, занятие спортом – особый плод разума. Почему надо заботиться о себе? Ну конечно же, из любви к себе. И еще – из любви к жизни. Потому что я есть выражение жизни. Я забочусь о своем здоровье, чтобы дожить до счастья.

У китайцев есть мудрая пословица: «Нужно умереть молодым и постараться сделать это как можно позже».

УЛИЦА ГОРЬКОГО, 8

У Никитских ворот, в доме, где кинотеатр «Повторного фильма» и фотоателье, была шашлычная. В фотоателье я снимался на паспорт, в кинотеатре смотрел старые фильмы, в шашлычной портил свою печень на ворованные у родителей деньги. Деньги, впрочем, были не всегда ворованные. Иногда были и заработанные.

Шашлычная на Никитской долгие годы была центром пересечения всех моих маршрутов. В детстве я ездил мимо из сто десятой школы на трамвае домой. Провожатым моим был сын певицы Пантофель-Нечецкой, она жила в соседней квартире.

Первые мои годы прошли в доме № 6 на улице Горького. После войны был построен дом № 8, мы переселились в него. В этом доме жили лауреаты Сталинских премий, жили уцелевшие после довоенных сталинских чисток и жертвы чисток грядущих. Жил очень крупный дипломат, еще литвиновской школы, прокурор, потом посол в Англии Майский. Жил Борис Горбатов со своей женой Татьяной Окуневской и дочерью Ингой. Про Ингу во дворе ходили слухи, что на самом деле она дочь Тито. Жил Илья Эренбург; помню его, приезжающего на своей американской машине. Из машины нырял сразу в подъезд, в свою квартиру – писать статьи. У него всегда было угрюмое лицо; думаю, он не очень любил социалистическую действительность, настоящая его жизнь была где-то ТАМ, в Европе.

Мы жили на пятом этаже. У нас была трехкомнатная квартира, вещь по тем временам почти нереальная. Правда, и нас уже было немало: папа, мама, трое детей, няня-испанка, из коммунистов-испанцев. В нашем подъезде жил Хмелев. Он был женат на Ляле Черной, знаменитой актрисе из цыганского театра «Ромэн». Она любила веселье, чуть не каждый вечер у них собирался целый цыганский хор, на весь подъезд неслось пение. Напротив Хмелева жил дирижер Большого театра Пазовский. В соседнем подъезде жили генерал армии Черняховский, секретарь МК Красавченко, впоследствии, после падения с горкомовских высот, заведовавший кафедрой марксизма во ВГИКе.

Геловани жил в квартире, выходившей окнами на Советскую площадь – напротив «Арагви». К обеду он выходил на балкон, кричал: «Резо!» Из дверей ресторана выглядывал швейцар. «Накрывай!» Ему накрывали стол, Геловани шествовал обедать. С «Арагви» спустя время я тоже познакомился поближе – Михалковыми разных поколений там было выпито достаточно вина и водки.

Году в 47-м мы с отцом как-то зашли к Геловани. Увиденное надолго запомнилось. Он лежал на диване, в пустой комнате, вдоль стены на полу стояло несколько десятков пустых коньячных бутылок... Пустая комната, пустые бутылки... Странное ощущение. По дому ходили слухи, что, увидев себя в исполнении Геловани, Сталин сказал: «Не знал, что я такой красивый и такой глупый».

Через стену было слышно, как поет Пантофель-Нечецкая. Она пела ровным голосом, без вибрации. «Ну вот, поехали на речном трамвае», – говорила мама, когда та начинала свои вокализы.

Не скажу, что у нас была образцовая семья. Нас воспитывала мама – и била нас, и целовала, но все равно занималась не очень. Она писала, была поглощена творчеством, папа витал где-то в начальственных высотах, заседал. Естественно, я смутно представлял, чем он занят, да и время то помню смутно. Помню отца в военной форме, помню его скрипящие сапоги, запах кожаной летной куртки с «молниями».

Был случай, когда отцу звонил Сталин – по поводу гимна, сказал, что нужно дописать еще куплет про Красную Армию. Я этого не помню, да меня при этом и не было. Но помню, как в 43-м году позвонили из Кремля. Отец в тот момент мылся в ванной, а я ездил по квартире на трехколесном велосипеде. Квартира была двухкомнатная (тогда мы еще жили в доме № 6 по улице Горького), но для моей езды места хватало. Зазвонил телефон, стоявший на тумбочке-этажерке. Мама сняла трубку, потом пошла к ванной.

– Сережа, тебя к телефону.

– Я моюсь, пускай перезвонят.

– Подойди.

Отец вышел абсолютно голый, весь в пене, прошлепал к телефону. Голого отца, расхаживающего по квартире, я никогда не видел: это меня поразило – наверное, потому и запомнилось. Он стоял около тумбочки, под ним от сползающей пены растекалась лужа. Не возьмусь воспроизвести, что говорил отец, но что-то в памяти осталось – мне все-таки было уже шесть лет.

– Меня вызывают в Кремль. Быстро – собираться!

Мама принялась гладить рубашку, чистить гимнастерку, мне отец поручил сапоги. Как сейчас, вижу себя сидящим на полу и намазывающим их ваксой – сверху донизу, включая подошвы. Старался изо всех сил. Так старался, что заработал подзатыльник. Других новых сапог у отца не было, на высокие государственные этажи пришлось ехать в старых.

К нам в гости приходил Вейланд Родд, негр, актер, много снимавшийся в наших фильмах из «той» жизни. С мамой они говорили по-английски (к маме вообще тянулись люди, говорившие по-английски, она переводила с английского поэзию). Я в первый раз увидел черного человека, страшно испугался, заорал, спрятался – знаю это со слов мамы.

Если посмотреть на этот мир не с моей точки зрения,

а с какой-то по возможности объективной, попытаться выразить происходящее вокруг в телеграфной сводке, картина получится занимательнейшая.

1947 год. Железный занавес. Начало антикосмополитской кампании. Журналы, газеты полны антисемитских карикатур, клеймят предателей, безродных отщепенцев, обличают на собраниях, сажают, ссылают. В январе 1948-го убит Михоэлс.

Что происходит в нашем доме? Мне дают манную кашу. С маслом.

Приходит какая-то сумасшедшая женщина, приятельница мамы, они о чем-то говорят за закрытой дверью. Спустя годы узнаю, что это была жена Санаева. Под пальто она завернула себя в отрезы крепдешина и коверкота, просила маму все это спрятать. Санаева арестовали, она боялась самого худшего, хотела спасти хоть что-то. Через пару недель Всеволода Васильевича, на всю жизнь напуганного, выпустили.

Наверное, среди тех, кто приходил к нам, были и стукачи, хотя кто мог знать, кто стукач, кто не стукач. Подозревали все всех – время было такое. Не мне судить тех, кто согласился на это печальное занятие. Всякие могли быть обстоятельства, и если «органы» за тебя брались всерьез, то попробуй не согласись! Желание спасти семью, детей, собственную жизнь, по моему разумению, важнее любых принципов. Это естественно. Если хотите, это слабость. Но слабость очень человеческая.

Меня огорчила картина Алеши Габриловича (увы, уже покойного) «Мой друг – стукач». Его искренность показалась мне надуманной. Что мы из картины узнали? Что стукачом быть плохо. Что, когда идет дождь, мокро. Алеше было проще – у него был папа, его в стукачи не вербовали. У Димы Оганяна такого папы не было, его завербовали. Не знаю, у многих ли хватило бы твердости отказаться. Я сочувствую тем, кто угодил в осведомители. Ничего хорошего в этом занятии нет. Но люди есть люди. Какие могут быть другие принципы, если надо спасать семью?

Отец рассказывал мне, что позже, в 50–60-е годы, по временам его приглашали в гости к «академику». «Академиком» на самом деле был высокий чин госбезопасности, изображавший из себя для иностранцев радушного хозяина, принимающего в своем доме цвет московской интеллигенции. Ничего особого от отца не требовалось. Надо было просто сидеть за столом, пить, есть, вести светские разговоры, в общем, «чувствовать себя непринужденно». Гостями в этом доме были известные артисты, крупные ученые, писатели. Никто не отказывался. Хотя, наверное, не всех и приглашали.

А вот то, что было на моих глазах.

Матвей Блантер играл у нас на рояле (они с отцом сочиняли песню) и зарыдал:

– Не могу! Не могу! Меня завтра посадят!

Что означает «меня завтра посадят», я не представлял.

Его жена Таня Блантер была красавица. Тогда славились три Татьяны, самые красивые, самые обожаемые, самые неотразимые для всей мужской части Москвы женщины, – Таня Блантер, Таня Окуневская, Таня Лагина.

Актриса Зоя Федорова пришла к нам прямо из тюрьмы. Интересно, почему к нам шли люди? Это я понял много позже. Шли потому, что знали: их примут.

Я и не ведал, какая страшная жизнь была вокруг. Нас она словно бы не касалась. Точнее, это тогда я не ведал, какая она страшная и что касается всех – нас, естественно, тоже.

Потом я спрашивал у отца:

– Ты боялся?

– Нет, – отвечал он, – не боялся.

– Как не боялся?!

– Знаешь, посадили того, посадили этого. Думаешь, если посадили, значит, за дело, значит, виновен. Но я-то не виновен. Лучше так думать, потому что, если не за дело, тогда катастрофа. Тогда нельзя жить.

Думаю все же, это неправда. Или не вся правда. У отца четко работала интуиция. Туда, куда лезть не просили, он не лез.

У меня есть запись, где отец рассказывает, как после приема в Кремле его пригласили к Сталину. Там были Сергей Герасимов, Григорий Александров, Николай Вирта, Александр Корнейчук; все пытались встроиться в разговор, а отец сидел в уголочке на стуле.

– Чего ж так? – спрашиваю я.

– А чего я полезу? Лучше не лезть. Сколько раз Василий Сталин приглашал меня к себе в дивизию с Эль-Регистаном! Вроде как по делу, но, наверное, без выпивки тоже бы не обошлось. Я всегда находил повод не пойти. Моя мама говаривала: «Кого жалуют цари, того не жалуют псари». Зачем попадать на отметку?

Вроде бы Сталин даже внимания не обратил на отца. Поздоровался, и все. К себе не подозвал. Но, думаю, ему понравилось, что Михалков не высовывается. Понимает, что лезть не надо. В людях Сталин разбирался. В годы более поздние, в конце 50-х, отец уже не обошелся без участия в политических играх, но во времена сталинские предпочитал быть просто детским поэтом. Он много добра сделал людям – вытаскивал из тюрем, лагерей (не всегда получалось, но, бывало, и получалось), устраивал в больницы, «пробивал» квартиры, пенсии, награды, – порой вовсе не тем, кто помнит добро. Последнее, кстати, отца никак не переменило. Его жизненным принципом как было, так и осталось: «Если можешь, помоги». Вообще он человек редких качеств, хотя, конечно, все речи, какие полагалось произносить председателю писательского союза и депутату разнообразных советов, произносил и, что полагалось подписывать, подписывал.

– Коммунистом я не был. Членом партии, да, был, – недавно сказал мне отец. – Трудно было не быть. А вот Фадеев был коммунистом. Потому и застрелился. Многие прежде думали – потому что стали возвращаться из лагерей люди, которых он «сдал». А сейчас опубликовано его предсмертное письмо в ЦК ВКП(б), стали приходить документы из архива, и по ним видно, скольких он пытался спасти, сколько писем писал в защиту посаженных писателей! Нет, он мог не бояться смотреть людям в глаза. Он просто не мог пережить крушения своей веры...

Отец мало на нас обращал внимания. Он как бы сторонне присутствовал. Отношения с ним, в общем, всегда были хорошие. Он был постоянный антагонист, но антагонист любимый. Сближаться с ним я начал с возрастом – чем дальше, тем больше. По-настоящему любовное чувство пришло лишь в зрелые годы.

Папина судьба – случай редкий. После революции дворяне как представители ранее привилегированного класса были объявлены лишенцами, при каждой новой волне советских чисток и перетрясок им попасть под репрессии было проще простого. Михалковых это миновало, но могло и не миновать. Думаю, папиного отца, моего деда, не посадили только потому, что он в 1932 году умер. А до того уехал в Пятигорск, по партийному призыву – поднимать сельское хозяйство. Разводил там кур – он был крупным специалистом в этом деле, автором многих книг по промышленному птицеводству.

У поэта-лауреата и орденоносца, автора Государственного гимна СССР оба брата оказались репрессированными. Оба были на войне, оба понюхали смершевских застенков. К счастью, потом, еще до конца войны, были освобождены и реабилитированы за отсутствием состава преступления, получили ордена. Младший, Миша, был пограничником, попал в плен, узнал, что такое концлагеря, был и под расстрелом, бежал. Где только в эти годы не был, где его не носило! Наконец, перешел линию фронта, и тут же его посадили за измену Родине. Сейчас он жив, написал биографическую повесть «В лабиринтах смертельного риска» – обо всем, что пришлось испытать.

Когда его выпустили, он приехал к нам наголо остриженный. Меня услали спать. Среди ночи я пошел писать, смотрю – под абажуром сидят папа, мама, разговаривают с дядей Мишей. Слушают о том, чего он хлебнул...

ДЕД

Дед мой, Петр Петрович Кончаловский, был человек глубоко русский, но без Европы не мог жить. В его доме все дышало Европой, не говорю уж о том, что в живописи он был сезаннистом. В первый раз он ездил в Испанию где-то в самом начале века вместе со своим тестем Василием Ивановичем Суриковым. Они писали эскизы по всей Европе.

Дед прекрасно говорил по-французски – жена Сурикова была полуфранцуженкой, так что для бабушки французский язык был как бы первым.

Я часто думаю: почему нашу семью не задели репрессии? Могли ведь и задеть уже в довоенные годы. В военные – всерьез не сажали, массовые посадки начались снова в 1947-м с началом кампании против космополитов. В этот разряд Петру Петровичу попасть было проще простого, он был насквозь профранцуженный. Хоть и был академиком, но портрет Сталина писать, между прочим, отказался.

Случилось это в 1937 году. К юбилею революции все академики должны были написать портреты вождя. Предложили и Петру Петровичу. Он не знал, как отвертеться, сказал, что портрет напишет, но только если Иосиф Виссарионович будет ему каждый день позировать.

– Вы соображаете? У товарища Сталина нет времени. Делайте по фотографии.

– Не могу. Я реалист. По фотографиям портретов не пишу.

Этого деду не забыли – вплоть до 1956 года ни одной персональной выставки у него не было.

Думаю, спасло нашу семью то, что в своей речи в начале войны Сталин среди великих имен, которые дала миру русская нация, назвал двух художников – Репина и Сурикова. Речь эта почиталась исторической, нас она внесла в разряд неприкасаемых. Потому бабушке моей, Ольге Васильевне, на язык нередко весьма несдержанной, сходило то, что другим бы никогда не простилось. Когда выступал министр культуры, она фыркала: «Боже, что он несет!» К советской власти относилась вполне недвусмысленно. Образ жизни, который они с дедом вели, ясно давал это понять.

Дед жил в Буграх, на сто десятом километре от Москвы, ближе перебираться ни за что не хотел: знал, если сошлют, можно будет здесь же оставаться.

Дед вполне мог бы не возвращаться в Россию. В 1924 году у него в Париже была очень успешная выставка, начали продаваться картины, он мог бы и работать, и зарабатывать, и выставляться. Но он вернулся, поехал в Новгород писать тамошних обитателей, потом какое-то время путешествовал, Россию больше уже никогда не покинул, хотя всегда тосковал по Европе.

Почему он вернулся? Не знаю. Может, по наивности. Может, потому, что русские художники не очень процветали в Париже. И Коровин, и Ларионов, и Гончарова – никто особенно не благоденствовал, за исключением разве Кандинского и Малевича, да и то с большими оговорками. Может, потому, что начинался НЭП и дед решил, что худшее миновало. Может, потому, что чувствовал: должен быть здесь. Короче, дед был европеец, которому жить было нужно в России.

В его доме я всегда чувствовал себя в особом дореволюционном европеизированном мире, взрослые при внуках говорили всегда по-французски, было полно испанцев.

Испанская колония вообще была важной частью нашей жизни. В конце 30-х, когда Франко разбил республиканцев, в СССР приехало несколько тысяч детей испанских коммунистов, сопровождаемых комсомольцами-испанцами. Их колония разместилась в нескольких километрах от дома нашего деда под Обнинском. Испанцы зачастили к нему – в его доме можно было петь, говорить по-испански, здесь была европейская атмосфера. Приходило их разом человек двадцать. Пели малагуэнью, танцевали арагонскую хоту. Часто бывали и другие испанцы, коммунисты, дружившие с дедом, – Долорес Ибаррури, художник Альберто Санчес, сейчас его чтят как классика. Здесь мой дядя влюбился в девочку Эсперансу, она стала его женой. Мои двоюродные сестра и брат наполовину испанцы.

Во времена революции семья Кончаловских жила в мастерской Петра Петровича на Садовом кольце у Триумфальной площади, в том самом подъезде, где жил Булгаков. Мастерская, кстати, сохранилась и до сих пор принадлежит Кончаловским.

Здесь бывали Хлебников, Бурлюк. Сюда пришел Маяковский в своей желтой блузе, с морковкой, торчавшей вместо платка из кармана. Дед был из «Бубнового валета», к тому времени с футуристами бубнововалетчики поссорились. «Футуристам здесь делать нечего», – сказал дед и захлопнул дверь перед носом у Маяковского. Здесь писались картины. Здесь же жила семья. Было холодно. Топилась буржуйка. Мама на ней готовила.

Родители часто поздно засиживались, стол оставался неубранным. Мама с дядей сливали все недопитое из рюмок – коньяк, водку, вина – в один большой стакан, делили пополам, выпивали и шли в гимназию. Маме было четырнадцать лет, дяде – девять.

Когда мама с дядей занимались этим предосудительным делом, на диване очень часто спал Велимир Хлебников – во фраке, с манишкой и манжетами. Рубашки при этом не было. Фрак был расстегнут, манишка заворачивалась папирусом, из-под нее виднелся желтый худой живот.

Мама была из этого мира – художников, бунтарей. Все, кто бывал в доме, знали ее с детства, для всех она была Наташенька. Гимназия Потоцкой, где она с 1910 года училась, помещалась на площади Пушкина, за кинотеатром «Россия», там, где теперь Комитет по печати. А на верхнем этаже дома жил Рахманинов. В перерывах между уроками девочки собирались на лестнице, слушали раскаты рояля. Иногда дверь открывалась, выходил высокий, худощавый, чуть сгорбленный господин в шляпе, в пальто; они знали, что это Рахманинов. Выходя, он всегда говорил: «Бонжур, медемуазель». Девочки глазели, как удивительный музыкант спускается вниз по лестнице.

Потом, живя в Америке, мама видела его на концертах. Его слава гремела. Мама очень любила Рахманинова, даже больше, чем Скрябина. У нее было много пластинок с его записями. Чаще всего слушала «Рапсодию на тему Паганини». Я не раз видел, как она слушает эту музыку, подпевает; когда начинается шестнадцатая вариация, всегда плачет. Музыка, без сомнения, великая, но, думаю, она еще была с чем-то в маминой жизни связана, что-то ей напоминала.

Кончаловские были знакомы с Шаляпиными, бывали у них на Капри. Тогда же там жил Горький. С сыном Шаляпина Федей, Федором Федоровичем, мама очень дружила. Потом с ним дружил и я, он снимался у меня в «Ближнем круге» и был единственным гостем на моей свадьбе с Ириной. Мы вернулись из загса, сели обедать, пришел Федя... Сейчас его уже нет в живых. Не могу простить телережиссеру, стершему запись его интервью. Шесть часов он рассказывал нам, столько уникального!

К примеру, он говорил, что однажды отец пришел домой и сказал: из этой страны надо бежать, драпать, мотать, больше уже невозможно, собираемся, едем.

– Почему?

– Это мне сейчас Горький сказал, а ему – Ленин: «Эту страну мы потеряли. Нам хана. Уезжайте, батенька».

Это что-то значит, если Ленин сказал: «Эту страну мы потеряли»!

Федя был настоящий аристократ, хоть сам Шаляпин из мещан, из посадских. Федина мать была итальянка. Он говорил о себе: «Я римлянин». У него действительно был римский профиль, нос с горбинкой. Феллини даже снимал его в роли Цезаря. Историю Рима он знал потрясающе; каждый раз, когда я бывал в Риме, он возил меня на своей машине, все показывал, про все рассказывал – про Аппиеву дорогу, про те самые камни, по которым бежал апостол Павел. Казалось, все это было вчера, он сам это видел своими глазами. Потрясающе! Он был чрезвычайно благороден, за сухостью скрывалась нежнейшая душа. Федя был близок с Рахманиновым. Рахманинов только ему разрешал себя стричь, у него волосы росли, как метелка, в разные стороны, их надо было стричь очень коротко.

Федя стриг его перед самой смертью, все уже знали, что он умирает. Сергей Васильевич сказал:

– Надо, пожалуй, и постричься.

Все поняли, что это в последний раз. Это все есть у меня в сценарии о Рахманинове. Хороший сценарий... Не сбылось его поставить.

Вообще-то мама больше дружила не с Федей, а с жившей в России Ириной, дочерью Шаляпина от первой его жены, Виолы Игнатьевны, итальянки, балерины. Ирина была актрисой театра Вахтангова, была близка с Хмарой. Часто приходила к нам в гости после войны, огромная, толстая, бледная женщина. Пела цыганские романсы. В 1963-м ее мать отпустили в Италию, помирать.

Сколько у мамы было друзей, знакомых! Это по ее письму Коненков вернулся в СССР. Ответил ей симоновскими строками: «Жди меня, и я вернусь, только очень жди» – и, действительно, собрал все свои скульптуры и прибыл на Родину. В Одесском порту бдительные таможенники перебили все его гипсы – искали золото и бриллианты. Деревянную скульптуру, слава Богу, не тронули. Несмотря на эти и прочие неприятности, Коненков был невообразимо счастлив. Здесь он чувствовал себя целиком в своей тарелке, крепко налегал на портвейн, стал убежденным соцреалистом.

Письмо ему мама, кстати, написала по просьбе Молотова. Ничего себе просьба! Попробуй откажись! Какое счастье, что Коненкова, в отличие от многих иных вернувшихся, не упекли в ГУЛАГ, не поставили к стенке! Греха на маме нет...

Уже написав это, прочитал в книге Павла Судоплатова «Разведка и Кремль», что жена Коненкова была проверенным агентом НКВД, принимала участие в выведывании ядерных секретов США. После этого судьбе Коненкова особенно не удивляюсь, хотя даже в таком случае могло быть всякое...

Жизнь в семье Кончаловских была трудовая. Дед работал с утра до вечера – если не писал, то мастерил подрамники, сам натягивал холсты, приколачивал маленькими обойными гвоздиками, сам грунтовал. Он был страстный охотник. Имел пойнтера, настоящую охотничью собаку, и не одну. Были борзые. Иногда он брал с собой меня, собака бежала впереди, я шел сзади. Ружье было шомпольное, патрон закладывался спереди, сзади насыпался порох, ставился пистон. С таким ружьем дед ходил на бекаса. Помню, как он первый раз допустил меня из него выстрелить – мне всю скулу отбило.

В те времена на охоту все уже ходили в резиновых сапогах – дед ходил в кожаных, старых, французских. Он возвращался с охоты, в сапоги насыпали овес и вывешивали их на чердаке проветриваться. Овес вбирал всю влагу изнутри, ветерок сушил снаружи, затем сапоги смазывали дегтем, чтобы не промокали. Все, как в добрые дореволюционные времена.

Кроме живописи и охоты, у деда было две страсти – можжевеловые палки и садовые ножи. И тех, и других наделал целую коллекцию. Палки делал из можжевельника, рукоятки вырезал из корня. Как замечательно они пахли! Рукоятки для ножей делались из кривого вишневого дерева, лезвия – из косы, остро затачивались, отделывались медью – очень красивые получались ножи.

Одевались все очень просто, на манер американских фермеров. Из дешевой голубой полотняной материи (джинсовой в ту пору у нас не знали) шились комбинезоны – для деда, для дяди. Художнику такая одежда очень удобна: карманы для инструментов, легко стирается, легко снимается. На ноги надевали американские солдатские ботинки из кожзаменителя, в первые послевоенные годы их присылали по ленд-лизу.

Помню страшный скандал, разыгравшийся на моих глазах где-то году в 48-м. Мама приехала на дачу в капроновых чулках, бабушку это страшно возмутило:

– Какое право ты имеешь носить капроновые чулки?! Ты куда приехала?! Это разврат! Мы живем скромно! Мы здесь рабочие люди.

Сама бабушка носила чулки нитяные, непрозрачные. После этого скандала мама сказала: «Все! Больше я сюда не приеду». Помню, я провожал ее до станции, она рыдала: «Неужели я не могу носить чулки, какие мне нравится?»

Это был русский дом, просвещенный дом, дом русского художника, один из немногих, сохранивших уклад старой жизни. К сожалению, институт больших семей по всему миру умирает. В этом доме он был жив. Дедушка, бабушка, дядя Миша (у деда знаменитая картина – «Миша, сходи за пивом») с женой, двое их детей и третий, от первого дядиного брака, мама, я, сестра Катя, Никита, няня Никиты – двенадцать человек постоянно жили в доме летом. А сколько еще приходило и приезжало гостей!

Папа в Бугры наведывался только по воскресеньям, и то очень редко. Семье он уделял немного времени, семейную жизнь не любил, у него были свои дела, свой жизненный круг. Когда в 1951 году построили дачу на Николиной горе и от деда съехали туда, отец не часто появлялся и там. Приезжал и тут же уезжал, не умел жить на даче.

Дед любил поесть, любил испанскую еду. Он построил коптильню, сам коптил окорока, делал ветчину по-испански – хамон. До сих пор помню ощущение таинственного полумрака кладовой, пахнет копчеными окороками, висят связки лука, перцев, стоит мед в банках, в бутылях – грузинское вино. Эти окорока, лук, перцы, бутыли вина дед писал на своих полотнах. Классический набор для натюрмортов, очень популярный у Сурбарана, у других испанцев. В доме пахло этими живыми натюрмортами, копченой ветчиной, скипидаром, масляной краской, кожей, дегтем.

Водопровода в доме не было, в каждой комнате на табуретке стоял фаянсовый таз с узорами и фаянсовый же кувшин для воды. При мытье или кто-то помогал, сливая воду из кувшина, или просто в таз наливалась водичка, ее зачерпывали ладонями. У бабушки был умывальник, обычный дачный, с металлическим стерженьком, по которому струйкой текла вода – вот и все достижения цивилизации.

Был медный барометр, по нему стучали – какая будет погода? Отбивали время стенные часы, горели керосиновые лампы. Провести электричество деду ничего не стоило – в полутора километрах была железнодорожная ветка. Но электричества он не хотел, не хотел слышать радио, знать, что вокруг происходит. Он предпочитал оставаться в другой эпохе, не хотел жить в двадцатом веке, хотя как художник, конечно же, жил в двадцатом: «Бубновый валет» был одной из самых революционных художественных групп.

Дед жил как русский мелкопоместный дворянин конца XIX века: разводил свиней, окапывал сирень и яблоки, брал мед. У нас была лошадь, Звездочка, я умел ее запрягать. Была телега. Были две коровы, бараны. Уклад жизни был суровый, но добротный, основательный.

В людской топилась печь, хозяйничала Маша, наша няня. На Петров день приходили крестьяне, приносили деду в подарок гуся. В ответ выставлялась водка, начинались разговоры про старую, дореволюционную жизнь, когда имением владел Трояновский. С мужиками обычно приходил и председатель колхоза, он тоже был из местных.

...Утро. Пастухи, щелкая бичами, уводят коров. Как замечательно спится в это время! В детстве вообще удивительно спится. «Как только в раннем детстве спят...»

Первое развлечение, когда просыпаешься или когда укладываешься спать, – разглядывать бревна, из которых сложены стены. Бревна проложены паклей, внутри дома не закрыты ничем, разве что картинами деда, развешанными на стенах. Замечательно интересно разглядывать трещинки на бревнах, глазки от сучков: воображение складывает из них то знакомые лица, то какие-то фантастические морды – с тремя глазами, с двумя ртами, с огромной дырой носа. Стараешься удержать это в памяти, потому что если отведешь глаза, то потом уже никак не найти пригрезившейся личины. В щели и трещины я прятал конфеты, чтобы не сразу их съесть, оттянуть удовольствие.

Когда трещины в бревнах становились уже слишком заметными, их заливали воском. Воск был из ульев. Дед сам отгонял пчел дымовиком с раскаленными углями (у меня до сих пор шрам от ожога дымовиком), весь облепленный роящимися насекомыми, вытаскивал из ульев соты. Нижний слой воска срезался, закладывался в сепаратор, рукоять сепаратора раскручивалась, и шел мед – цветочный, липовый. С ним все пилось и елось. Запах меда, дед, качающий рукоять маленьких мехов дымовика, – все это потом стало частью фигуры Вечного деда в «Сибириаде».

И «Сибириада», и «Дворянское гнездо», и «Дядя Ваня» полны воспоминаний детства. Утром просыпаешься – пахнет медом, кофе и сдобными булками, которые пекла мама. Запах матери. Запах деда – он рано завтракал, пил кофе, к кофе были сдобные булки, сливочное масло и рокфор, хороший рокфор, еще тех, сталинских времен. Запах детства.

Перед домом был двор, густо заросший пахучей гусиной травкой, с крохотными цветочками-ромашечками – гуси очень любили ее щипать. Помню, паника во дворе, весь дом приник к окнам: голодный ястреб налетел на курицу, она еще кудахчет, он одной лапой держит, другой – рвет на куски. «Сейчас, сейчас, погодите!» Дядя Миша зарядил шомпольное ружье, навел, спуск!.. И только пух от ястреба во все стороны.

У деда есть картина «Окно поэта»: свеча, столик, окно, за окном тот самый двор, только заваленный снегом. Не знаю, почему именно такое название. Но в доме все дышало Пушкиным, дед его обожал, знал всего наизусть.

На ночь вместе с дедом мы шли в туалет, один я ходить боялся: крапива, солнце заходит, сосны шумят. Дед усаживался в деревянной будке, я ждал его, отмахиваясь от комаров, он читал мне Пушкина:

Афедрон ты жирный свой
Подтираешь коленкором;
Я же грешную дыру
Не балую детской модой
И Хвостова жесткой одой,
Хоть и морщуся, да тру.

Это я помню с девяти лет.

Вся фанерная обшивка туалета была исписана автографами – какими автографами! Метнер, Прокофьев, Пастернак, Сергей Городецкий, Охлопков, граф Алексей Алексеевич Игнатьев, Мейерхольд.

Свой знаменитый портрет Мейерхольда с трубкой, на фоне ковра, дед писал, когда у того уже отняли театр. То есть, по сути, вместо портрета Сталина он писал портрет человека, над которым уже был подвешен топор, которого все чурались, от которого бегали. Думаю, в этом был политический вызов. Хотя диссидентство деду никак не было свойственно, человеком он был достаточно мягким, на принципы не напирал – просто это был в лучшем смысле этого слова русский художник, что само по себе системе уже ненавистно.

Коллекция автографов на фанере сортира росла еще с конца 20-х. Были и рисунки, очень элегантные, без тени похабщины, этому роду настенного творчества свойственной. Были надписи на французском. Метнер написал: «Здесь падают в руины чудеса кухни». Если бы я в те годы понимал, какова истинная цена этой фанеры, я бы ее из стены вырезал, никому ни за что бы не отдал!

Помню замечательного старика, поэта Городецкого. Это же друг Блока! А я сидел у него на коленях, он рисовал мне цветными карандашами. Дед издевался над ним нещадно за эти рисунки.

– Диле-тант! Думает, что умеет рисовать!

У Городецкого жил молодой Рихтер, высокий, рыжий, загорелый. С ним часто приходила его сумасшедшая поклонница, боготворившая его, создававшая ему атмосферу творчества, – Анна Ивановна, дочь художника Трояновского, у которого дед и купил дом в Буграх. У нее были длинные юбки до пола, какие носили до революции. Дядя Миша, подмаргивая, говорил, что это затем, чтобы скрыть хвост, подозревая ее в чертовщине.

Рихтер уже тогда был лысый. В нашем доме его звали Слава. Однажды он играл на даче у деда, и так вдохновенно, что сломал педаль. Дед был этим очень расстроен, послал ему письмо: «У вас, молодой человек, нет чувства меры, а в искусстве самое главное – чувство меры». Рихтер приходил извиняться.

Сколько всего, самого разнообразного, слышал я от бывавших у нас людей! От Игнатьева, автора популярной в свое время книги мемуаров «Пятьдесят лет в строю», появившегося у деда сразу же по возвращении из эмиграции, слышал, к примеру, такую прибаутку.

Он служил в русском посольстве во Франции, потом случилась революция, приехал новый посол, Игнатьев остался на работе у Советов как военспец. Новый посол, дипломатии не обученный, из комиссаров, по какому-то поводу составил ноту и велел отправить ее голландскому послу.

– Батенька, – сказал ему старый швейцар, также остававшийся на службе еще с царских времен, – голландский бывает сыр и х..., а посол – Нидерландов.

В другой раз, намного позже, зашла речь о Лермонтове.

– Говорят, страшный был зануда, – сказал Алексей Алексеевич.

Мне было уже пятнадцать лет, и я был страшно поражен, что слышу о Лермонтове как о ком-то лично знакомом говорящему.

– Откуда вы знаете?

– Я встречал Мартынова в Париже. Мы, тогда молодые, окружили его, стали дразнить, обвинять: «Вы убили солнце русской поэзии! Вам не совестно?» – «Господа, – сказал он, – если бы вы знали, что это был за человек! Он был невыносим. Если бы я промахнулся тогда на дуэли, я бы убил его потом. Когда он появлялся в обществе, единственной его целью было испортить всем настроение. Все танцевали, веселились, а он садился где-то в уголке и начинал над кем-нибудь смеяться, посылать из своего угла записки с гнусными эпиграммами. Поднимался скандал, кто-то начинал рыдать, у всех портилось настроение. Вот тогда Лермонтов чувствовал себя в порядке».

Такой был характер, очень язвительный, может быть, и несчастный – это я уж от себя добавлю.

Как близко оказывается от нас 1841 год! Убийца Лермонтова рассказал об этом Игнатьеву, Игнатьев – мне, я – вам.

Дед очень ценил Прокофьева. Забавно, но в доме сдержанно относились к Шостаковичу. Казалось бы, сейчас обстоит наоборот: Шостакович возведен на пьедестал, Прокофьева считают конъюнктурщиком. Мне кажется, Прокофьев мировой музыкальной критикой недооценен.

Когда дед писал портрет Прокофьева, тот сочинял «Мимолетности», подходил к роялю, наигрывал куски. Однажды во время такого музицирования дед сказал:

– Сергей Сергеевич, вот тут бы подольше надо, продлить бы еще...

– В том-то и хитрость. Как раз потому, что вам хочется здесь подольше, я и меняю тональность.

Моя старшая сестра, от маминого первого брака, Катенька, тогда была еще совсем маленькая. Однажды, когда дед с Прокофьевым ушли обедать, она подошла к портрету и стала его пачкать – внизу, где могла дотянуться. Дед вернулся, увидел пачкотню, махнул рукой и нарисовал там, где она нагрязнила, сосновые шишки на земле. Этот портрет Прокофьева очень известен, тем более что живописных его портретов крайне немного. Никто не знает, что у Петра Петровича был соавтор – Катенька.

После обеда и, естественно, вина к обеду дед любил поспать. Мы садились вокруг него, он начинал читать «Евгения Онегина» – с любого места, минут через сорок засыпал. Затем укладывали спать и нас.

К занятиям внуков и детей в доме относились несерьезно. Серьезным считалось только занятие деда. Нам запрещалось рисовать. Точно так же рисовать запрещалось маме и дяде Мише, когда они были маленькие. Дети часто копируют взрослых, дети художников становятся художниками просто из подражания, ни таланта, ни призвания не имея. Дяде Мише разрешили рисовать только после того, как нашли под его кроватью чемодан рисунков. Сказали: «Если ты, не испугавшись наказания, писал, может, у тебя и есть призвание». Большим художником он не стал, но писал, рисовал и был счастлив.

Своим главным и единственным судьей во всем, что касалось живописи, дед считал бабушку, Ольгу Васильевну. Если она говорила: «Здесь переделать», он переделывал. Ни одного холста не выпускал без ее одобрения. Если она говорила «нет», он мог спокойно взять нож и холст разрезать, выбросить. Чаще в таких случаях он просто перенатягивал его на другую сторону. Бабушкин вердикт был окончательный.

Мое детство окружали очень разные, выдающиеся, яркие люди, редкие «дореволюционные» запахи, удивительные разговоры – о Тициане, о Веронезе. Я жил на отделенном от советского мира острове.

Не все на нем было безоблачно для всех его обитателей. Естественно, и для меня. Однажды я ушел на реку один, куда одному мне ходить не разрешалось, но я все-таки ушел, да еще сделал себе лук со стрелами, в стрелы вколотил иголки. Когда собрался идти домой, вижу, навстречу идет дядя Миша, в панике – племянник ушел и пропал. Меня привели домой. Для начала посадили задом в большой коровий лепех – я отчаянно сопротивлялся, мне было уже девять лет. Потом заперли меня на чердаке. Для пущей обидности наказания всех других детей, пока я сидел в говне, а потом взаперти на чердаке, катали верхом на Звездочке.

У деда был интересный характер. Он никогда не входил ни с кем в конфликт, обо всем говорил иронически, в первую очередь – о советской власти. Конечно, больной раной было, что у него ни одной его персональной выставки, а у Александра Герасимова – чуть не каждые полгода. Когда после смерти Сталина его выставка, наконец, состоялась, он улыбался, посмеивался: «Ну да, вот так вот...» Понимаю, сколько за этим было спрятано. Ведь он же был очень крупный художник!

На излете опальных времен, когда в Москву приехал де Голль, деда не могли не пригласить на прием. Надо было явиться во фраке, он и пошел во фраке и лакированных туфлях, сделанных на заказ еще в 1910 году в Лондоне. Эти туфли у меня и по сей день целы, в них каждый раз я встречаю Новый год.

Только потом я понял, каким редкостным счастьем было жить в этой среде, какой роскошью в те, сталинские годы было сидеть в русском художническом доме, где по вечерам горят свечи и из комнаты в комнату переносят керосиновые лампы, где подается на стол рокфор, кофе со сливками, красное вино, ведутся какие-то непонятные вдохновенные разговоры. Странно было бы, живя в этом мире, не впитать в себя из него что-то важное для будущей жизни, для профессии. Многое было почерпнуто не из книг, а чисто на генетическом уровне. Есть то, чему я долгие годы учился, и то, что подспудно входило в подсознание.

НЕТЕРПИМОСТЬ

Дед мой не пустил в дом Маяковского, прадед выгнал Льва Толстого. Забавно, но мои предки вдобавок ко всему знамениты и тем, что выгоняли не менее выдающихся своих современников.

На картине «Меншиков в Березове» одну из дочерей опального сиятельного князя, ту, что с бледным чахоточным лицом, прадед писал со своей жены, полуфранцуженки (ее сестра Софья была замужем за князем Кропоткиным, основателем анархизма, – у Сурикова есть очень хороший ее портрет, с гитарой). Она и в самом деле болела чахоткой, от нее и померла.

Толстой зачастил к Суриковым. Сначала прадед думал – из человеческого сочувствия, потом понял – он интересуется тем, что чувствует умирающий человек. Суриков сказал Толстому: «Пошел вон, злой старик».

Иногда я смотрю на суриковские женские портреты и поражаюсь: Господи, ведь это же моя мама! А оказывается, портрет писан в 1885 или в 1888 году, это не мама, а бабушка. Как они похожи! Коктейль сибирских и французских кровей. Девочка в красном платке из «Утра стрелецкой казни» – это моя бабушка. А девочка на картине «Выход невесты» – моя мама. Ей девять лет.

У брата деда – Дмитрия Кончаловского, историка по профессии, в его глубочайшей книге о путях России есть замечательная статья о Сурикове. Двоюродный мой дед люто ненавидел советскую власть и коммунизм, этим чувством у него все окрашено, но истины оно не заслоняет. Он пишет о трагедийности Сурикова, о том, что на его полотнах – самые трагические периоды русской истории.

Суриков обожал женщин, ездил с дамами на юг, излишества по этой части, скорее всего, и поспособствовали его смерти. Помогла тому и моя двоюродная бабка Елена, его сестра. Хорошо помню эту сумасбродную старуху – всю жизнь она прожила и так и померла старой девой. От жадности она не позволяла Сурикову жениться, предпочитала женитьбе его романы с дамами, боялась, что жена присвоит себе все его деньги. Их у Василия Ивановича было достаточно. В революцию суриковская семья потеряла около девяноста тысяч золотом – серьезная по тем временам сумма. Так что Елена, как оказалось, глупость сморозила – и жить по-человечески отцу не дала, и все равно без денег осталась.

В том, что касалось денег, мой прадед был крут. В маминой книге о нем рассказано, как губернатор Великий князь Сергей Александрович посетил его мастерскую и захотел купить один из этюдов к «Боярыне Морозовой».

– Сколько стоит?

– Эта вещь стоит десять тысяч, – ответил Суриков.

По тем временам цена совершенно неслыханная. Великий князь побледнел от негодования.

– У меня и денег таких нет!

– Копите, Ваше Высочество, копите, – сказал Суриков на прощание.

Нестерова, вместе с которым они писали в Киеве святых в Софийском соборе, прадед корил за то, что при своей набожности тот не забывал о тучных гонорарах от святых отцов. Святошество было ему ненавистно.

– Он на небо-то поглядывает, а по земле-то пошаривает.

Между большими художниками часто существует взаимное неприятие. Кончаловский не скрывал своей нелюбви к Репину. В его доме я и заикнуться не смел, что Репин – великий художник. Хотя, конечно же, мастер он грандиозный, даже при том, что в плане социальном бывал порой конъюнктурен. Клан Сурикова и клан Репина друг друга не признавали. Суриков учился цвету у итальянцев, у испанцев, у Тициана, Веласкеса, Гойи. У Репина была иная школа.

Суриков в каком-то смысле напоминает мне Шукшина, при всем различии отразившихся в каждом эпох. В них обоих есть общее, корневое, сибирское. Эта сибирская удаль, я думаю, в большей степени передалась Никите, чем мне. В нем есть это русское героическое обаяние, вольница яицких казаков. Я, скорее, пошел в литовцев, прабабку-француженку – в Кончаловскую материнскую ветвь и в немцев (бабка отца была обрусевшая немка).

В своих генах я действительно чувствую что-то от немцев. Испытываю почти физиологическую потребность в развязывании узлов. Если вдруг вижу узел или перекрученный телефонный шнур, готов потратить уйму времени – лучше опоздаю, но не уйду, не развязав, не раскрутив их. Наверное, это болезнь. Нормальный человек на подобные пустяки не обращает внимания.

Художникам вообще свойственна нетерпимость. Терпимость может быть у философов, но когда дело касается художников, всегда крайности. Достаточно посмотреть на моих коллег-режиссеров. Все разъединены, мало кто выносит другого, способен терпеть другого, хотя при встречах радушнейшие улыбки, все как у лучших друзей. Художник Кончаловский в этом смысле был яростен, правда, еще и ироничен. Грубости не допускал, но ирония его не знала пощады. Ни одного из официальных художников не признавал. Александра Герасимова, Президента Академии художеств, презирал, Кукрыниксов, любимцев читателей газет и партийного начальства, вообще не считал художниками. Ирония его распространялась не только на официальную советскую живописную элиту, но и на мастеров, от нее далеких, сделавших себе имя еще до революции. Речь прежде всего о художниках, придерживавшихся немецкой школы. Малевич, Петров-Водкин, все, кто вышел из прославленного Баухауза, были ему чужды.

Он принадлежал к тому крылу русских художников, для которых кумирами были французы – Сезанн, Дега. В пору своей жизни во Франции, в Провансе, в начале века, он даже нашел картину Ван Гога. Он тогда жил в Арле, в небольшом отеле, ему нужны были подрамники. Зашел к хозяину, спросил, не найдется ли чего случаем.

– У меня художники часто останавливались, посмотрите на чердаке, кажется, там что-то есть.

Дед поднялся наверх и нашел на чердаке картину с пробитым где-то в середке холстом. Притащил к себе, отреставрировал, отдал хозяину:

– Берите! Неплохая живопись.

Ван Гог ведь тогда никакой ценности не представлял. Хозяин в благодарность разрешил ему все лето жить бесплатно в отеле. Сейчас эта картина стоила бы миллионы долларов, может даже, десятки миллионов...

Если задаться вопросами, что есть русская культура, ответы для славянофила-патриота могут оказаться весьма огорчительными. Откуда русская иконопись? Из Византии, от греков. Откуда русский балет? Из Франции. Откуда великий русский роман? Из Англии – от Диккенса. Пушкин без ошибок писал по-французски, а по-русски – с ошибками. А ведь он – самый русский из поэтов! Откуда русский театр? Русская музыка?.. Русская культура впитала в себя влияния и с Запада, и с Юго-Запада, с бассейна Средиземного моря, и с Востока. Не думаю, что одной лишь русской культуре это свойственно – впитывать разнообразные культурные модели, ассимилировать художественные стили. Но в России отзывчивость на разнородные веяния особо велика. Именно это имел в виду Достоевский, говоря о всемирности русской литературы.

Что касается моего деда, то отзывчивость его была избирательного свойства. Вся та ветвь изобразительного искусства, которая шла в Россию через Германию, им заведомо отвергалась. В музыке из немцев признавались только Бах, Моцарт, Бетховен. Про Вагнера лучше было не вспоминать, впрочем, как и про Чайковского, поскольку он был вагнерианец. Всем свиньям дед давал вагнеровские имена: свиноматка Изольда, Вотан, Тристан, произносившийся как Дристан, Лоэнгрин.

– Пришла пора резать Лоэнгрина.

Русская музыка кончалась на Мусоргском, русская поэзия – на Пушкине, русская живопись – на Сурикове. Ахматова, Пастернак и весь Серебряный век русской поэзии в грош не ставились. Кстати, одобрялись басни Михалкова. Бакст, Бенуа и все мирискусники – чепуха, Малевич – шарлатан, все было разделено на лагери. Про Фалька дед говорил, что он пишет фузой. Фуза – оставшаяся на палитре краска, которую в конце рабочего дня соскребают мастихином и кладут в банку. Все краски в фузе смешаны, цвет неопределенный, что-то вроде сметаны пополам с грязью. Дед был сезаннистом, признавал только чистый цвет. Сезанновской теории чистого цвета следовали и Ван Гог, и Дюфи, и импрессионисты. На них для деда живопись кончалась.

Сохранилась афиша 1918 года – общественный суд над Репиным в Политехническом музее. Футуристы, имажинисты, кубисты выволокли старика на судилище и скопом распинали. Общественным обвинителем был Кончаловский. Бабка моя вскакивала на стул, свистела и кричала: «Это не искусство. Это натурализм». Зал одобрительно топал ногами. Репин после этого навсегда уехал в Финляндию.

В этом смысле в доме царила партийность. В мою детскую голову она не укладывалась, я уже был подростком, но не в состоянии был понять, почему Сурикова любить можно, а Репина – категорически нет, почему Мусоргский – это хорошо, а Чайковский – кошмар, ужас, сентиментальная пошлятина и вообще никак кончить не может, играет, играет, шесть раз кончает и опять играет. Мне пришлось долго набираться решимости, чтобы, уже покинув консерваторию, сказать маме: «А знаешь, Чайковский – это не так уж плохо».

Особенно нетерпимой была бабушка с ее взрывной сибирско-французской помесью кровей и темпераментов. Никогда не забуду страшные глаза, которые она нам делала: внуки трепетали перед ней как осиновые листы.

ОТЕЦ

– У меня было очень мало друзей, – сказал мне отец.– Много было приятелей и знакомых, но друзей мало. Кто у меня был настоящий друг? Эль-Регистан, с которым войну прошел. Миша Кирсанов (он был военный медик). Мы с ним на охоту выезжали. Три-четыре человека.

У мамы друзей было много. Ее все обожали, общение с ней всем очень много давало. Папа дать столько не мог. Он был продукт времени.

Родился он в дворянской семье, дворян после революции не жаловали, от былого богатства ничего не осталось. Отцу рано пришлось зарабатывать на жизнь. Работал сначала разнорабочим на ткацкой фабрике, потом – в геологоразведочной экспедиции в Восточном Казахстане.

От прежних владений, домов в Москве и имений ничего не осталось. Свое происхождение скрывали. Отец в анкетах писал: «Из служащих».

Не так давно отец долечивал перелом бедра в санатории в Назарьево. Я приехал к нему. Двухэтажный старый особняк, достроенный и перестроенный, отделанный туфом и мрамором, алюминиевые двери со стеклами – архитектура брежневских времен.

– Видишь это окно? – сказал отец. – Из него папа кидал мне шоколадные конфеты. А я стоял вот здесь. Это было наше родовое имение, наш дом. А возле церкви похоронен твой прапрадед, его супруга и многие из нашей родни.

Надо же было, чтобы именно в этот санаторий он попал!

Отец мне как-то рассказывал, что его недолюбливал Алексей Сурков, его родители были когда-то крепостными у Михалковых.

Любопытно, как забытые, еще от «той жизни» связи оживают в недавнем прошлом. В 60-е годы в «Метрополе» меня, тогда двадцатипятилетнего студента, всегда заботливо-нежно встречал седенький швейцар, надевал пальто, говорил: «Андрей Сергеевич»...

– Что это вы так? – спросил я его с привычной своей вгиковской наглостью.

– Так я ж вашего дедушку знал, Владимира Александровича. Мне ваш дедушка конфеты давал.

Он был из семьи дворовых в михалковском имении.

Михалковы – род старый, восходящий корнями к первой половине XV века. Мой прапрадед В. С. Михалков владел одной из лучших частных библиотек в России, насчитывавшей пятьдесят тысяч томов. Библиотеку он завещал Академии наук в Петербурге. Часть ее, книги по краеведению, осталась в Рыбинске, там, где находилось его имение.

Для начала XIX века несколько десятков тысяч томов – собрание огромное. Такую библиотеку могли иметь только очень образованные и состоятельные люди. А в Государственном историческом музее от XVIII века сохранилась семейная переписка Михалковых – несколько сот писем, в том числе и моего прапрапрадеда, офицера, писанные с войны. Писанные, как то было принято в дворянском кругу, по-французски. Письма тех лет – большая редкость и ценность. Надеюсь, со временем эти письма расшифруют, переведут – тогда узнаю из них побольше о своем роде.

А Фридрих Горенштейн нашел о роде Михалковых документы, вообще относящиеся к XVI веку. Ко мне Горенштейн неравнодушен и в добром и в дурном смысле слова, это особый род приятельства-неприятельства. Недавно, встретив меня, он сказал: «Ну я напишу о Михалковых!» Он сейчас работает над книгой об Иване Грозном и нашел где-то запись, будто бы Иван Васильевич по поводу какого-то опасного предприятия сказал: «Послать туда Михалковых! Убьют, так не жалко». Фридрих был страшно доволен. Я тоже обрадовался: «Ой, как хорошо! Хоть что-то Иван Грозный про моих предков сказал. А про твоих он, часом, не говорил? О них слыхивал?..»

Странно осознавать, что все это старались забыть. Не помнить. И вот, наконец, разрешили вспомнить.

Сергей Владимирович свою родословную стал собирать уже давно, к своим корням относится очень бережно. И нас к тому же приваживает.

Не знаю, как ощущают себя другие, но мне часто кажется, что живу во сне. «Жизнь моя, иль ты приснилась мне?» Уже сама жизнь в доме поэта, любимого народом и правительством, казалась какой-то неправдой – тем более в послевоенные годы, когда все вокруг жили в коммуналках, небогато, нередко просто голодно.

1947 год. Мне десять лет. Отцу – 34 года. Он совсем молодой, по советским понятиям привилегированный человек.

А рядом – мир моего деда, где говорят по-французски, куда приходят Грабарь, Прокофьев, Алексей Толстой, Эйзенштейн, Ромм, Софроницкий, граф Игнатьев, Москвин, Ливанов. Здесь с иронией и скепсисом относятся к действительности, именуемой советской, здесь каким-то чудом сохраняется почти помещичий уклад жизни. Даже в трудные, нищие годы, когда у деда ничего официально не покупали, он продавал картины немногим знакомым – тому же Алексею Толстому.

К нам домой звонят высокие партийные деятели. В этом же доме на кухне сидит семидесятилетняя тетка отца Марица Глебова. Ее первому мужу, сыну московского губернатора, пришлось бежать «за бугор», как сказали бы сегодня. Все из-за того, что по дороге в Новочеркасск, застав в ее купе князя Трубецкого, застрелил его. Пока дело замнут, ему пришлось дожидаться в Бессарабии. Тетка ведет разговор о светских сплетнях дореволюционных времен, о людях из какого-то другого, исчезнувшего мира, о материях, которые будущему режиссеру Кончаловскому, в ту пору школьнику и пионеру, трудно понять и представить.

Тут же на кухне сидит приятель дедушки по папиной линии, прихлебатель, изобретатель-неудачник, вспоминает стародавние времена. Вздыхает, когда речь заходит о нынешних. Единственное, что из нынешнего его интересует, – охота.

Приходят какие-то партийные деятели. Приходят писатели. Приходит Рина Зеленая со своим мужем, архитектором Котэ Топуридзе, «Котиком». Как-то среди ночи приходит пьяный Фадеев, его мутит, мама укладывает его в маленькой комнате. Приходит Алексей Крученых, в далеком прошлом поэт-футурист, автор знаменитого «Дыр-бул-щел», с портфелем букинистических редкостей – папа его очень любил, как мог поддерживал.

Отец получил орден Ленина за свои детские стихи в 1939 году, ему тогда было 26 лет. Даже Чуковский, к тому времени уже великий классик детской литературы, и тот пришел с поздравлениями. Отец сам не может толком объяснить, почему вдруг на него свалилась такая награда. Подозревает, как сам мне говорил, следующее.

В Литературном институте училась очень красивая блондинка по имени Светлана. Отец красивых девушек не пропускал, пытался за ней приударить. Встретил ее в Доме литераторов, выпил бутылку вина, подошел:

– Хочешь, завтра в «Известиях» будут напечатаны стихи, которые я посвятил тебе?

– Глупости какие!

– Вот увидишь.

Незадолго до этого он отнес свои стихи в «Известия», два стихотворения взяли, предупредили отца, что будут публиковать.

Отец позвонил в редакцию:

– Назовите стихотворение «Светлана».

На следующий день газета вышла со стихотворением «Светлана»:

> Ты не спишь, подушка смята,
> Одеяло на весу,
> Ветер носит запах мяты,
> Звезды падают в росу...

Очень красивые стихи. Случайность, но имя девушки совпало с именем дочери Сталина.

Через несколько дней отца вызвали в ЦК ВКП(б) к ответственному товарищу Динамову.

– Товарищу Сталину понравились ваши стихи, – сказал Динамов. – Он просил меня встретиться с вами и поинтересоваться условиями, в которых вы живете.

Через три года – орден Ленина. Бабушка, Ольга Васильевна, узнав об этом, сказала:

– Это конец. Это катастрофа.

Характерная реакция. Кончаловские очень любили отца. Позже, когда он стал известной фигурой, много печатался, хорошо зарабатывал, мать была очень благодарна ему за то, что он дал ей возможность жить как бы на острове – не знать, не вникать, что происходит вокруг, оставаться внутри своего мира.

Надо же! Сталин дал орден Ленина человеку, у которого теща – несдержанная на язык дочь Сурикова, тесть – брат человека, проклявшего коммунизм, спрятавшегося в Минске и ждавшего немцев как освободителей России. Другой брат деда, Максим Петрович, крупнейший кардиолог, работал врачом в Кремлевке. Одним словом, фактура неординарная.

Нормальная семья не бывает без конфликтов, больше того – должна быть конфликтной, если ее составляют личности.

Конфликты были. Были скандалы. Во времена ждановщины отец написал «Илью Головина», пьесу конъюнктурную, он и сам того не отрицает. Пьесу поставили во МХАТе. Обличительное ее острие было направлено против композитора, отдалившегося от родного народа, сочиняющего прозападническую музыку. Прототипами послужило все семейство Кончаловских, только героем отец сделал композитора, а не художника. Естественно, Кончаловские себя узнали; не скажу, что были оскорблены, но обижены уж точно были. В то время я не понимал смысла разговоров, происходивших вокруг этого сочинения. Отголоски какие-то доходили, но я еще был слишком мал, чтобы что-то уразуметь. Во времена недавние мне захотелось в этой пьесе разобраться. Как? Единственный способ – ее поставить. Хотелось сделать кич, но в то же время и вникнуть, что же отцом двигало: только ли конъюнктура или было какое-то еще желание высказать вещи, в то время казавшиеся правильными? Замысел этот пришлось оставить – слишком сложная оказалась задача.

МАМА

Из самых давних воспоминаний: весна 1941 года, бабушка, папина мама, ведет меня вниз по улице Горького, мы идем покупать творожные сырки с изюмом. Их продают в очень красивых берестяных коробочках. Я гляжу себе под ноги: вижу свои ноги в сандалиях и бабушкины – в огромных мужских полуботинках. Может, это только кажется, что они такие большие, – мне еще только должно исполниться четыре.

Еще из давних воспоминаний: мы уезжаем в эвакуацию, в Алма-Ату. 29 октября 1941 года. Папа везет нас к самолету – на военный аэродром в Тушино. Помню, как сейчас, я сижу в черной «эмке», машина останавливается на углу Триумфальной площади, там, где когда-то был театр Образцова. Дедушка и бабушка пришли проститься с нами. Они оставались в Москве, где и прожили страшную зиму 1941-го.

Они целовали меня, маму, прощались, как навсегда. Потом мы снова поехали. Помню самолет, непомерно большие сапоги пулеметчика, стоящего у турели. В московском небе летают немецкие истребители, но я, конечно, еще не понимаю, что такое опасность и что такое война.

Этим же самолетом летел Эйзенштейн. Кто это такой, узнал позже – в полете я спал. Были посадки и снова взлеты и, наконец, Алма-Ата.

Мы живем в «лауреатнике». Помню титан с кипятком в конце коридора. Помню маму, разговаривающую с Эйзенштейном по-английски. Они очень дружили, их связывали воспоминания об Америке и тоска по Америке.

Одна из самых огорчительных моих потерь – украденный кем-то сценарий «Ивана Грозного» с дарственной надписью на английском, от Эйзенштейна маме. Мама потом рассказывала, что Эйзенштейн в Алма-Ате показывал ей свои хулиганские рисунки – эротическая галерея мужских членов, каждый – характер. Член грустный, член наглый, член-меланхолик, член-флегматик – нарисовано гениально! Ей было неловко, но и любопытно.

Что еще помню в Алма-Ате? Помню арыки на улицах. Помню белый китель отца – он вышел в нем из уборной и сказал: «Посмотри, не накапало ли». На кителе было откуда-то капнувшее ржавое пятно.

Помню саблю и ружье – их для меня вырезал из дерева дворник. Помню какого-то младенца в коляске и свое непреодолимое желание сделать ему больно. Желание тут же исполняю – щиплю его, он орет, я убегаю, очень довольный. Потом повторяю то же еще и еще раз. Наверное, в этом какой-то прирожденный детский садизм. Быть может, он идет от желания удостовериться, что это – живое. Орет – значит, больно, значит, живой.

Помню большой портрет Орловой и корову в шляпе на фанерном щите – афиша «Веселых ребят». Помню декорации «Ивана Грозного», которые показывает мне Эйзенштейн. То есть, скорее, я помню его широкие штаны, он ведет меня за руку – вокруг темный павильон с какими-то декорациями, противно и холодно.

Еще помню сливочное масло. Я его долго не видел, оно мне очень понравилось, я взял кусок со стола, положил в нагрудный карман своей красной рубашки с вышитым вензелем «Андрей». Через час вместо масла обнаружил большое жирное пятно, был страшно расстроен и плакал.

На время войны папа стал чужим – я не видел его по полгода. Мама занималась поэтическими переводами, переводила с украинского Михайло Стельмаха, с еврейского – Рубинштейна. Мне кажется, в алма-атинском «лауреатнике» была веселая жизнь. Веселая – от отчаяния войны. Жили сегодняшним днем, скоротечными романами, никто не знал, сколько войне еще длиться, что будет потом.

В 1941-м маме было тридцать восемь, она была молода, очень привлекательна. Думаю, она была эмоционально увлекающимся человеком, вызывающим у мужчин очень чувственные надежды.

В 1927 году мама убежала в Америку без разрешения родителей. С чужим мужем. Ехали они через Владивосток и Японию в Сан-Франциско. В те времена можно было развестись по почте. Пока доехали до Владивостока, он уже получил по телеграмме развод. На пароходе, который шел из Иокогамы в Сан-Франциско, поженились: в

Америку она уже въехала женой красивого господина Алексея Алексеевича Богданова. Он был представителем «Амторга», купцом и сыном купца, воспитан в «аглицком» духе, очень образован, свободно владел английским, курил сигары и носил гамаши. В Америке же они развелись, в Россию вернулись каждый сам по себе. Его сразу же посадили и расстреляли. Если бы мама не развелась с ним в 1932-м, в 1933-м ее ждала бы та же участь.

Ее брак с отцом был достаточно странен. Мама только что из Америки, свободно говорит по-английски и французски, вокруг всегда поклонники. В отличие от отца, у нее обширное образование, большой круг друзей, замечательных друзей! Отец на десять лет младше. Когда они с матерью поженились, ему двадцать три, ей – тридцать три.

У мужчин мама вызывала очень активный интерес, она нравилась. Один эпизод таких отношений потом вошел в «Сибириаду».

Павел Васильев очень домогался мамы и написал несколько стихотворений, сублимировавших эротическое, сексуальное влечение к ней.

В наши окна, щурясь, смотрит лето,
Только жалко – занавесок нету,
Ветреных, веселых, кружевных.
Как бы они весело летали
В окнах приоткрытых у Натальи,
В окнах незатворенных твоих!
И еще прошеньем прибалую –
Сшей ты, ради бога, продувную
Кофту с рукавом по локоток,
Чтобы твое яростное тело
С ядрами грудей позолотело,
Чтобы наглядеться я не мог.
Я люблю телесный твой избыток,
От бровей широких и сердитых
До ступни, до ноготков люблю,
За ночь обескрылевшие плечи,
Взор, и рассудительные речи,
И походку важную твою.

. . . .
Восславляю светлую Наталью,
Славлю жизнь с улыбкой и печалью,
Убегаю от сомнений прочь,
Славлю все цветы на одеяле,
Долгий стон, короткий сон Натальи,
Восславляю свадебную ночь.

Маму это очень расстраивало, между ними никогда не было тех отношений, какие по этим стихам можно представить. Потом он опубликовал свое стихотворение «Горожанка», чего там только не написал! Они оказались вместе в какой-то компании в общежитии Литературного института, мама при всех ему сказала:

– Павел, какое ты имеешь право такие стихи посвящать мне?

Все уже хорошо выпили, было много грузинского вина, Васильев растерялся и от растерянности дал маме пощечину. Не придумаешь, какая реакция! Все мужики на него кинулись, он бросился бежать, его с улюлюканьем гнали по Тверскому бульвару, швыряли вслед камни. Мама была в истерике, ее отвезли домой.

В двенадцать ночи кто-то позвонил в дверь, все уже были раздеты, ложились спать. Открыла бабушка.

– Наташа, тебя молодой человек спрашивает.

Она вышла, стоит Васильев:

– Наташа, прости!

– Не хочу с тобой разговаривать! Убирайся вон, подлец!

– Прости! Не уйду, пока не простишь!

– Уходи, умоляю! Ненавижу тебя!

Он падает на колени.

– Не уйду! Буду стоять на коленях, пока не простишь!

Утром домработница пошла на рынок, Павел Васильев стоит на коленях. Позвали маму, она вышла. «Наташа, неудобно! – ей уже все шепчут. – Стоит же человек!»

– Ну хорошо. Прощаю.

Это и вошло в «Сибириаду», эпизод, где Устюжанин стоит на коленях перед воротами.

Мама много писала, делала либретто для опер, песни для мультфильмов, зарабатывала деньги. Одно из воспоминаний первых послевоенных лет: я сижу под статуей Ленина на «Союзмультфильме», жду, когда мама получит деньги в кассе. Потом мама стала членом приемной комиссии Союза писателей, ей приходилось читать массу чужих стихов, к работе она относилась очень серьезно. Катеньку, нашу старшую сестру, мама вообще оставила жить у дедушки с бабушкой, очень потом жалела об этом, чувствовала себя перед ней виноватой.

Мама рассказывала, что всех своих детей задумывала. Она с самого начала хотела сына, но первой родилась дочь. Потом, беременная мной, она задумывала, каким я должен быть, какой характер, какая профессия, какая судьба. Думаю, меня она любила просто безумно. Она вообще была человеком на редкость страстным. Это я понял очень поздно.

Поздно, по причине своего эгоизма. К матери я относился, как, впрочем, относятся и все прочие дети, – потребительски и жестоко. Ребенок всегда чего-то требует и никогда ничего не дает. Могу судить по своим детям. Они ведут себя, как молодые животные. Чего-то все время хотят, и при этом немедленно.

Мама старилась. Я взрослел. Она начала делиться со мной какими-то своими мыслями. Я очень терпеливо выслушивал все, что она говорила, а ей уже многое хотелось мне рассказать, но слушал ее всегда как бы по сыновней обязанности, со скукой. Голова была забита другим – девочками, вечеринками, друзьями, кино. Я уже ходил в Дом кино, прорываться туда было очень сложно, особенно на американские, французские фильмы; администратор Тамара Леонидовна по знакомству давала мне билеты – как сыну Михалкова.

Потом и я стал давать маме какие-то творческие советы. Я уже становился более зрелым, годам к двадцати пяти у меня был какой-то опыт, знания. Это я познакомил маму с песнями Эдит Пиаф, она потом перевела их, сделала две книги о ней. Это я познакомил маму с песнями Жоржа Брассанса – у меня были французские друзья. Коля Двигубский, мой сокурсник по ВГИКу, незадолго до того реэмигрировавший из Франции, притащил пластинки Брассанса.

Наши взаимоотношения с мамой начинали становиться взаимоотношениями взрослых людей. Очень часто мама говорила, что пишет новый рассказ или стихотворение.

– Сейчас я тебе почитаю.

Это было всегда так некстати! Редко я воспринимал всерьез хоть что-то из того, что делали мои родители. Но надо было слушать, я набирался наивозможнейшего терпения и внимания – правда, в этот момент нередко рядом со мной сидела какая-нибудь девушка, и руки мои бродили по самым интересным ее местам.

Когда я уезжал в Америку (точнее, уезжал я во Францию, но знал, что там не задержусь), сказал маме, что не вернусь. Мы очень долго дискутировали об этом, у нее на глазах были слезы, она говорила: «Этого ни в коем случае делать нельзя». Она боялась, папа долго вообще ни о чем не знал. Когда узнал, вознегодовал. Я сказал ему тогда: «Если не уеду, стану диссидентом. Все прокляну. Надоело. Больше так жить не могу. Мне неинтересно. Или скандал, или я уезжаю. Не уеду – будет хуже. Я страшней для тебя здесь». Это его напугало.

Потом, когда мы с мамой уже после премьеры «Сибириады» сидели в машине, она сказала:

– Ты прав, ты прав... Я не должна тебя осуждать, ведь я сама когда-то вот так же уехала.

АНТИПОДЫ

Когда голос отца призывал меня к себе в кабинет, я знал: будет судилище, выговор, причем в полной мере заслуженный, – я в чем-то буду уличен и непременно виноват. Виноват же я был в тысяче предосудительных дел, которые, как мог, скрывал. Мое существование, нет, думаю, и любого мальчишки лет десяти, в кругу любящих родителей подсознательно приобретает характер «подвига разведчика», жизни «нашего», пробравшегося в стан «чужих». Все время приходится врать, что-то придумывать, правду говорить нельзя – накажут, и поделом. Родители уже не сомневаются в том, что ты бездельник, моральный калека, наказание Господне.

Родителей в это время воспринимаешь если не как врагов, то, уж точно, как антиподов. Всегда есть какие-то свои маленькие секреты, которые им доверять нельзя. Всегда хочется того, чего нельзя. Просишь разрешения – тебе не позволяют. Не позволяют – значит, хитришь, обманываешь. Все время ощущение противостояния.

Живешь, как во вражеском окружении. Если что и приходит в голову, то исключительно глупости и гадости. Все, чего хочется, бессмысленно, разрушительно, предосудительно. Хочется ущипнуть ребенка в коляске. Хочется стоять на верхней площадке и плевать в узкую щель лестничного пролета так, чтобы слюна пролетела все шесть этажей до самого низа. Хочется облеплять жеваной промокашкой концы спичек, зажигать их и подбрасывать к потолку так, чтобы они, догорев, оставляли вокруг себя густые черные пятна копоти. Хочется острым концом ключа царапать на стене лифта известное слово из трех букв. Причем царапаешь каждый раз, возвращаясь домой, все в том же месте, надпись становится все глубже, глубже, наконец, уже совсем прорезает фанеру. Хочется запустить камнем в чужое окно, посмотреть, как лопнет стекло, как будет беситься и негодовать высунувшийся хозяин, если он дома. Почему это доставляет такое удовольствие? Ведь ни на секунду не задумываешься: зачем? Занятие кажется таким интересным!

Разрушение доставляет удовольствие. Наверное, это свойственно только мальчикам. Однажды я привязал к двум антикварным, красного дерева стульям веревку и стал через нее прыгать, чтобы потом в школе показать всем, как замечательно свободно могу одолеть любую высоту. Кончилось тем, естественно, что стулья упали, сломались. Приходит мама. Врешь ей что-то немыслимое, напускаешь себе в глаза слюней, чтобы она думала, что ты тоже переживаешь. Мама все равно не верит, все равно наказывает.

Или, вспоминаю, я пришел в класс на урок музыки, сел в ожидании запоздавшего педагога на стул, расставил ноги и, плюнув на паркет, старался попасть в то же самое место. Минут за тридцать образовалось несколько очень солидных плевков. Потом пришел преподаватель (это был Рафаэль Чернов), сказал, чтобы такое никогда больше не повторялось. Мне, естественно, было очень стыдно, но почему я это делал, ответить не смог бы – не смогу и сейчас. Каковы побудительные мотивы такого рода занятий? Может, это от детской незрелости, а может, и вовсе унаследовано от наших зоологических пращуров.

Многое вспоминается, когда я сегодня вхожу в тот самый подъезд, где когда-то плевал с шестого этажа, – отец по-прежнему живет там.

Начиная с десятилетнего возраста, самое интересное время, когда родителей нет дома – идешь к ним в комнаты и превращаешься в Шерлока Холмса, шаришь по всем ящикам. Я и сейчас помню содержимое ящиков маминого трельяжа. Там лежали замшевые перчатки, сколько их! Каждую натягиваешь на руку, тут же украшения, гребешки, браслеты, сеточки для волос, популярные в сороковые годы. Справа стояли духи. Внизу- ботинки. В отдельном ящичке – фотографии, письма.

Фотографии рассматривались, письма читались. Все изучалось во всех деталях. То же и у отца. До сих пор знаю, где что лежит, потому что там так все и лежит. В полированном шифоньере – подарки, привезенные из разных поездок для разных начальников: ручки, часы, мелкие заграничные сувениры. Наверху – одеколоны. Все рассматривалось, все ставилось на прежнее место. Я точно знал, от чего какие ключи и где они лежат, где духи, где деньги, значки, ордена, детали личного туалета, самые интимные вещицы.

Меня не раз вызывали, спрашивали:

– Ты открывал здесь?

Делаешь невинное лицо.

– А почему эта вещь лежит не там, где прежде была?

– Не знаю.

Чистая ложь. После этого все запирали, ключ прятали, говорили: «Все. Больше ты никогда и ни за что...» Потом все забывалось, возвращалось на круги своя, я продолжал свое путешествие по закоулкам папиных и маминых комодов и ящиков. Думаю, сами родители так хорошо не знали вещей друг друга, содержимого своих столов и шкафчиков, как знал я. Мне было известно все. Они даже представить не могли, до какой степени все.

Тем не менее это была жизнь с людьми, которые тебя любили. В доме всегда было ощущение безопасности, что, конечно же, редкое для ребенка счастье. Мама очень меня любила, хотя в то время я и не задумывался об этом. Все шло каким-то очень естественным чередом. Жестокость по отношению к детям была заведомо исключена. Что, впрочем, не помешало отцу два раза меня выпороть.

Папа никогда ничего не собирал. Но иногда ему приходило в голову, что он чем-то увлечется и займется коллекционированием. Однажды он привез из-за границы три альбома с марками. Альбомы так у него и лежали, руки до них не доходили. Папины руки. Мои – доходили. Марки мне понравились. Я решил несколько штук снять. Сначала снял две, потом – четыре, потом – пять, потом – восемь и так как-то тихо, незаметно половина марок куда-то перекочевала, была обменена на фантики и какую-то несусветную ерунду.

Как сейчас помню:

– Андро-он!

Липкая дрожь, иду на лобное место. Сидит отец с альбомами.

– Это ты брал? Где марки?

Нагло вру:

– Не знаю.

– А кто знает? Феня знает? (Феня – наша домработница). Куда они делись?

Отец снял ремень и выпорол меня. Было не больно, но очень обидно.

Второй раз это случилось третьего мая. Я понадеялся, что уже пришло лето, и пошел в школу в рубашке и коротких штанах. Всегда есть такая тайная надежда: кажется, если наденешь летнее, то и на улице будет тепло. Причина и следствие поменяются местами. Погода моих надежд не оправдала, холодина была страшная. Отец как раз в это время подъехал к дому, вышел из машины и на ходу тут же на улице меня выпорол. Почему он это сделал?

Думаю, в те годы я был малосимпатичной личностью. Любовался своим отражением в зеркале. Врал. Воровал. Пакостил. Может, я вообще малосимпатичная личность?

Но кто что знает обо мне как о личности? Зла я мало кому делал, дорогу мало кому перебегал. Ничье место не занимал, ни у кого ничего не отнимал.

Мой брат, к примеру, Штольца в своем «Обломове» писал с меня, да еще и сказал где-то что-то малоприятное о моей картине. Почему мне такое везенье? Почему Аксенов изобразил меня в своем «Ожоге» в виде гнусного субъекта – молодого кинорежиссера в модных очках?

От одной своей подруги, француженки из русских эмигрантов, недавно я узнал про нашего общего парижского знакомого, тоже по происхождению русского. Я сказал:

– Передай привет Сашке. Скажи, что очень его люблю.

– Передам, – сказала она, – только учти, тебя он терпеть не может.

– Почему?

– Знаешь, он говорит: «Почему Андрон Михалков должен был быть с детства в порядке, а я в говне? Они, Михалковы, всегда были в порядке – и при Сталине, и теперь».

Сейчас он очень богат. Чего ему на меня злобиться? Может быть, человеку нужна компенсация за прошлые несправедливости? Точнее, за то, что он воспринимает как несправедливости. А может ли судьба вообще быть справедливой? Может ли быть справедливой лотерея? Не глупо ли от рулетки ждать выигрыша для каждого?

Что это, рок надо мной какой-то? Надо же было случиться этой истории с «Ближним кругом»! Казалось, все так чудесно складывается. Приехал президент «Коламбии», посмотрел, сказал: «Это шедевр». Начал вкладывать деньги в рекламную кампанию, заказал специально книгу к выходу картины... И вдруг его снимают.

Удивительно! Все усилия насмарку. Новый президент картину задвинул куда-то в десятый ряд, прошла она почти незамеченной.

Ладно. Пусть так. Лишь бы не хуже. С возрастом начинаешь понимать, что какие бы неудачи и неприятности тебя ни преследовали, какие бы унижения, разочарования, удары ни пришлось пережить, твоя судьба все равно удачливее, чем у тысяч других, а у тех других – чем у миллионов еще более обделенных и битых жизнью...

МУЗЫКА

После Алма-Аты в 1943-м недолгое время была Уфа, Башкирия, потом, с 1944-го, – Москва.

Помню портниху Шуру, сидевшую у нас, бесконечно что-то шившую. Она обшивала всех (кроме отца – ему шили где-то еще): маму, Катеньку, меня. Шилось из старых папиных и маминых костюмов, пальто – ничего ж в магазинах тогда не было, ни одежды, ни тканей. Отрез материи был ценностью, сокровищем. Шура шила у нас лет пятнадцать – до самого конца 50-х, перелицовывала старые вещи (нынешние ровесники меня тогдашнего и слова такого не знают) на другую сторону, случалось – и по второму разу.

Помню Новый год. Пришел Алексей Толстой. С ним была очень красивая женщина, Людмила. Сначала она была его секретаршей, потом стала женой. В Москве было тогда затемнение, на окнах во всех домах – черные шторы. У нас были свечи и керосиновые лампы. Помню, когда на столе зажгли свечи, на шее у Людмилы таинственно вспыхнули старинные бриллианты. Маме она подарила флакон духов «Шанель № 5». До сих пор помню их сказочный запах. Это же 1944 год! Может, и запомнилось все потому, что мама потом не раз рассказывала об этой невероятной в войну «Шанели».

Под конец войны появилась «ант Хелен» – тетя Елена, седая, носатая, смешная дама, занимавшаяся со мной английским. Она была коммунистка, еврейка, бежала из Лондона, потому что боялась, что немцы придут в Англию, всю войну просидела в России. Нашла, куда бежать!

Английским мы занимались вместе с Васей Ливановым. Дружили наши мамы. Евгения Казимировна, Васина мама, была женщина удивительной, прямо-таки неземной красоты. Она была полька; когда шла по улице, сразу было видно, что она откуда-то не отсюда, откуда-то из Европы, с обложки заграничного журнала мод.

Семья разрасталась. Родился Никита. В доме была домработница, иногда – две.

У мамы была ближайшая подруга – Ева Михайловна Ладыженская, мосфильмовский монтажер. Она много работала с Эйзенштейном, Пудовкиным, Роммом, впоследствии монтировала и моего «Первого учителя». (В ту пору еще зачищали эмульсию бритвой, пленку склеивали ацетоном. Господи! Какой же я старый, если работаю в кино со времен, когда было такое!)

Так вот, как-то зимним днем 1945 года мама и Ева Михайловна, пообедав и выпив водочки, решили, что самое время учить меня музыке. Мне было восемь лет. Они отвели меня в музыкальную школу в Мерзляковском переулке: так началась моя несостоявшаяся музыкальная карьера.

Мама музыку обожала. Она и за первого своего мужа вышла потому, что он играл на рояле и она верила в его артистическую карьеру. Алексей Алексеевич обещал ей, что займется концертной деятельностью, усиленно готовился, она очень ему помогала, наконец, он дал концерт и провалился. На этом мамина любовь кончилась.

Очень мне повезло, что он оказался плохим музыкантом. Если бы не это, мама с ним бы не развелась, а значит, и я бы не появился на свет. Но мечту иметь в доме человека, играющего на рояле, мама не оставила. Ожидалось, что человеком этим стану я.

Я не был избалованным ребенком, какими нередко бывают дети элитарных родителей. Конечно, были и пайки, и разные блага, по чину отцу положенные. Но я учился музыке, а ею надо заниматься каждый день. Я эти занятия ненавидел, думал лишь о том, как от этой повинности слинять. Мама заставляла меня буквально силой. Потом начал втягиваться.

В ту пору я еще не ходил в шашлычную – ходил в кинотеатр «Повторного фильма». В шашлычную начал ходить где-то с восьмого, с девятого класса, когда поступил в музыкальное училище. Там уже образовалась компания людей, у которых кое-какие деньги случались, каковые, естественно, пропивались. Тогда я заработал свои первые деньги – какие-то несчастные рубли за музыкальное оформление спектакля. Рубли, конечно же, остались в шашлычной.

В компании, посиживавшей там, был очень талантливый мальчик из Донецка, ныне известный джазовый пианист Николай Капустин. Был Вячеслав Овчинников, с которым мы познакомились в музыкальном училище на Мерзляковке. Я знал, что он очень талантлив, но тогда мы еще не дружили – дружить начали уже в консерватории.

В музыкальное училище я ушел из седьмого класса школы. В музыку к этому времени уже втянулся. Мы теперь жили на углу улицы Воровского (ныне Поварской) и Садового кольца. Квартира для советской действительности была нереально большой. Был кабинет у папы, была своя комната у мамы, была столовая и еще две комнаты – в одной жила Катя с Никитиной няней, в другой – я с Никитой.

Когда я учился в музыкальном училище, потом в консерватории, потом во ВГИКе, под роялем на раскладушке у нас всегда кто-нибудь ночевал – Капустин, Овчинников, иногда Шпаликов. Тарковский проспал там до конца «Рублева». Как приятно было оставлять у себя на ночь приятелей! Потом рояль стал уже не нужен, его увезли на дачу.

Лет с семнадцати хочется убежать подальше от родителей, не видеть их и не слышать – чего от них ждать, кроме неприятностей! Мы с друзьями сидим у меня в комнате, курим, выпиваем, открывается дверь – отец! Сигареты надо тут же выбросить, бутылку – спрятать.

– Вы что, курите?! – спрашивает отец, нюхая воздух. Вот зануда! Только и ищет повод, чтобы сказать гадость. И от мамы тоже хотелось бежать, ну разве что кроме тех случаев, когда надо было подластиться, поцеловать, что-то выпросить.

Лет с шестнадцати, когда у меня уже установился голос, он стал очень похож на отцовский. Так что и в консерваторские и во вгиковские годы у меня не было проблем с билетами ни в какой театр. Я звонил администратору, говорил с хорошо натренированным заиканием: «Это Мих-халков. М-моему сыну нужно два билета». Папину подпись в дневнике, куда, к счастью, он и мама почти не заглядывали, я подделывал идеально. И не только в дневнике. На бланках «Депутат Верховного Совета СССР Сергей Михалков» я подписывался под такими ходатайствами, о которых он не имел ни малейшего представления. Все эти безобразия творились запросто, с легким сердцем. С точки зрения морали поведение мое лучше не оценивать – все, какие есть на свете, заповеди (кроме разве что первой – «не убий»), нарушались постоянно. Впрочем, из всех заповедей важнейшей я почитал одиннадцатую, в Библии не помянутую, – «не попадись». Нарушай хоть все десять разом, только не попадайся.

Однажды я позвонил в театр (кажется, Большой), все с тем же заиканьем сказал, что я – Михалков, что мой сын придет сегодня на спектакль, нужно два билета.

– Одну секундочку, – сказал голос на том конце телефона. И тут же в трубке раздался голос отца:

– Кто это?

Оказалось, он в этот момент сидел у администратора. Скандал!

На первом курсе музыкального училища я получил кол за диктант по русскому – сорок ошибок на двух страницах! Было за что поставить. Но наша милая преподавательница (до сих пор помню ее фигуру, похожую на гигантскую грушу) влепила мне этот кол с явным удовольствием. Надо признаться, меня не очень любили.

Поводов к тому было достаточно. Но помимо всего, как мне было прямым текстом сказано, не любили меня за клевый стиляжный пиджак. Папа привез из Восточного Берлина материал, толстый, в синюю, зеленую и желтую крапинку. Вдобавок я купил еще и «корочки» на толстой подошве – ходил большим пижоном. Все-таки я готовил себя в музыканты, вольные, так сказать, художники.

Из педагогов нашей музыкальной бурсы вспоминаю лишь математика, с огромными усами, большими часами на цепочке; он шлепал нас по головам линейной за то, что мы играли на его уроках в фантики. Ну конечно же, намного интереснее его задачек было выиграть у соседа по парте конфетные обертки с картинками.

Других педагогов не помню – практически я уже никакие уроки не посещал, уже перешел в музыкальное училище, где общеобразовательные предметы не слишком ценились – главным была музыка.

Историю СССР в училище нам преподавал странный человек, с красным лицом, похожий на своеобразный гибрид Муссолини и Кагановича, только без усов. Хромой, с палкой, инвалид войны. Звали его Коммуний Израилевич. Между собой мы звали его Кома. Человеком он был огромной эрудиции, по тем временам очень передовых взглядов и действительно оставил след в нашей памяти. Как-никак были уже первые послесталинские годы. Все, что он рассказывал, было по программе, но говорил он с улыбочкой и какой-то иронией, за каждым словом чувствовалось двойное дно. Он очень интересно рассказывал нам о Троцком, гораздо более подробно, чем излагалось в учебнике. От него я впервые услышал (и навсегда усвоил), что самое гениальное произведение Горького – его «Клим Самгин», роман, очень серьезно раскрывающий русский характер, а за ним и гибель всего сословия. Кома был больше чем учитель. Он был нам настолько интересен, что мы собирались у него дома, разговаривали, пили водку. Он нас любил, от него веяло инакомыслием, хотя времена были такие, что и слова этого нельзя было произнести. Тем не менее именно инакомыслие сквозило и в его жестком глазу, и в иронической интонации, и в манере общения с нами. Очень интересный был человек.

В музыке у меня было три учителя. В школе – Рафаил

Чернов, в училище Рубах, интереснейшая личность, в консерватории – Оборин.

Однажды я болел, лежал в маминой постели, слушал радио. Тогда были такие маленькие приемнички-динамики, на две станции. Передавали музыку, какой прежде я никогда не слышал. У меня от нее чуть не случился оргазм. Так я открыл для себя Скрябина.

В музыке я себя никогда счастливым не чувствовал. Сначала вообще не любил ее. Потом научился понимать, любить, но себя в музыке не любил никогда. У меня недостаточно хороший слух. То есть слышу я неплохо, не сфальшивлю, но слух у меня не абсолютный. И двигательный аппарат, то есть связь между ухом и пальцами, не очень развит. Тягаться с Колей Капустиным, у которого все это было от Бога, я не мог. Он первым заставил меня почувствовать свою неполноценность.

Впрочем, в училище это чувство унижения и неудобства от собственной второсортности меня не очень тяготило. Был азарт, желание быть хорошим, быть лучше других, тщеславие. Я был недостаточно плох, чтобы меня не приняли в консерваторию. А вот консерваторские годы были мучительны из-за постоянной необходимости соответствовать другим. Я плохо писал диктанты, неважно шло сольфеджио. Не скажу, что я был хуже других. В каких-то отношениях совсем не хуже. Звуком я владел очень хорошо, поступал я в консерваторию не по блату – поступал с программой очень сложной, тяжелой, по меркам 1957 года, диссидентской. Играл «Петрушку» Стравинского, «Рапсодию на тему Паганини» Рахманинова. Председателем экзаменационной комиссии был Нейгауз. Румяный, седоусый, он сидел в своих неизменных перчатках с отрезанными пальцами, прикрывавших ревматические руки. Я, конечно, знал его как замечательного пианиста, но не подозревал, что он был одним из действующих лиц в любовной драме Пастернака.

Нейгаузу очень понравилось, что я играл Стравинского, который тогда был запрещенным композитором. Думаю, Рубах нарочно дал мне такую «левую» программу, решил, что с сыном Михалкова ничего не случится. Меня приняли по классу рояля к Льву Оборину. Он был маминым другом. Она позвонила ему: «Левушка! Как замечательно!» Он был для нее Левушкой еще тогда, когда в начале 30-х шестнадцатилетним мальчиком ездил в Варшаву и выиграл там конкурс.

Программа у меня была хорошая, но, думаю, решающую для Оборина роль сыграло все-таки личное знакомство, дружба с мамой. И в музыке, и в музыкальной педагогике он был очень крупной фигурой, личностью. В классе у него в то время училось несколько гениев – Володя Ашкенази, Дмитрий Сахаров, Михаил Воскресенский, Наум Штаркман. Рядом с этими великими я был как не пришей кобыле хвост. Особенно этого не чувствовалось, но я-то знал, что с ними мне никогда не тягаться.

Мы довольно часто собирались. На первом курсе Володька Ашкенази придумал устроить философские чтения. Собирались группой у нас дома, по очереди делали доклады – по Платону, по Аристотелю, занимались мы классической философией. Занятия эти быстро кончились: кого-то из нас, кажется Володьку, вызвал Свешников, ректор консерватории.

– Вы, ребята, собираетесь, изучаете какую-то идеалистическую литературу, – сказал он, – не нужно вам это. Хотите делать карьеру, советую, бросьте.

Может, кто-то стукнул, может, был звонок из КГБ. В общем, философствовать мы перестали.

ЗАВИСТЬ

Первое мое воспоминание, связанное с семейством Ливановых, меньше всего касается Васи, к которому меня повели играть вскоре по возвращении из эвакуации, тем более – старших Ливановых. Мне было безразлично, кто этот мальчик, каков он, кто его родители, но вот автомобильчики, которые привез ему папа из Риги, недавно освобожденной от немцев, никогда не забуду. То ли они были немецкие, трофейные, то ли привезенные откуда-то из Америки, но в любом случае совершенно обалденные. Не мог от них оторваться, ничего подобного в жизни не видел. Они были заводные, сами катались, у каждой был руль, в одной даже играла музыка.

Я очень завидовал Васе. Меня такими игрушками не баловали.

Какие у меня были игрушки? Деревянная сабля, деревянное ружье – их вырезал из доски дворник дядя Петя в Алма-Ате, я расхаживал с ними по двору, была лопата, но Васины машинки были чем-то невозможно недостижимым.

Не так давно я встретил Васю во дворе «Мосфильма», он задумчиво разглядывал мою новую американскую машину.

– Привет, Василий, – сказал я.

– Ты когда-то завидовал моим машинкам, – сказал Вася. – А теперь я завидую твоим...

Потом, когда меня привели в гости к Шуне Фадееву, я был потрясен настоящими ножами и настоящими револьверами, подаренными ему отцом. Опять во мне заговорила непреодолимая зависть. Такими игрушками меня тоже не баловали. Да и вообще по этой части ни папа, ни мама особой заботы обо мне не выказывали.

Правда, потом папа привез настоящий кортик, и я с ним играл. Сочинил что-то вроде пьесы, мы ставили какой-то спектакль, бегали в самодельных плащах, из-за угла вышла моя племянница и напоролась животом на кортик. Кортик у меня тут же отняли, как следует понаддавали, чтоб вел себя по-человечески, и спектакль и кортик на этом кончились.

Много кому я завидовал в жизни, и по самым разным

поводам. Какому-то неведомому парню на пляже, у которого удивительно красиво выпирал из-под плавок член. Парижскому клошару, с преудобством устроившемуся прямо на мостовой. «Счастливый человек, – думал я, – у него нет советского паспорта». Но, наверное, никому я так не завидовал, как своему консерваторскому другу Володе Ашкенази.

Предметом моей жесточайшей зависти он был прежде всего потому, что играл намного лучше меня. Когда я видел, как он разыгрывается перед концертом в училище, как у него бегают пальцы, как под ними рождается Шопен, было ощущение, что во мне все съеживается, скуксивается, душа становится похожей на старое яблоко, пролежавшее полгода в холодильнике. Каким ничтожным казалось мне то, что я могу извлечь из инструмента. С точки зрения артистической, думаю, Ашкенази более всего повинен в том, что я бросил консерваторию. Я просто не выдержал. Естественно, не только он давал мне много очков вперед, были и другие, но никто не был предметом такого моего обожания, как Володя.

У Володи была беда – от его обуви шел запах. Ну может, не столь сокрушительный, как от сыра в рассказе Джерома, но я почему-то обратил внимание. Я чувствовал, что именно на меня возложена миссия избавить от него музыкального гения, собирал отовсюду наиполезнейшие на этот счет рекомендации и немедля передавал их Володе. Они ли возымели действие или что-то иное, но заслугу в победе над этой напастью приписываю исключительно себе.

Другой бедой, от которой, как я решил, ему пора избавляться, было его неведение во всем, что касалось плодов древа познания. По натуре своей он был интроверт, боялся женщин. Мы выпили водки, я сказал, что прекрасный пол не зря называется прекрасным и пора ему уже в том убедиться. Володя, побледнев, согласился. Без труда была найдена девица, соответствующая ситуации. Я объяснил ей, что это Володя Ашкенази, великий музыкант, о нем надо позаботиться.

Они закрылись в другой комнате, мы с приятелями продолжали пить, слушать музыку, говорить о высоких материях; родителей, естественно, не было – лето, уехали отдыхать. Через полчаса дверь открылась, выглянула девица:

– Ну где клиент?

– Как где? Он с тобой.

– Какое со мной! Я его жду уже двадцать минут.

Оказалось, он вышел пописать и тихонько слинял с квартиры.

Надеюсь, Володя простит мне эти воспоминания. Это было так по-детски и так наивно!..

В эти же годы Москву потряс Ван Клиберн. Нам надо было его принять. Звезда Володи тоже уже всходила. Мы устроили прием в «Праге», наверху, на террасе, решили американца огорошить. Купили огромную банку черной икры (в те времена это было достаточно недорого), поставили бутылку водки. Больше на столе ничего не было.

Пили водку и ели икру из банки ложками. У них там позволить себе такое могут только миллионеры. Уверен, Клиберн этого вечера не забыл.

Вскоре Володя начал получать один приз за другим. Он уже был концертирующий артист, а я – студент Консы. Стать выездным в те годы было намного труднее, чем спустя пять или десять лет, но он был не просто выездным, он буквально без перерыва колесил по всему миру. Мы в это время были очень близки. Он отовсюду писал мне. У меня сохранились его письма примерно такого типа: «Пишу тебе из Солт-Лейк-Сити. Что за скучный город! Правда, очень вкусное мороженое». Или: «Лондон. Дождь. Дождь. Дождь. Но, Андрон, если б ты видел эти парки!» Я, естественно, мог только представлять себе, какая прелесть гулять по этим паркам. Володя был для меня связным, агентом, привозившим из-за рубежа запретный глоток другого воздуха.

ANDREI

Мама

Мамин крестный отец Сергей Тимофеевич Коненков.
Сфотографирован еще в Америке – там эта фотография и подарена маме. Был он большим оригиналом. Писал левой рукой

Издатель Петр Кончаловский, отец моего деда, —
тот, кто спас Врубеля от голодной смерти

Василий Иванович Суриков, мой прадед

Петр Кончаловский, мой дед

Мама →

У отца всегда было очень легкое чувство юмора

Папина родня – двоюродный дед С. В. Михалков с семьей →

Мой папа со своей мамой

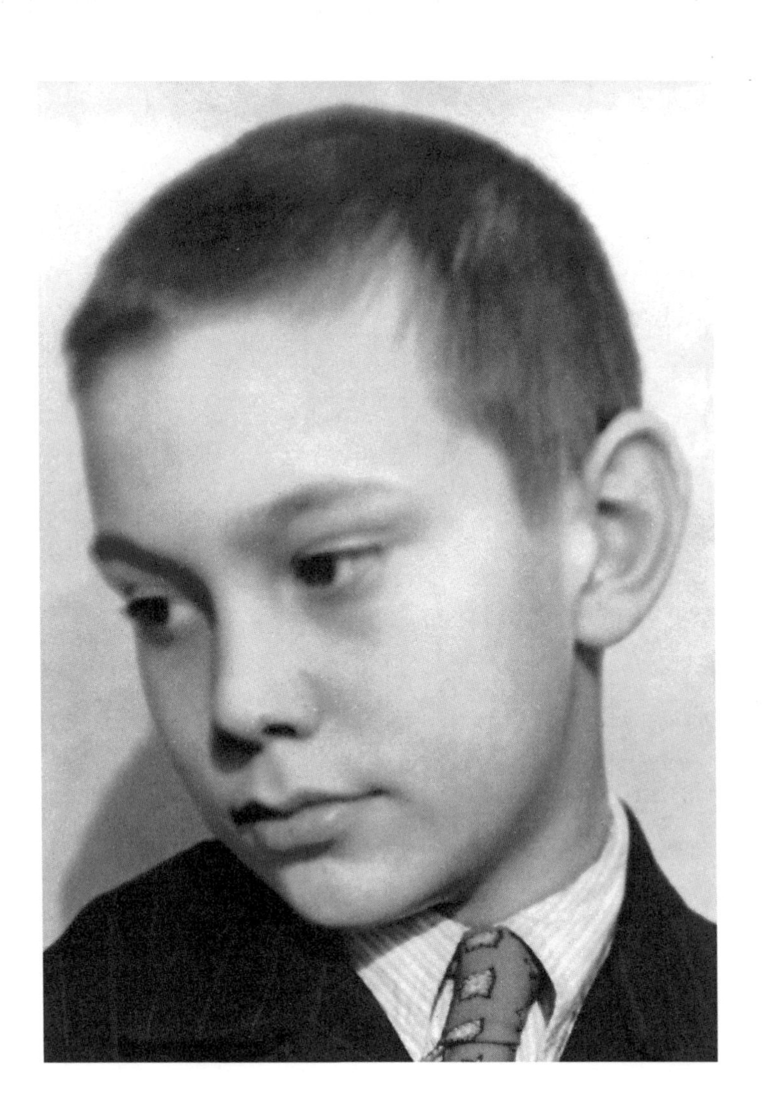

В школе меня звали Чан-Кайши – из-за моих азиатских глаз

Сын детского писателя, лауреата Сталинских премий,
орденоносца, депутата, видного деятеля и т.д. и т.п.
рассматривает вместе с папой марки, из-за которых потом
пришлось испытать столько стыда

А рядом они же. В Лондоне. Спустя полвека

Никита прислал этот снимок с Тихоокеанского флота. На обороте надпись: «День присяги. Снимок – мечта Романова. Только вместо автомата – кирка». Романов – министр кинематографии

«Сибириада». По дороге на съемку. Снимали под Томском.
Час пути туда и час обратно на пароходике

Мама с сыновьями

Затем случилось самое страшное: он женился на исландке. В те времена это вообще не дозволялось. В мозгах советских обывателей такое тянуло почти на измену Родине. Но ему не могли не разрешить. Несчастного папу Ашкенази вызывали куда следует. Увещевали. Воздействовали. Но Володя переступил тот порог страха, который до него переступать никому не удавалось, отрезал концы. Он уже был лауреатом Международного конкурса Чайковского, жена – иностранка. Он стал неприкасаемый. Прекратили выпускать его записи. Он плюнул на эту власть – пусть не выпускают, не разрешают, пусть делают, что хотят. Уехал. Поселился в Лондоне. Его имя перестало в СССР упоминаться. Его это уже не задевало, он уже жил по иным законам. Для меня это было самым сильным ударом: он смог жить по другим законам, а я не могу – боюсь.

Вот так же я чувствовал себя, когда гулял по Цветному бульвару с Эрнстом Неизвестным вечером того самого дня, Хрущев разнес его на выставке в Манеже. Все уже об этом знали, по Москве разнеслось мигом. Отец срочно вернулся откуда-то, ясно было, что это не случайность – начинается новая кампания зажима интеллигенции.

Я позвонил Неизвестному. Мы вышли погулять, шли бульварами. Эрнст подробно рассказывал о встрече с Хрущевым. «Знаешь, Андрей, – сказал он, – я себя так хорошо чувствую! В этом во всем есть что-то очищающее». Очевидно, он имел в виду страх. Боже мой, какой же он герой, не боится... Я уже тоже что-то преодолел в себе, не боялся идти с одиозным человеком, пославшим подальше Самого. Но все равно вот так преодолеть в себе страх – нет, к этому я еще не был готов... Потом мы много общались, он хотел, чтобы я снял кино про его скульптуры. Я уже придумал, как это снять... Последний раз мы встретились в бане, он уже обрезал концы, уезжал по израильской визе, был готов к тому, что его не выпустят. «Я уезжаю через 10 дней». Мы сидели, парились... Но это уже 70-е годы...

А познакомились мы в 59-м – тогда же я сблизился и начал работать с Тарковским. В те годы Эрнст зарабатывал на жизнь тем, что месил глину Вучетичу и топил котельную Кербелю – двум титанам монументального официоза. Сам он был нищ, бездомен, случалось, ночевал на вокзале.

Тогда у всех с жильем обстояло трудно. Славка Овчинников жил в общежитии – это все же было получше, чем вокзальная скамья. У Ильи Глазунова была комнатка, величиной с туалет. В нее еле-еле втискивались раскладушка, на которой он спал с женой, и мольберт. Часто в гостях у него я видел Ларису Кадочникову...

Неизвестный всегда напоминал мне буйвола – маленький рост, короткий загривок, шеи вообще нет, сгорбленная спина, ломанный нос, тяжелая нижняя челюсть с припухлой губой, удивительно живые цыганские глаза. От прежней биографии на теле у него осталась память – татуировки, кое-как сведенные, но не до конца. Все равно они были видны.

Он потряс меня своим умом, энергией, неведомым мне жизненным опытом. Это от него я услышал слово «беспредел», истории про беспредельщиков, бравших с собой в побег из лагеря напарника, живое мясо, которое можно пустить в ход, когда кончится вся еда. Не шутка – пройти зимой по тайге полторы тысячи верст! Едой на такой путь не запасешься, на себе не унесешь. Мясо, которое само идет за тобой, сподручнее. Хотя и наступает момент, когда человек понимает, ради чего его взяли: все, что можно было съесть, съедено, пришла его очередь...

Скульптуры Эрнста, квадратные, тяжелые, отлитые из металла, как бы маленькие эскизы гигантских будущих монументов, производили на меня огромное впечатление – все, что шло вразрез с соцреализмом, мне тогда очень нравилось. Я уже учился во ВГИКе, сразу же подумалось: вот о ком надо снять документальный фильм.

Мы с Тарковским обдумывали будущий сценарий, мне мстился лунный свет, падающий в окно мастерской, безмолвные скульптуры, музыка Скрябина – хотелось соединить Скрябина с Неизвестным, хотя это наверняка было ошибкой. Они мало созвучны друг другу – просто Скрябин мне очень нравился.

Нас ничто не объединяло – ни с Неизвестным, ни с Глазуновым (с Тарковским – другое дело, там основой была общая профессия), но все равно было чувство общности. В нас жила та же энергия, нас подняла та же общественная и художественная волна. Не скажу, что их искусство мне ближе всего на свете – могу назвать другие имена и в живописи, и в скульптуре, которые гораздо ближе мне художнически. Но проходит время, и набежавшие с тех пор сорок лет ясно дают понять, что, как бы не изменились с тех пор эти художники, они оставили за собой такой объем сделанного, что это, конечно же, веха в искусстве. С их работами можно спорить, отвергать; не принимать, не замечать – нельзя.

Сближала нас общая энергия, взаимное ощущение человеческого калибра. Его нельзя было не почувствовать и в Эрнсте, и в Илье, в какие бы игры он ни играл с сильными мира сего. Недавно я был на выставке личной коллекции Глазунова – столько редчайших икон, императорских портретов мог собрать только человек оглашенный, обожженный владеющей им страстью...

А с Володей Ашкенази после его отъезда мы иногда встречались. Однажды даже в телевизионной передаче на французском телевидении, которую вел Фредерик Миттеран, племянник президента.

Талант – вообще счастье, талант музыканта – счастье особое. Свободно льется речь, понятная всем. На этом языке говорит весь мир, переводчик не требуется. А когда талант к тому же признан – счастье двойное. Признание дает творческую свободу.

Отдельный разговор о моем отношении к его игре. Он, конечно, гениально одаренный музыкант, его пианизм – нечто невероятное! На протяжении жизни он очень менялся. Мое обожание со временем прошло и через скепсис. Был период, когда он играл чересчур чисто. Складывалось впечатление, что это игра без единой ошибки, в том числе и ошибки божественной. Из-за этого от его исполнительства слегка веяло хрестоматией. Где-то в 60-х, став несколько больше разбираться в интерпретациях, я пошел на концерт Володи и на выходе столкнулся с Рихтером, давно знавшим меня еще по дедовым Буграм.

– Как вам, Святослав Теофилович? – спросил я.

Он улыбнулся, немного неловко поднял плечи и, как бы извиняясь, сказал:

– Слишком безупречно.

Я даже не до конца понял, что он имел в виду. Наверное, то, что в Володиной игре мало было оригинальности, неожиданности, все идеально предсказуемо. Нельзя, скажем, спутать игру Софроницкого или Гульда ни с чьей иной, так могли сыграть только они, логично, но непредсказуемо. Великое искусство всегда логично и непредсказуемо. Искусство менее великое – логично и предсказуемо. У Ашкенази предсказуемости было больше, чем надо для великого искусства. Но потом это выросло в совершенно иное качество – в огромную непредсказуемость, в мощный классицизм. Какое-то время я почти не покупал записей Ашкенази, а потом купил, и это было для меня замечательное открытие. То, что он сделал с Третьим концертом Рахманинова – по архитектонике, тому, что в музыке главное, по соотношению содержания и формы, по интерпретации, – было потрясающе. Последние пятнадцать лет в моем отношении к нему скепсиса не было – было обожание и еще – уважение, которому я научился, увы, очень поздно.

УДАР НАОТМАШЬ

Я очень благодарен моим консерваторским друзьям. Они немало поспособствовали моему самоопределению. Саму же консерваторию вспоминаю с гнетущим чувством. Все годы меня преследовало: «Что я здесь делаю?» Ничего подобного у меня не было потом во ВГИКе, там не возникало и тени сомнений – я был абсолютно уверен, что это мое, здесь я дома. А в консерватории не мог избавиться от чувства своего ужасающего, угнетающего несоответствия, неадекватности тем, кто рядом учился. Ну конечно, я играл – играл неплохо (у меня сохранилась программка вечера памяти Кончаловского: играл Рихтер, за ним в программке – я), много занимался, готовился к конкурсу, переиграл руку. Я как бы изо всех сил старался быть профессионалом, профессия меня затягивала. И все равно где-то в глубине, внутри себя я чувствовал, что никогда такой творческой свободы, такой совершенной техники, какая есть у Ашкенази, мне не достичь.

Помню, мама (это было в 1955-м) повела меня домой к великому Софроницкому. Они были близкие друзья. Дед написал знаменитый портрет Софроницкого. Мама знала его еще в те времена, когда он играл в мастерской Петра Петровича. Софроницкий был женат на дочери Скрябина, приходил с женой и новорожденным ребенком, клал ребенка на рояль и играл. Потомок Скрябина мирно посапывал под рокочущие аккорды. Скрябина Софроницкий знал лучше, чем кто-либо из когда-либо живших на свете музыкантов. Хотя сейчас появилось достаточно интеллигентных музыкантов, прекрасно его понимающих и чувствующих. Для мамы Софроницкий был Вовой, они были дружны чуть не сорок лет, разговаривали запросто.

В тот вечер Софроницкий был подшофе. Незадолго до того он женился на своей ученице, которую, кажется, тоже пристрастил к вину. Попросил меня сыграть –

я сыграл, если память не изменяет, Листа. Он вяло, рассеянно похвалил.

Потом сам сел за рояль. Инструмент был расстроенный, но играл он божественно. Играл какие-то кусочки, отрывки, импровизации. Помню странное ощущение тишины. Я сидел придавленный. Он был небом, солнцем музыки. Да, мама звала его Вова, но мы-то знали, что он символ русской музыки, выше него никого нет, он недосягаем. Наверное, потому многие и не любили его.

Странно, как прослеживается связь поколений. Коля Капустин учился у старика Гольденвейзера, который играл еще Ленину. Музыкант, на мой взгляд, он был суховатый. Володя Ашкенази и я учились у Оборина, тот – у Игумнова, Игумнов – у Зверева, который был учителем Рахманинова и Скрябина. Вот какая интересная линия наследования могла бы получиться– Зверев, Игумнов, Оборин, Кончаловский... Слава Богу, не получилась!

Музыкантом я не стал. Понял, что должен делать кино. А понял это тогда, когда посмотрел «Летят журавли».

Кино я любил, много часов просиживал в кинозалах. Главных кинематографических потрясений, не забывшихся и сегодня, было три. Первое, музыкальное, – киноопера «Паяцы» с совсем юной тогда Джиной Лоллобриджидой; я смотрел фильм много раз и каждый раз рыдал. Другое потрясение – бельгийская лента «Чайки умирают в гавани», не мог и вообразить прежде, что возможна такая формальная виртуозность. Третье потрясение – на I Московском международном кинофестивале – «Хиросима – моя любовь» Алена Рене.

Был просмотр в Театре-студии киноактера, мы сидели рядом с Эрнстом Неизвестным. Сзади послышались какие-то разговоры. Эрнст повернулся и сказал:

– Козлы! Это искусство. Не понимаете, – уходите. Или молчите в тряпочку, пока я вам хлебальники не начистил.

Зэковский лексикон он освоил в армии, где, кажется,

побывал и в штрафбате. Слова прозвучали весомо, действие возымели.

Но еще до «Хиросимы» было потрясение самое главное, все решившее, – «Летят журавли».

Это был удар наотмашь. Такого кино – чувственного, эмоционального, острого по форме – я никогда не видел. Это было кино по-настоящему музыкальное, кинематографический импрессионизм. Монтаж, крупность планов – все было неожиданностью, все просто сбивало с ног. Ошеломляла игра Тани Самойловой. Я сходил по ней с ума, написал ей любовное послание в стихах – кажется, это были единственные стихи, написанные мной в жизни. Хотел передать их ей, но так и не собрался.

Все связанное с именами Калатозова и Урусевского было для меня священным. Тогда уже готовился новый фильм – «Неотправленное письмо». На роли были утверждены Вася Ливанов, мой друг с детских времен, и Евгений Урбанский.

Я понял, что больше ждать не могу. Я должен делать кино – и ничто другое. Зрительная память у меня вообще сильнее, чем любая иная. Отчетливо запоминаю лица. Даже телефоны запоминаю визуально. Не запоминаю имена – абстрактное мышление у меня слабое. Музыкальная память у меня есть, но все равно она слабее зрительной, музыка – самое абстрактное из искусств. А вот образы зрительные помню явственно. «Журавлей» я проигрывал в своем воображении великое множество раз. Внутри меня жило какое-то странное энергетическое чувство, что смогу делать так и еще лучше. Уверенность толкала к поступку.

Поначалу я все же думал: доучусь в консерватории и пойду во ВГИК. Проучился год, перешел на второй курс, сказал себе: закончу этот год и уйду. Прошло еще два месяца, я понял, что дольше чем до конца семестра в консерватории не задержусь. Объявил Оборину, что ухожу.

Какой скандал был дома! У мамы было плохо с сердцем, она так хотела видеть меня музыкантом, так мечтала об этом, столько усилий потратила! И хотя мамины слезы, мамина воля в семье считались святыми, непререкаемыми, поступать иначе было не в моих силах. Я очень благодарен маме за то, что она заставила меня играть на рояле и изучать музыку. И очень благодарен судьбе, что музыкантом не стал.

Недолгое время до поступления во ВГИК я работал на телевидении, писал какие-то очерковые сценарии, снимал документальные сюжеты. Работали мы вместе с Леней Плешаковым, очень хорошим журналистом, огромным славным человеком. Потом я снимал его в «Сибириаде». Он и сегодня звонит мне, вспоминает старые времена.

Время было хорошее. По Москве вихрем прокатился фестиваль молодежи, прорвавший, хоть на какие-то дни, железный занавес. Прошла чешская выставка в Парке культуры, открылся чешский ресторан, где подавали чешское пиво со шпикачками. Это было лучшее место в Москве. Мы объедались чешскими сосисками и мыслили себя в Европе.

ЧАСТЬ ВТОРАЯ

ВЗРОСЛЕНИЕ

ЭВОЛЮЦИЯ

Лет десять назад в Париже Володя Ашкенази спросил:

– А ты разве в партию не вступил тогда?

– Я? В партию?!

– А ты разве забыл? Ты, когда еще был пионером, сказал: «Вырасту, обязательно вступлю в партию. Иначе карьеру не построишь».

Я был потрясен. Неужели это был я? Да, я, нормальный советский пионер. Когда умер Сталин, рыдал и плакал вместе со всеми.

Потом был XX съезд партии. Мы дружили тогда с Мишей Козаковым. Он был знаменит, снялся незадолго перед тем в «Убийстве на улице Данте», готовился сыграть Гамлета. Я еще не поступил в консерваторию. Мы встретились с ним и с Таней Штейн, дочкой драматурга Штейна, моей юношеской любовью. Таня была на два года старше меня, мы уже целовались. Козаков посмотрел на нас и вдруг предложил:

– Пойдем на улицу! Расскажу вам что-то важное.

Был февраль, зима, холод.

– Знаешь, – сказал он шепотом, – выступил Хрущев, так понес Сталина! Оказывается, Сталин был негодяй, преступник! Вот чего стоил нам культ личности!

Я не верил своим ушам. В воздухе носились ветры перемен, люди начали смотреть друг на друга с тайной надеждой. К нам часто приезжал человек по имени Боян, веселый, всегда улыбающийся, горный инженер, со значком на лацкане, жил он на севере, в Воркуте. Я не мог знать тогда, что он ссыльный, что к Михалковым приезжает как к старым друзьям – тут он всегда мог рассчитывать на справку, делающую отлучку из Воркуты легальной. Поехали из Сибири реабилитированные.

К маме из ссылки приехала подруга, с обезображенным шрамом лицом. Я видел у мамы ее довоенную фотографию: красавица! Это была Нина Герасимова, вдова так называемого крестьянского поэта Герасимова. Была такая знаменитая компания – «крестьянские поэты», ходили в шелковых рубашках, причесывались на прямой пробор. Какое-то время к ним примыкал и Есенин. Всю жизнь Герасимов прожил в Париже, вернулся, его упекли, объявили буржуазным националистом. Жену тоже арестовали. Всю войну она провела в лагерях... Жить ей было негде, она поселилась у нас. Спала на кухне на раскладушке. Раскладушки тогда были очень в ходу. У нас дома их было три: на одной спала домработница, на другой – тетя Нина, на третьей – кто-нибудь из моих друзей.

С чего же началось перерождение? Что на меня влияло? «Голос Америки», радиостанция «Свобода», Би-би-си – их передачи с леденящей антисоветской пропагандой были для меня пугающе привлекательными. После двенадцати я возвращался домой, укладывался в постель и тут же включал радио – по ночам глушили не так свирепо, как днем. Слушание запрещенного, чтение запрещенного медленно раскачивало абсолютную запрограммированность, какая у меня была точно так же, как и у всех остальных, воспитанных советской школой.

Года с 56–57-го начала ходить «подпольная» литература – бесконечные перепечатки всего, что в сталинские времена не издавалось, изымалось из библиотек. Пошли бесконечные самиздатские книги, отстуканные на машинке, размноженные фотоспособом – вся классическая поэзия: Ахматова, Гумилев, Сологуб, Мандельштам,

Цветаева. Потом йога, Кришнамурти. Потом теософские труды Рудольфа Штайнера. Марксистские работы Роже Гароди, изгнанного за ересь из компартии. Всю эту литературу я собирал, переплетал, у меня все стояло аккуратно на полке.

Лет в 14–15 я выглядел здоровым парнем, был достаточно умен, лип к взрослым и потому оказался в компании людей старших меня лет на пять и более. Когда мне было шестнадцать, Мите Федоровскому, внуку Федора Федоровского, главного художника Большого театра, уже было двадцать, он учился во ВГИКе на операторском факультете, у него была камера. Но главным предметом моей зависти был его потрясающий английский велосипед. В сталинские времена, в самом начале 50-х, – это было немыслимой роскошью. К тому же его мать сшила ему невероятные тонкие брючки на молниях, и я умирал от желания иметь точно такие же и такой же велосипед. Он стал таскать меня в компании таких же, как он, молодых оболтусов, «золотой молодежи». В компании эти входили в основном студенты Института международных отношений, Института военных переводчиков, Института востоковедения – все будущие «белоподкладочники», работники МИДа. Там был Виктор Суходрев, впоследствии переводчик Брежнева. Он был очарователен, красив, ничем не походил на русского, феноменально говорил по-английски, что не удивительно – он был сыном дипломата, учился в Англии. От его галстуков, стиляжьих, американских, с абстрактным орнаментом, я просто шатался. В этой же компании был и Люсьен Но (его отец был француз, и у него был французский паспорт), дочь Семенова, замминистра иностранных дел, работавшего с Молотовым. Почти все в те годы жили в коммуналках, собирались компанией тоже в коммуналках, выпивали, запускали невероятную музыку – джаз. Армстронг, Гленн Миллер... Вот точно так же, как я ошивался возле этой компании, спустя годы Никита ошивался возле нашей компании.

Однажды Митя сказал:

– Заедем к моему приятелю.

Приятелем оказался коренастый крепыш, с маленьким носом, мускулистыми руками – Юлиан Семенов.

Юлик был выдающейся личностью, я в него влюбился сразу и по уши. Он говорил на фарси, на урду, по-английски. Он был сыном Семена Ляндреса, в прошлом секретаря Бухарина, его заместителя в «Известиях». Естественно, в тюрьме такой человек не мог не оказаться. Его посадили, на какое-то время выпустили, потом посадили снова. В очередную такую посадку Юлика выгнали из Института востоковедения. Не учась два года, пьянствуя, неведомо как зарабатывая на жизнь – то ли фарцовкой, то ли еще чем-то, столь же предосудительным, – он тем не менее сдал экзамены экстерном.

Вскоре из лагерей вернулся его отец. Я увидел его лежащим на кровати, у него был перебит позвонок. Человек из тюрьмы, политический – в те времена для всех нас воспринимался как святой человек. Да и по всем статьям человек он был удивительный, образованнейший, обаятельный.

В первый же вечер, когда я увидел Семена Ляндреса, он сказал:

– Молодой человек, вам нужно прочитать три книги.

Он мне дал их: «Исповедь» Руссо, «Жизнеописание Бенвенуто Челлини», «Опасные связи» Шодерло де Лакло. Ни об одной из этих книг я прежде не слышал. С этих необычных в ту пору книг началось мое активное чтение.

Юлик был невероятный драчун, боксер. Я драки боялся, он вступал в нее мгновенно, не раздумывая. Помню, Юлик и Митя шли к метро «Охотный ряд», чтобы ехать в коктейль-холл, помещавшийся тогда в гостинице «Советская», я увязался за ними (меня уже пускали в коктейль-холл, потому что я был здоровый и толстый); какое-то рыло появилось на пути, сказало что-то, Юлику не понравившееся, а дальше все произошло в секунду:

удар – и подошвы рыла взметнулись на уровень моих глаз. Без всяких разговоров. И пошли дальше.

Коктейль-холл был местом тусовок, как сказали бы сегодня, «золотой молодежи», стиляг. Передерий, оказавшийся вскоре главным героем знаменитого фельетона «Плесень», Збарский, Щапов...

Думаю, что отчаянная смелость Юлика во многом проистекала из того, что бояться ему было нечего: он и так был сыном репрессированного, врага народа. Помню, однажды, еще до смерти Сталина, все той же компанией мы полетели в Гагры купаться. Пошли в ресторан, выпили, мне тоже чуть-чуть наливали. Юлик залез на эстраду, сунул деньги аккордеонисту, заставил его играть «Чатанугу чу-чу» из «Серенады солнечной долины», и сам запел на превосходном английском. В те времена, даже в злачных местах, дозволялось играть только вальсы и польки – танго уже было верхом немыслимой крамолы. Бледный, как смерть, аккордеонист дрожащими пальцами жал на клавиши и шептал: «Нас всех посадят! Нас всех посадят!». Кончилось все тем, что какой-то офицер за соседним столиком вытащил наган и стал палить в потолок, упала люстра, мы не стали дожидаться прихода милиции...

Это я познакомил Юлика с моей сестрой – привез его к нам в Новый год на дачу. Кончилось тем, что они поженились.

Первая зарубежная поездка Юлика была в Афганистан, потом в Пакистан. Могу представить себе его желание стать агентом, разведчиком. Но чекистом он никогда не был. Разговоры об этом – чушь. Он просто знал людей из этого мира – Андропова, Примакова (с ним они вместе учились, на похоронах Юли Примаков стоял у его гроба). Он был очень хорошим журналистом, любил ездить по миру, готов был все для этого сделать.

Юлик бредил Западом. Его литература вся началась с увлечения Хемингуэем – он и бороду отрастил под Хемингуэя, и свитер такой же носил, был первым, кто ввел эту вскоре широко распространившуюся моду. Разговоры с ним заметно повлияли на формирование моих взглядов. Именно ему я во многом обязан своим «диссидентством». Конечно, это было никакое не диссидентство – просто понимание того, что не может быть ясных и однозначных оценок, к которым нас приучала вся советская система воспитания. Все противоречиво, сложно, амбивалентно.

Потом наши с Юликом пути разошлись. Иначе не могло и быть. Начиналась пора воинствующего неприятия любых не сходных с твоими концепций и взглядов. Мы с Андреем Тарковским оказались в стане непримиримых борцов за свободную от политики зону искусства, не признавали писания Юлиана Семенова. Я его избегал, хоть и понимал, сколь многому у него научился в свои 18–20 лет... От нашего неприятия он не стал меньше, не стал хуже. Он был неординарной фигурой, личностью. Если хотите, целой эпохой. До конца жизни не вступил в партию. Хотел иметь успех, хотел быть богатым, но главное в нем была его молодость. Он всегда оставался молодым. То, что он мог позволить себе писать, мало кому дозволялось в то время. Хоть и писал он в основном о чекистах, но прежде всего они его интересовали как люди, принимающие самостоятельные решения и совершающие самостоятельные поступки...

В те годы все время происходили открытия. Открытия новых имен в литературе, в искусстве. Открытия новых философских концепций. Но по-прежнему оставалось многое, что мне как советскому комсомольцу было неприемлемо и отвратительно. Среди этого многого был и панический страх любых замечаемых мной проявлений гомосексуальности. Мне казалось, что такой человек непременно будет приставать ко мне. Почему-то я этого смертельно боялся.

Помню, я попал на «Порги и Бесс», оперу Гершвина, исполнявшуюся в Большом театре гастрольной американской труппой. Представление произвело не слишком большое впечатление, может, потому, что ждал гораздо большего. Все-таки Гершвин! А это была вполне традиционная опера. Но в курительной комнате меня ждало потрясение.

Я стоял, смотрел вниз и увидел очень красивые лакированные туфли, узкие черные лодочки – у нас такие носили только дамы. Все московские мужья мечтали о таких для своих жен. Хозяйка лодочек была в брюках, что было непривычно. Я поднял глаза вверх и увидел бесполое, безбородое лицо с острым горбатым носиком, большими прозрачными глазами, почти квадратным лысеющим черепом. Человек был маленького роста. На нем был бархатный токсидо, вроде фрака, какие надевают в театр на Западе. Кто это: мужчина, женщина? Я не поверил своим глазам – посмотрел еще раз: мужчина! Лицо безбородое, в мелких морщинах, огромный мундштук во рту. Курит с манерным жестом. Неизвестно почему я воспылал к нему страшной ненавистью. Если бы можно было сказать ему все, что я о нем думаю, это был бы сплошной поток мата. Я горел желанием отомстить капиталистам за их развратную сущность. Я вспоминаю себя и поражаюсь той ярости, которую испытывал, глядя на это лицо.

Много лет спустя, листая альбом фотографий в нью-йоркском книжном магазине, я увидел знакомое лицо. Где я мог видеть этого человека? Пошел листать дальше, снова вернулся к портрету и вдруг вспомнил этот день, «Порги и Бесс», курительную комнату в Большом театре. Под портретом была подпись – Трумен Капоте. Замечательный писатель, автор «Завтрака у Тиффани» и «Хладнокровно». Да, тогда в курилке театра я воспылал ненавистью не к кому-то, а к самому Трумену Капоте...

Из других впечатлений, влиявших на мое взросление, особенно памятен «Пепел и алмаз» Анджея Вайды, который я увидел на первом курсе во ВГИКе. Потрясение было полное. На земле валялся портрет Сталина, и по нему шли ногами. Был 1959 год. А в 1964-м я открыл для себя Дмитрия Кончаловского и его книгу «Пути России» – не побоюсь сказать, великую книгу.

Дмитрий Петрович Кончаловский, доктор honoris causa* Оксфордского университета, профессор-историк, пятнадцать довоенных лет сидел без работы, большевики не позволяли ему читать лекции. Какое-то время жил изданиями за границей, публиковал в Оксфорде труды о земельных реформах Гракхов, с горизонта практически совсем исчез. В 1939 году приехал в Москву и сказал:

– Война неизбежна.

Потом появился в июне 1941-го, сказал:

– Днями войдут немцы. Я уезжаю в Минск. Буду их ждать. Только они избавят нас от большевиков. Прощайте!

Представляю, что творилось с дедом. Брат уезжает встречать немцев! Со всеми тремя своими детьми. Катастрофа! С тех пор в семье о нем никогда не вспоминали. Кое-что про него знали, но многого и не знали вовсе. Не мудрено, что о существовании Дмитрия Кончаловского я узнал только где-то в начале 60-х.

Он действительно дождался немцев, встречал их хлебом-солью, немцы дали ему церковноприходскую школу. Сын его, офицер действующей армии, узнав об этом, бросился под танк с гранатами. Иллюзии моего двоюродного деда очень скоро развеялись. Увидев, как кого-то за волосы тащат в гестапо, он побежал с криком:

– Что вы делаете! Вы нация Шопенгауэра, Ницше и Шпенглера!

Его посадили. Всю жизнь он боялся ГУЛАГа, а оказался в концлагере освободителей от коммунизма. Там он написал свою великую книгу.

---

* Здесь: почетная ученая степень, присуждаемая за научные заслуги без защиты диссертации (*лат.*).

Моя двоюродная бабушка, его сестра, Виктория Петровна Кончаловская, с 1905 года жила в Париже. Ее отец, мой прадед, как и дед звавшийся Петром Петровичем, выходец из литовских дворян, был одним из самых крупных в Москве издателей. Это он спас Врубеля от голодной смерти – издавал Лермонтова и пригласил нищего, никому не ведомого художника делать иллюстрации к «Демону». У Врубеля есть замечательный портрет Петра Петровича.

Петр Петрович был большой либерал и вольнодумец, под влиянием идей Чернышевского жил свободной любовью: у него были жена и экономка, от обеих дети и все уживались. Дмитрий Петрович был от жены, Виктория Петровна – от экономки. Виктория Петровна преподавала русский язык в Сорбонне, до сих пор во Франции пользуются ее учебником русского языка для французских студентов.

В 1945 году, когда стало ясно, что Красная армия уже близко, а следом за ней придут чекисты, Дмитрий Петрович понял, что если не «слиняет», то погорит не только он, но и все наше семейство. Власти, конечно, достаточно знали о Кончаловских, нас вроде как охраняло то, что бабка – Сурикова, отец – автор Государственного гимна, но дамоклов меч висел всегда. Дмитрий Петрович взял себе другую фамилию – Степанов, под ней прошел по реестру комиссии по репатриации, списался с Викторией Петровной, та вызвала его к себе в Париж. Его отпустили к ней как якобы дальней родственнице.

Он спасся. До 1961 года я вообще ничего о нем не знал – когда узнал, он перевернул мою жизнь.

В 60-е годы стали приезжать гости из-за рубежа. К нам приходили Арагон с Эльзой Триоле и ее сестрой Лилей Брик. Дамы были в шелках, от них пахло «Шанелью», прекрасно говорили по-русски. Все это были умнейшие люди. Но то, что они коммунисты, как-то не укладывалось в мои прежние представления о коммунистах.

Диссидентом я никогда не был, боялся их, сторонился. Воспринимал их как сумасшедших. Впрочем, в 60-е годы особого диссидентства еще не было. Был дух вольнодумия, с каждым годом набиравший силу.

ЭРОТИЧЕСКИЕ УДОВОЛЬСТВИЯ

С тех пор как я себя помню, больше всего на свете меня волновали женские груди. Продолжается это до сих пор, а началось, наверное, с маминой груди. Но помню еще и себя стоящим в детской кроватке с веревочной сеткой-ограждением и наклонившуюся надо мной няню Марусю. Какое удовольствие доставляло мять руками это нечто большое, мягкое, колышащееся! Почему мять ее груди доставляло такое удовольствие, я, конечно, не имел ни малейшего представления. Сейчас думаю, что это атавизм, впечатанный нам в гены поколениями наших доисторических пращуров.

Следующее запомнившееся с детства эротическое удовольствие – женская баня. Происходит дело где-то в Уфе, моются бабы, пар, шайки, гулкие голоса. Мама держит меня на руках, потом опускает на пол, мой взгляд с высоты лиц и голов опускается на уровень толстых задов и лобков. Приятно тереться возле здоровых баб, пусть я всего-то не выше их ног, касаться плечами рубенсовской плоти, видеть перед самым носом обилие пышных телес, кучерявых завитков над загадочными треугольниками. Непонятное волнение, неосознаваемое удовольствие, неосмысленное желание осязать. Мама рядом – покой, безопасность. Когда во мне оживает это воспоминание, я просто физически ощущаю себя тем самым пятилетним мальчиком, впервые заглянувшим, как монах на средневековой гравюре, в какой-то запредельный, прежде сокрытый мир.

Дальнейшие мои сексуальные познания все так же относятся к концу войны.

Мы вернулись из эвакуации, жили на даче в Красково. Играли в доктора, и я открыл для себя разницу между девочкой и мальчиком. Тут-то нас и застукали за рассматриванием своих пиписек.

– Ну-ка! Чем вы здесь занимаетесь?!

Стыд, уши красные!.. Меня за руку ведут на веранду. Позор! Кстати, а почему стыд и позор? Ну разглядывали мы свои сексуальные причиндалы. Разглядывали, хотя и знали, что нельзя, не положено. А почему нельзя? И откуда мы все-таки знали, что нельзя?

Еще одно воспоминание: мы играем в салочки, я бегу наверх по лестнице за миленькой светловолосой девочкой, желая лишь одного – за что-нибудь ее ухватить. Поскольку девочка впереди меня на много ступенек, я вижу ее трусики и между трусиками и чулком – голую ляжку. Хватаю ее за вожделенное место, она в ответ засаживает мне – и правильно делает – ногой в грудь, я падаю назад, ударяюсь о что-то головой, отключаюсь: у меня сотрясение мозга, к счастью, легкое. Приходя в себя, вижу вокруг своих товарищей, сверстников.

Еще воспоминание. Мы пошли в Уборы: в этом селе замечательная церковь, розовая, с кренделями, в барочном стиле – после «Дворянского гнезда», с моей легкой руки, ее много снимали в кино. Все побежали играть в футбол, я играть не стал, потому что играл плохо. Вместо футбола стал подглядывать за девочками, которые нагишом купались в пруду. Одна вдруг увидела меня, завизжала, все выскочили из воды, похватали свои трусики.

– Сейчас мы тебя будем бить, – сказала девочка.

– Пожалуйста, – сказал я.

Она сорвала крапиву и полосанула меня по голой ноге. Ощущение было малоприятное, но я сказал:

– Не больно.

– Ах, не больно! – завизжали девочки и стали хлестать меня по ногам крапивой. Было во всем этом что-то очень животное и жестокое. Я стоял, не показывая вида, крапива больно обжигала, все ноги до трусов были красные. Кожа горела. Я, стараясь улыбаться, сказал:

– Мне совсем не больно.

Девочки с испугом смотрели на меня.

Пройдя метров сто, я спрятался в высокой траве и горько заплакал. Вообще-то я умел сдерживать слезы, но тут было так обидно! Так больно!

По астрологическому знаку я – лев. Львы – натуры не агрессивные, у них характер царственный, они предпочитают давать, а не брать. К сфере секса это также относится. Я всегда был романтичен, мне нужна была романтическая увлеченность, чтобы последовало и остальное.

Первую любовь во мне пробудила дочь дворника из дома № 8 на Тверской. Я никак не решался с ней заговорить. Помню, зима, фонтан на Советской площади рядом с «Арагви», часов пять вечера, смеркается. Она ходит кругом по гранитному бордюру, ей лет восемь, мне – десять. Я тоже стал на бордюр, иду ей навстречу. Когда встречаемся, уступаю ей дорогу. Ходим, она– в одну сторону, я – в другую. Ей, видимо, нравится, что я ей уступаю дорогу. Наконец, я решился – коленки у меня задрожали от волнения. Остановился и стою, не схожу с дороги. Она идет, остановилась, смотрит на меня.

– Я хочу с тобой дружить, – говорю прерывающимся голосом.

– Дурак, – говорит она.

– Сама дура, – автоматически вырвалось у меня. Все рухнуло.

Уступил ей дорогу, еще минут десять постоял на пустом сквере, глядя вслед ей, и ушел домой.

Следующая моя любовь была к девочке, жившей этажом выше. Было это году в сорок восьмом. Ради нее я украл у мамы французские духи, дождался ее на лестнице, дал флакон:

– Вот тебе подарок.

На следующий день, придя из школы, я увидел на пороге маму.

– Ты мои духи подарил девочке наверху?

Говорить, что не я, было глупо. Я молчал. Мне не дали раздеться, вручили батон, сказали:

– Ты выгнан из дома. Иди, куда хочешь. Это тебе на первое время.

Я сел на ступеньки с батоном, стал думать: «Куда ж мне идти?», горько заплакал. Часа через полтора надо мной сжалились, пустили домой. Так меня пытались отучить от воровства.

Когда я впервые открыл для себя состояние, научно называемое эрекция, а в обиходе обозначаемое куда как более простодушными глаголами, в ту пору для меня столь же неведомыми, испуг мой был неописуем. Я побежал к маме и с пылающими ушами сказал:

– Мама, со мной что-то случилось. Я заболел.

– Что?

– Пойди сюда.

– Я не могу.

У нее были какие-то люди. Страшными знаками и гримасами я вызвал ее из комнаты. Поняв, в чем дело, мама расхохоталась.

– Ничего, это пройдет.

Тогда меня испугало возбужденное состояние члена, сейчас пугает возможность обратного...

Уже освоившись с новой своей возрастной фазой, я начал бояться внезапности и непрогнозируемости возникновения означенного состояния. Тебя вызывают к доске, а у тебя ни с того ни с сего встает. От страха, что ли? Поднимаешься из-за парты, засунув руки в карманы, чтобы не виден был выпирающий в штанах бугор, идешь полусогнувшись, отвечаешь что ни попадя, мысли совсем о другом...

Со временем появлялись друзья, с которыми мы погружались во все более греховный омут – сигареты, алкоголь, кафе, мечты о женщинах.

Отец позвал меня, спросил:

– Ну что, дрочишь?

Я молчал, не зная, что ответить. Конечно, дрочил. Мне было семнадцать.

– Ну ладно, – сказал он, – мой папа так сделал, и я так сделаю.

Он позвонил какой-то знакомой:

– У меня молодой человек подрастает. Я его к тебе пришлю.

А мне сказал:

– Кончай дрочить. Тебе пора женщину. Ты ее должен трахнуть.

Женщина была генеральшей. У нее был шестнадцатилетний сын, которого надо было учить музыке. Я пошел давать ему уроки. Первый раз выступал в качестве репетитора. Женщина была рыжая, белая, даже дебелая, от нее пахло духами «Красная Москва». Полные икры, огромный бюст. Наверное, во времена, когда ее очаровывал отец, она была очень хороша. На меня она посмотрела влажными темными глазами, говорила почему-то вполголоса.

Когда я пришел на следующий день, сына ее уже не было. Она поставила чай, пошла в соседнюю комнату, позвала оттуда:

– Андрей, иди сюда.

Я зашел, она сидела на очень низком кресле.

– Выключи свет, – сказала она, томно взглянув.

Я все понял. Не успел свет погаснуть, как ее руки уже проворно расстегивали мою ширинку. Наверное, ее очень возбуждало то, что она имеет дело с девственником. Первым делом я познал блаженство того, что греки называют «фелатьё», а русские – «минет». Такого поворота событий не ожидал. Если когда-нибудь удастся сделать давно задуманный автобиографический фильм «Воспитание эгоиста», обязательно введу эту сцену.

До революции так было принято во многих семьях: отец брал на себя сексуальное образование сына. Знаю, что так обстояло в семье Шаляпина: для просвещения в этом вопросе его сыновей, Бориса и Феди, в семью была взята гувернантка.

Вторая моя женщина была немолода, потрепана, страшна, как Баба-яга, беззуба, с ввалившимися щеками, без передыху курила. Кажется, она была официанткой. Возбуждала она меня безумно. Познакомил меня с ней Саша Аронов, цирковой режиссер, сказал: «Пошли, она даст». Женщина красила губки бантиком и вообще казалась карикатурой. Феллиниевский персонаж. Я зачастил к ней, сколько ей лет и как она выглядит, мне было совершенно безразлично – интересовало меня в ней только одно.

Впрочем, имелось и существенное неудобство – такса. Выставить ее было некуда, одна комната в коммунальной квартире, а такса была очень игривая; когда мы забирались в постель, она залезала следом, норовя укусить меня за голый зад. Однажды я так поддал ей ногой, что она вылетела в окно; к счастью, этаж был второй, а не десятый.

С благодарностью вспоминаю этих двух женщин из столь разных социальных слоев. Они сделали меня мужчиной. Со временем барьер переломился, и у меня, наконец, появились романтические чувственные отношения с девочками своего возраста...

Окна моей комнаты смотрели на достаточно далекий дом, находившийся за Театром-студией киноактера. Разглядывая как-то одно из его окон в бинокль, мы с приятелями обнаружили голую женщину в очках, и мужчину, тоже голого и тоже в очках. Не все попадало в поле нашего зрения, но какие-то красноречивые детали были видны. С того времени место у окна стало нашим боевым постом – надо было только дождаться того самого, заветного момента. Нас не останавливало и то, что на улице случался собачий мороз и сквозь заледеневшие стекла ничего не было видно. Открывали форточку, клали на рамы том Большой советской энциклопедии, на него – бинокль, под бинокль – спичечный коробок для точности прицела, и, рискуя простудить легкие, караулили в ожидании вожделенного мгновения. Через этот боевой пост прошли Овчинников, Тарковский, Ашкенази, Чесноков, Шпаликов, Урбанский – все, кто бывал у меня, без исключений.

Мы могли о чем-то разговаривать, что-то обсуждать, над чем-то работать, но лишь только с наблюдательного поста у форточки раздавался боевой клич: «Начинается!» – все бросали любые занятия и устремлялись к форточке, отталкивая друг друга от окуляров. Некоторые ненадежные товарищи никого ни о чем не предупреждали, пялились в бинокль индивидуально и только потом сообщали: «Интересное было зрелище, но все уже кончилось».

В бинокль можно было увидеть какие-то действительно странные вещи. Вообще все казалось чистым Кафкой, а может, Бюнюэлем. Женщина была старая, малоинтересная, рыхлое, восковое тело, мужик толстый, одутловатый. Иногда она надевала резиновые перчатки – зачем непонятно. Иногда между ними происходили какие-то скандалы, кто знает из-за чего? Мы наблюдали за этой сексуальной жизнью, воспринимая ее уже не как реальность, а как произведение сюрреализма.

Однажды в гастрономе, в очереди за мной стала женщина. Я оглянулся, лицо ее показалось где-то виденным. Где? Боже, это ж она! Та самая, которая надевала резиновые перчатки и совершала со своим мужчиной эротические манипуляции. В течение уже нескольких лет мы, так сказать, вели дневник ее сексуальной жизни. Призрак на мгновение материализовался...

КОНЧАЛОВКА

С кончаловкой связана вся моя жизнь. И не только моя, но и моего отца Сергея Владимировича, и деда Петра Петровича, и брата Никиты, и моего сына Егора, и Никитиного сына Степана – всех Кончаловских и Михалковых.

Кончаловка – это водка. Рецепт ее пришел в нашу семью от Кончаловских, потому и кончаловка. Делалась она по-особому. Бралась водка, самая обыкновенная, не самого хорошего сорта – «Московская». Заливалась в огромную десятилитровую бутыль. В горло бутыли мама засыпала крупинки марганцовки, ставила ее в темный чулан. Марганцовка медленно оседала вниз, дней через пять-десять на дне бутылки плавали темные хлопья осажденных сивушных масел.

Господи, сколько раз я пил эту водку вместе со всей этой химией и сивушной грязью! Но вообще-то, если водка успевала достоять положенное, очищалась она неплохо. Затем в дело шла смородина. Слово какое замечательное – «смо-ро-ди-на»!

По весне собирали смородиновую почку и настаивали на ней водку. Настойка получалась зеленого цвета и пахла смородиновым листом. Запах смородинового листа, в особенности смородиновой почки, нестерпимо пронзителен. Замечательный запах! Такой водки получалось не очень много, поскольку и почек можно было набрать тоже не очень много – не обирать же все кусты!

Когда я уехал в Америку, из моей жизни пропало несколько запахов – запах смородинового листа, запах можжевельника: дед мой делал можжевеловые палки. Когда я ставил «Чайку» на сцене «Одеона», мне просто позарез нужно было, чтобы у Тригорина была можжевеловая палка. Но можжевельника в Европе нет, в Америке его я тоже не видел. Можжевельник мне срезали в Москве и привезли в Париж: Тригорин строгал на сцене можжевеловую палку. И мне казалось, что со сцены в зал шел запах можжевельника, такой же незабываемый для меня, как запах смородинового листа. Еще из запахов детства, которые навсегда во мне, – запах скипидара и дегтя: скипидаром дед мыл кисти, отмывал краски, дегтем мазал сапоги.

Особенно не хватало мне запаха смородины. Помню, когда мы сошлись с Ширли Мак-Лейн, у нее был контракт на концерты в казино у озера Рино, в Неваде. Это три с половиной тысячи метров над уровнем моря. Около дома, где мы там жили, росла смородина – первая смородина, которую я увидел в Америке: в Калифорнии ее нет, там слишком жарко. Была весна, на смородине набухали почки; от одного вида у меня все задрожало внутри. На этих почках мы настояли американскую водку, я поил ею Никиту, когда он смог до меня добраться. Этой водкой я поил и Марка Пепло, автора сценария «Последнего императора» Бернардо Бертолуччи – они оба получили за фильм «Оскаров». Когда мы работали с Пепло, смородиновая водка очень нас вдохновляла.

Водка на смородиновой почке – это, так сказать, для аристократов. Нормальная же кончаловка делалась так. Бралась смородина, пять–девять килограмм, от ягод отстригались пупочки, ягода мылась, выкладывалась сушиться на газете. После четырех дней сушки смородину закладывали в бутыль с десятью литрами очищенной водки. Настоявшись, водка приобретала удивительный гранатовый цвет, на просвет бутыль казалась наполненной красным вином.

Кончаловке отдавали должное все мамины гости – и Алексей Толстой, и граф Игнатьев, и хирург Вишневский, о Борисе Ливанове уж и не говорю. Ливанов както пришел к нам обедать, но на час раньше назначенного. Мама была занята на кухне, попросила его посидеть в столовой. Когда заглянула туда, на накрытом к обеду столе стоял уже до дна опустевший штоф и блюдо с остатками пирога. Мама была в ужасе, высказала своему дорогому другу все, что про него думает, но тому уже было море по колено.

По ходу настаивания часть содержимого бутыли отливалась для употребления по назначению, но затем же и восполнялась добавлением новой водки. Отливание водки бывало двоякого свойства – легальное и нелегальное. С отливанием легальным все ясно: родители или я с их ведома отливали целебный напиток в ставившийся на стол к приходу гостей графинчик. Отливание нелегальное производилось от родителей втайне, с соблюдением наивозможной конспирации.

Одна десятилитровая бутыль стояла под лестницей у мамы на даче, другая, такая же, – в городской квартире, в углу красного комода, обе были заперты на ключ, ключ спрятан. Места, где стояли бутылки, были известны крайне ограниченному кругу лиц: мне, Гене Шпаликову, Андрею Тарковскому, Славе Овчинникову, Гии Данелия и Никите. Естественно, мама не говорила никому, где ключ спрятан. Естественно, мы знали где.

Сколько раз, на цыпочках, в середине ночи, сдерживая дыхание, я добирался до бутыли, отливал из нее, стараясь не булькать, не разбудить маму. Увы, в те времена в два, в три ночи достать в Москве водку было практически невозможно, ну а если было недопито, поневоле приходилось нарушать Моисееву заповедь «не укради». С утра, конечно, надо было постараться восполнить понижение уровня в бутыли. Особенно интенсивно приходилось доливать, когда родители отсутствовали: тут уже счет отливаниям не велся, а потом, когда вспоминалось, что не грех бы и честь знать, приходилось поднимать уровень в сосуде на добрых три-четыре пальца. Тут уж надеяться, что недостачу не заметят, не приходилось.

Кто только не прикладывался к этой водке из известных и неизвестных! Под нее написаны и «Каток и скрипка», и «Иваново детство», и «Андрей Рублев» (Тарковский тогда очень часто жил у нас), и «Дворянское гнездо», и «Сибириада» с Валей Ежовым, и все остальное, что я писал.

Никита, естественно, прикладывался к кончаловке и сам, а потом таскал ее для Гии Данелия. У Никиты даже есть отдельный рассказ о том, как Данелия сказал: «Мне нужен стакан водки. Никита, ты сейчас пойдешь и достанешь». Никита для него был готов сделать все. Дом был заперт, ему пришлось влезать через какое-то окно. Налил стакан до краев, боялся расплескать. Гия изящно взял у него двумя пальцами стакан, сказал: «А ты иди!»

Потом пошли внуки – Егор, Степан, продолжили дело отцов. Кончаловка была тем родником вдохновения, чистым кастальским ключом, из которого мы и наши друзья черпали энергию творчества, вылившуюся в итоге в разные замечательные произведения.

Водки никогда не хватает, сколько ни купи. Помню, мы устроили костер, пекли картошку – Гена Шпаликов, Юлий Файт, Тарковский, я. 61-й год. Николина гора. Водки закупили, сколько могли унести. Огонь, в углях печется картошка, порезана колбаса. Гена поет под гитару свои песни. «Ах, утону я в Западной Двине»... (У меня от тех времен сохранилась смешная магнитофонная запись – с пьяным Тарковским. Записей было много, мы часто вместе дурачились. Потом, когда мы разошлись, по дурости все стер.)

В два часа ночи картошка доедена, водка подчистую выпита. Все, стараясь не дышать, идут к нам домой. Перемазаны сажей, руки черные от обугленных картофелин. Тапочки тоже все черные. Срочно надо достать водки. Водка есть только в одном месте. Чтобы добраться до заветного ключа под лестницей, надо было встать на четвереньки, нырнуть в чуланчик, там две неподъемные бутыли – их не вытащить. Приходится отыскивать какую-нибудь плошку или кастрюлю, ставить рядом с бутылью, на карачках в темноте наклонять бутыль и стараться лить, чтобы потише булькало. Думаешь:

«Только бы хватило. Завтра дольем, чтобы мама не заметила». Нацедишь литра два, выходишь с кастрюлей, а там уже тебя ждет орава будущих киноклассиков.

Мама, конечно, знала, что мы прикладываемся к бутыли. Иногда как бы вскользь замечала: «Что это как-то странно водка убавилась?» Мы делали вид, что вопроса не расслышали. Вскоре водка таким же необъяснимым образом прибавлялась.

МАСТЕР

Ева Михайловна Ладыженская, мамина подруга, была монтажером нескольких фильмов Михаила Ильича Ромма. Бывая у нее в гостях на еврейскую пасху, мы видели его за столом, слушали его удивительные рассказы – собеседник он был замечательный. Он бывал и у нас, мама всегда готовилась к приходу Михаила Ильича как к событию, очень его любила.

Еще во времена учения в музыкальной школе, я был дружен – через Штейнов – с Наташей Ромм. Но сам к Михаилу Ильичу как к своему будущему профессору пришел тогда, когда желание стать кинематографистом окончательно дозрело. Обратиться к нему посоветовала мама. Я в то время уже работал на телевидении, делал какие-то маленькие очерки. Как раз в том году Ромм набирал курс.

Ромм спросил, почему я хочу заниматься кино. Не помню, что я ему ответил, но очень хорошо помню вопрос: почему?

Ромм попросил меня сделать небольшую раскадровку. Ее помогал мне делать Александр Григорьевич Зархи, Шура, как звали его у нас дома (он и его жена Люба были очень частыми нашими гостями). Он давал мне куски из Льва Толстого, чтобы я по ним разрабатывал последовательность монтажных планов. Потом садился со мной разбирать сделанное. Ромм, когда я принес ему свои раскадровки, сказал:

– Ладно, поступай.

Поступал в институт я без всякого страха, экзамены сдавал с удовольствием, мне это было легко. Как, впрочем, и учиться. Трудно стало потом, когда начал снимать картины, когда стал осознавать границы своих возможностей. Ромму очень не нравилось, что мне так легко учиться.

Помню первую лекцию Ромма. На нем был серый шерстяной костюм, очень хорошо сшитый, серая полотняная рубашка домашнего пошива, он был весь полотняно-шерстяной и очень элегантный. Рассказывал он нам о своей работе над будущим фильмом, который потом получил название «Девять дней одного года». Сценарий еще не был написан, он говорил, как будет его писать.

Его лекции всегда были интересны. Думаю, потому, что ему было интересно делиться с нами своими мыслями. Он учил нас быть людьми и только уже вслед за тем – режиссерами. Часто повторял нам эйзенштейновские слова: режиссуре нельзя научить, ей можно научиться. Если вам удалось воплотить сорок процентов задуманного, говорил он, считайте, что достигли успеха. Он никогда не навязывал своего мнения, своего представления о том, как надо делать. Он давал нам возможность ошибаться, самим тыкаться носом в свои ляпсусы и промахи. Он учил нас так, как учат уму-разуму щенят, пихая их носом в наделанную на пол лужу.

Для нас он был мэтром. Мы еще не знали, что в нем самом происходят сложнейшие процессы; в ту пору он еще не выпустил свою книгу о режиссуре, где написал, как поклялся себе никогда не снимать о жизни, которой не знает, что сделал как раз перед тем в «Убийстве на улице Данте». Молодость его души в том и заключалась, что он чувствовал движение жизни, не стоял как бык (в смысле – опора моста), мимо которого идет ледоход и вода. Он первый из признанных, заслуженных, обласканных режимом мастеров своего поколения набрался смелости пересматривать прежние взгляды, признавать собственные ошибки. Для нас было как бы естественно, что он такой и никаким другим быть не может. Сейчас, уже зная кинематографический мир, уже имея за плечами собственный опыт, понимаю, сколько мужества для этого требовалось. Уже по одному этому ясно, насколько крупной личностью он был.

Мне он всегда ставил тройки, хотя я знал, что мои работы не хуже других, а по большей части и лучше. Первая моя работа была сделана целиком под влиянием эстетики Вайды. Во ВГИК чудом попал «Пепел и алмаз»: студент из Польши взял в посольстве картину и мы смотрели ее, набившись, как сельди, в крохотный просмотровый зал монтажной. Там всего-то мест пятнадцать, а втиснулась добрая сотня. Сидели друг на друге, смотрели, затаив дыхание. Разошлись абсолютно ошарашенные, во-первых, режиссурой, а во-вторых, элегиями, которые звучали с экрана.

Этюд на площадке, который я сделал, по содержанию ничего общего с «Пеплом и алмазом» не имел, действие происходило в заваленной шахте, среди людей, уже основательно одичавших, но я был просто смятен впечатлением от Вайды, буквально бредил его картиной. Все, что мог, у него украл. «Канала» я в ту пору не видел: если бы видел, влияние Вайды, наверное, было бы еще заметнее.

Думаю, Ромм меня сознательно придавливал тройками. Он чувствовал мою легкомысленность, бесшабашность, ему это претило. Мне было обидно получить тройку, но в то же время я понимал, почему он так делает. Когда я вышел из аудитории, он сказал комиссии какие-то очень лестные слова про меня.

У нас был хороший курс. На нем учились Трегубович, Эсадзе, Андрей Смирнов, Добролюбов. На курсе, который Ромм набирал двумя годами ранее, учился Вася

Шукшин, ходивший в бушлате. Только Михаил Ильич мог разглядеть в этом угрюмом человеке, матросе, замечательного артиста. Ромм нередко бывал субъективен, ошибался в своих оценках фильмов, в своих прогнозах на будущее кино – в людях не ошибался никогда.

На том же курсе учился Тарковский, который тоже тогда был одинокой, игнорируемой фигурой. Когда мы с Андреем начали писать сценарии, Ромм терпеливо нам помогал. И первый наш принятый студией сценарий– «Каток и скрипка», ставший дипломом Тарковского, помог пробить именно он. Впоследствии он очень помог и с «Рублевым». Его замечания по нашей заявке были на редкость точны.

Когда Ромм начал снимать «Девять дней одного года», мы всей гурьбой отправились ему помогать. Все его студенты делали что-то на картине. Я не делал ничего, потому что он меня пробовал на роль, которую замечательно потом сыграл Смоктуновский. В институте я проходил по амплуа легкомысленного циника. Помню, Ромм объяснял: «Мой Куликов похож на Михалкова, он тоже талантлив, но легкомыслен. Налет цинизма есть в его отношении к работе, ко всему». У меня сохранилась фотография моей пробы на Куликова, с Таней Лавровой.

На съемках Михаил Ильич всегда был с хронометром, его очень волновал вопрос внутреннего ритма.

Михаил Ильич ненавидел в нас ложь. И если уж он сердился, то краснел, буровел, нос вытягивался, на скулах вздувались желваки – он становился страшен. Несколько раз я видел его в таком состоянии, уже не помню точно, по каким именно поводам. Один раз скандал разразился из-за нашего сокурсника Игоря Добролюбова (потом он стал секретарем Белорусского союза кинематографистов), который хотел получить от комсомольской организации характеристику в партию. Мы ему ее не дали, считая, что он делает это ради карьеры. Такие тогда мы были, принципиальные и идиоты.

В каждом из нас Ромм уважал индивидуальность, помогал нам оставаться самими собой. Я был очень упрям. Помню, когда я снимал свой первый, еще немой этюд (в нем снимались мой сокурсник Борис Яшин и актер Дубровин), Ромм сказал: «У тебя ничего не получится». Я был убежден, что все рассчитано правильно, сказал: «Помоему, получится. Вы не правы». Жигалко (у Ромма было два ассистента – Фосс и Жигалко) убеждала меня переписать сценарий. Ромм сказал: «Не надо. Пусть снимает. Пусть сам всего хлебнет». Так и получилось. Материал не клеился. Я оконфузился. Работа получилась плохая, даже очень плохая, вряд ли заслуживавшая и трояка.

Ромм учил нас тому, что режиссер всегда должен быть и драматургом, так же как и драматург всегда должен быть и режиссером. Он сам был прекрасный драматург, отлично чувствовал сценарную форму, великолепно умел ее анализировать. Умением анализировать драматургию я во многом обязан именно ему.

Когда я собрался снимать «Первого учителя», мы долго беседовали с ним, он написал мне очень хорошее рекомендательное письмо в Госкино. Сценарий надо было защищать, на него уже начались нападки. Письмо Ромма помогло избежать поправок.

У Михаила Ильича можно было поучиться и его огромному искусству уважать людей. Посмотрев привезенный из Киргизии материал, он сказал:

– Я думаю, ты сам во всем разберешься. Если в чем-то нужен мой совет – спрашивай. Сам я не хочу говорить ничего. Мне кажется, ты уже профессионал, мои замечания тебе не нужны.

Он уважал свободу каждого, право художника на собственные ошибки, необходимость самому их познать и понять. Материал «Первого учителя» был неплохим, но допускал возможности многих решений. Ромм посоветовал мне взять на монтаж Ладыженскую. К тому времени она уже была на пенсии, монтировала «Фитили», но по такому случаю вернулась на студию. У меня с ней были безумные, чуть не до драки, ссоры по поводу длины кусков. Она безжалостно резала их, а мне хотелось все сделать длиннее. Кое-что я отвоевал и о том не жалею. Речь о первых, очень долгих вступительных кадрах в картине. Они длинней, чем это, казалось бы, необходимо. Но это и создает ощущение остановившегося времени, помогает втянуться внутрь экрана, проникнуться интересом к тому, что за ними должно последовать.

Для своего дипломного спектакля мы взяли «Салемские колдуньи» Артура Миллера. Яшин и Смирнов делали первый акт, я – последний.

Проктора играл Володя Ивашов. Я играл его же, но во втором составе. Помню наши ночные репетиции, что-то в спектакле не ладилось. Михаил Ильич пришел нас выручать. Он, на свое несчастье, заглянул просто посмотреть, что получается, а просидел с нами почти всю ночь, монтируя спектакль. Очень мало таких людей на свете. Сейчас особенно мало.

Благороден он был чрезвычайно. Думаю, дело здесь не просто в интеллигентности – дело в культуре. Ромм был человек высокой духовной культуры, требовательный к себе. По его картинам видна его духовная эволюция.

Интересно, что по наследству от Ромма ко мне перешли его монтажеры – сначала Ева Михайловна Ладыженская, потом Валя Кулагина, монтировавшая с Роммом сначала «Обыкновенный фашизм», потом незавершенные «Великую трагедию» и «День мира». Очень не случайно, мне думается, увлечение Ромма под конец жизни документальным кинематографом. На его пути была и фикция исторических лент, где за правду выдавалась хорошо загримированная ложь, и совсем уж грубая фикция фильмов про капиталистический Запад, а потом он отряхнул прах и пепел и вошел в другую часть своей жизни, которая, наверное же, была прямым продолжением первой ее части, и тем не менее это был совершенно новый ее этап. После «Девяти дней одного года» его уже не устраивала и эта, редкая по тем временам мера приближения к правде в игровом кино, ему хотелось подойти к жизни впрямую, непосредственно, к главным ее проблемам, концепциям, к их пониманию.

Могу понять возбуждение, испытанное им при соприкосновении с документальным материалом. Оперируя кирпичами как бы самой реальности, можно создать свою художественную реальность, не менее духовную, чем в кино игровом. Хотя этика кино документального в принципе иная, чем у кино игрового. Скажем, снимая «Первого учителя», я не боялся жестокости рассказа, но и не мог переступить рамки, допустимые в игровом кино. Скажем, я не мог позволить себе убить в кадре лошадь, для меня это было неэтично, недостойно искусства. Той же силы эффекта в игровом кино надо добиваться иными средствами, обманом, иллюзией. В кино документальном это оправдано, зритель знает: так было, такова реальность, мы не можем с ней ничего поделать. Это не вызывает у него того неприятия, отторжения, какое аналогичные кадры вызвали бы в игровом фильме.

Ромму уже не хватало красок в палитре игрового кино. Ему нужно было говорить о реальности, оперируя документом, с позиций документа. Хотя, конечно же, при этом он оставался художником, философом, а не фиксатором событий реальности. Конечно же, он и здесь творил художественную реальность кинопроизведения, но пользовался при этом кинодокументом. Мне кажется, это был очень логичный путь поиска ответов на мучившие его вопросы. Он не боялся их ставить. По-моему, он был очень смелым человеком. Человеком исключительных душевных качеств. Его картины научили меня меньше, чем он сам, его лекции, разговоры, его отношение к людям, его взгляд на мир, сама его жизнь. Наверное, главное, чему он нас научил, – ощущать себя гражданами. Подданными Земли.

«НАЦИОНАЛЬ»

Впрочем, я, кажется, отвлекся от главной своей темы– от «низких истин». Самое время к ним вернуться.

Со временем число культурных точек, где я пил с друзьями, заметно расширилось. И Дом кино, и Дом литераторов стали уже обжитыми местами. По-прежнему желанным местом оставалась шашлычная у Никитских– уж там-то наверняка не встретишь родителей. А с тех пор как я перестал бояться встречи с ними, центр наших вечерних сидений переместился в кафе «Националь».

Было это уже в мои вгиковские времена. О «Национале» тех лет написано, я думаю, немало. Сидели там люди, настроенные достаточно диссидентски, сидели стукачи. Все приблизительно знали, кто есть кто. Знали, что те, кто ездят на иномарках и, не боясь, общаются с иностранцами, связаны с органами.

Впрочем, не боялись и мы. Может, по глупости. Боялся мой папа, Сергей Владимирович. Его раздражали мои связи, меня – его страх. Время было относительно мягкое. Начало его было отмечено «Оттепелью» Эренбурга, потом был Дудинцев – «Не хлебом единым», скоро предстояло грянуть «Ивану Денисовичу» Солженицына. Диссидентство, как таковое, еще не началось – были люди левых настроений.

Под словом «левые» понимались все, не принимавшие официоз. «Националь» был местом, где собирались люди известные, звезды, уже состоявшиеся, и звезды будущие. Неизменным посетителем был Веня Рискин, коротконогий одессит, литератор, человек остроумнейший, хотя и мало кому известный. За столиком с ним сидели Михаил Светлов, Юрий Олеша (с ним мы не раз беседовали, причем вполне серьезно). Это были классики «Националя». Рядом со Светловым иногда сидела его замечательная грузинская жена с прямой спиной и греческим профилем, очень строгая, ни слова не произносившая.

Там же была и компания людей совсем другого сорта. Виктор Луи, журналист, корреспондент западных газет, позднее засвеченный Солженицыным как агент КГБ. Архитектор Стрaментов, ныне живущий в Шотландии, в ту пору он занимался фарцовкой. Была и компания московских стиляг – художник Виктор Щапов (его жена потом вышла за Эдуарда Лимонова), Игорь Майоров из Института восточных языков (по мнению Юлика Семенова, это ему он обязан посадкой отца, доносом, закончившимся тюрьмой), Люсьен Но, журналист, корреспондент «Ассошиэйтед Пресс». Люсьену завидовали. Он был красив, его отец был француз, у него был французский паспорт и американская машина, за которой не могла угнаться ни одна гаишная «Волга». Самые красивые женщины были с ним. К этой же компании несколько сбоку примыкали художники Боря Мессерер, Феликс Збарский, Юра Красный. В ту пору они и мечтать не могли о мастерских на улице Воровского, мастерские появились позже. Еще был замечательный завсегдатай «Националя» – Вася Каменский, сын футуриста Василия Каменского. На вопрос: «Ты женат?» – он привычно отвечал: «Сегодня еще нет», – если спрашивали где-то в районе пяти. К восьми вечера он уже был женат.

Там же была и наша кинематографическая компания – Андрей Тарковский, Вадим Юсов, Гена Шпаликов, я. Мы там засиживались, нас туда гнало. С нами часто сидели Сережа Чудаков, закончивший позднее психушкой, Олег Осетинский – он скоро откололся, характер у него был невыносимый, долго с ним никто не выдерживал.

Туда же в «Националь» Женя Урбанский привел однажды молоденькую черноглазую девочку. Сказал:

– Познакомьтесь, моя невеста.

Это была Таня Лаврова, тогда она только поступила во МХАТ, играла в «Чайке». Потом Урбанский женился на латышке Дзидре Риттенбергс.

Андрей, когда выпивал, становился очень задиристым. Как-то на выходе из «Националя» мы наткнулись на какую-то компанию армян, Андрей стал задираться, замахнулся даже. Вступился Вадим Юсов, он был боксер. Началась драка, армянин врезал Вадиму, сломал ему нос. Тягаться в этом деле с армянином оказалось не просто: это был Енгибарян, чемпион мира в полулегком весе.

Вызвали милицию, нас с Андреем повели в отделение. Юсов нырнул куда-то в сторонку – ему, с капающей из носа кровью, было лучше не маячить. Нас в общем-то достаточно скоро отпустили. Мы были просто выпивши, никакого другого криминала не было...

Где-то в самом начале 60-х я снимался у Рошаля в совершенно невероятной по бессмысленности картине, называвшейся «Суд сумасшедших», – мы все называли ее «Суп сумасшедших». Вася Ливанов играл там какого-то старого профессора, восстающего против происков капитализма, я – журналиста. Снималась в ней и Ирочка Скобцева, очень красивая, мы за ней все чуть-чуть ухаживали. Съемки шли в Риге. Приехал Бондарчук с Василием Соловьевым, сказал, что они пишут сценарий «Войны и мира», вопрос о постановке решен. На меня это сообщение тогда особого впечатления не произвело, я еще не представлял, какого гигантского размаха будет эта продукция, самый дорогой фильм всех времен и народов, как позднее назовет его книга Гиннесса.

Мы подружились с Бондарчуком. К тому времени он уже снял «Судьбу человека», уже был лауреатом Ленинской премии. Мне нравилось нагло называть его Сережей, точно так же, как многим нынешним молодым нравится с той же наглостью звать меня Андроном. В Москве Сережа заходил ко мне в гости. Однажды я поставил ему музыку Овчинникова: так Слава стал композитором «Войны и мира».

РУССКАЯ ДРУЖБА

Овчинников писал музыку к «Иванову детству», «Андрею Рублеву», «Первому учителю», «Дворянскому гнезду», «Войне и миру». С ним меня связывала постконсерваторская вгиковская любовь. Человек он темперамента невероятного.

По тем временам Слава зарабатывал большие деньги. Каждое исполнение его симфоний, каждое их издание приносило очень приличные гонорары, которые он мгновенно прогуливал. И если уж он выпивал, то умеренности в этом никогда не было – пил до потери сознания, до чертиков. Потом заявлялся пьяный к нам – я его не пускал, мама пускала.

Человек он замечательной нежности, даже когда пьяный. Но во хмелю у Славы одно желание – не расставаться с другом, быть рядом. Он ломился ко мне в дверь, и как часто не вовремя! Я был с какими-то женщинами, я просто хотел спать, у меня была какая-то срочная работа – ему было все равно. Если я его не пускал, он стоял под окном и ревел белужьим голосом. Оставалось только накрыть голову подушкой, чтобы не слышать этого крика.

– А-андро-он!

Я вскакиваю, ору ему из окна:

– Что ты! Замолчи! Три утра!

– А-андро-он! Пойде-ем в ресторa-ан!

– Никуда не пойду! Устал!

Ложусь. Голова не соображает. Хочу спать. Затыкаю уши подушкой. Не помогает. Крики доносятся сквозь подушку.

Просыпаюсь. Начало лета. Предэкзаменационное время. Четыре утра. Смотрю вниз в окно. В сквере у Театра киноактера кто-то лежит, раскинув ноги-руки на скамейке. Что такое? Неужели Слава? Убит? Не может быть!

Спускаюсь вниз. На скамейке – Слава. Спит. Вокруг него веером по земле не знаю сколько тысяч рублей, все красно от десяток. Десятка по тем временам была суммой. Хорошо, что раннее утро. На улице – никого. Иначе очень просто могли бы обобрать, обчистить, а то, упаси Бог, и прирезать. Он спит. Наверное, получил какой-то гонорар – их у него было полно – и пошел в загул. Я сгреб деньги с земли, засунул ему в карман, разбудил ударами по лицу. Русская дружба!..

Еще эпизод. Мы вдвоем в ресторане. Я выпиваю двести грамм, Слава пришел уже тепленький и еще прилично добавил. Я хочу спать. Слава говорит:

– Я поеду с тобой!

– Куда?

– К тебе.

– Не надо. Я хочу спать.

– Не бросай меня! Мне так грустно.

– Я спать хочу, Слава!

– Тогда поедем ко мне.

Думаю: если поедем ко мне, то никакими силами выгнать его мне уже не удастся. А если к нему, то хотя бы есть надежда, что смогу от него уйти.

– Ладно, поедем к тебе.

Едем в машине. Чувствую, что если доедем до него, то просто свалюсь. Мы уже почти у его дома.

– Знаешь, Слава, – говорю я в надежде его обмануть,– я сейчас выйду и поеду домой – на такси, на метро, на чем угодно. Ужасно устал. А ты поезжай домой. Ладно?

– Нет, нет. Я с тобой.

– Куда?

– Домой к тебе.

– Я не домой. Я к бабе.

– Ну я к бабе поеду с тобой.

Выходим из такси.

– Слава, пойми, сейчас я хочу от тебя уйти. Я больше не хочу тебя сейчас видеть.

– Андрончик, ты меня любишь?

– Я тебя люблю, но сегодня видеть тебя больше не

хочу. Ты отвратительно пьян. Как свинья. Это ты понять можешь!?

– Андрончик, я хочу быть с тобой! Ты мой единственный друг.

– Но единственного друга надо же уважать или не надо?! Могу я хоть когда-то побыть один? – Я уже начинаю раздражаться. – Я беру такси! Я еду домой! Понятно?

Я стою, ловлю такси. Он рядом. Какое-то такси останавливается. Слава тут же делает дикое лицо и орет:

– А-а-а-а-у!

Испуганный таксист тут же дает задний ход.

Я пытаюсь уйти от Славы. Быстро иду. Он идет за мной.

– Андрончик! Я хочу с тобой.

Два часа ночи. Ветер гонит по земле порошу. За мной бежит Овчинников.

– Держи его!

Я бегу и думаю: «Что происходит?»

– Держи его! Андро-о-он! Держи его!

Забегаю в какой-то проходной двор, прячусь среди мусорных ящиков. Слышу тяжелое дыхание Овчинникова, разыскивающего своего единственного друга. Картинка из «Сталкера». Думаю: «Если он меня найдет, дам ему по голове крышкой от мусорного бака».

Господи, на что эта дружба похожа? Почему она такая изнурительная?

Слава – человек огромного таланта. Его музыка к «Иванову детству», к «Дворянскому гнезду», к «Андрею Рублеву» пронзительна наотмашь. Он вообще романтический художник – редкое для нашего времени качество. У него нет заимствованного у кого-либо стиля, он весь соткан из русской и европейской культуры. Очень интересны, самобытны его фортепьянные и скрипичные концерты. Мировая культура себя обкрадывает, недооценивая музыку замечательного Славы Овчинникова. Он к тому же изумительный дирижер...

...А что вспоминаю? Себя, скорчившегося среди мусорных ящиков. И где-то рядом тяжелое дыхание Славы.

– А-андро-ончик!..

«Если он найдет меня, – думаю я, – убью. Просто убью».

Во мне уже какой-то метафизический страх. А если и правда найдет?..

ТАРКОВСКИЙ

С Тарковским мы познакомились в монтажной ВГИКа, я только что поступил на режиссерский, он был на два курса старше. Не знаю, почему я пришелся ему по душе. Мы быстро сошлись. Свою первую курсовую работу он делал с Сашей Гордоном, потом они расстались, диплом Андрей делал уже один.

После защиты курсовой ему захотелось делать фильм про Антарктиду. Она очень увлекала его как фактура. Мы написали сценарий «Антарктида– далекая страна», отрывки из него опубликовал «Московский комсомолец». Под этой публикацией я подписался псевдонимом – умнее не придумал – Безухов. Как раз в это время Бондарчук пробовал меня на роль Безухова, заморочил мне голову обещаниями, я уже готовился сниматься, а он взял и снялся сам. Но пробы длились очень долго. Для роли я вполне подходил – весил сто килограммов, носил очки, мне было, как и Безухову, двадцать пять. Но не сбылось.

После публикации в «Комсомольце» я ходил до невероятности гордый. Еще бы! Я только на первом курсе, а у меня уже опубликованы куски сценария. Скромность и прежде была мне не слишком свойственна, а тут я и вовсе забыл, что это такое. Чувствовал себя уже профессионалом.

Тарковский намеревался снимать «Антарктиду» на

«Ленфильме», там была свободная единица в плане. Дали читать сценарий Козинцеву. Как сейчас помню, в перерыве между лекциями в большом холле на третьем этаже ВГИКа мы подошли к нему. Он посмотрел на нас с легкой рассеянностью:

– Да, да... Прочитал. Ну что же, дорогие мои. Сценарий слабенький. Никакого действия в нем нет. Вряд ли что получится.

Как серпом резанул. Мы отошли с Тарковским в сторону, закурили. «Ну Коза! Ничего не понял». Козинцева во ВГИКе звали Козой, он действительно имел в лице что-то козлиное. Мы были полны обиды и, конечно, презрения к нему. Почему же нет действия?! У нас и трактора ехали по ледяным пространствам, и события перебрасывались из Москвы на Антарктический континент, и всякая прочая всячина, а он говорит: «Нет действия!» Что он имел в виду, мы не поняли и решили, что он сам ничего не понял.

Впрочем, в сценарии действительно чего-то не хватало. Чего именно, мы не могли разобраться. Драматургия – вещь не простая. Во всяком случае Тарковский к сценарию охладел, мы сели за другой – «Каток и скрипка». Его мы понесли уже на «Мосфильм», в только что созданное объединение «Юность». Там в то время повеяло ветром перемен, пришел новый человек из МК комсомола, Солдатенко. Сценарий у нас приняли, заплатили. Тут я уже начал вообще бронзоветь.

Я учусь еще только на втором курсе, а у меня сценарий куплен лучшей студией страны. Это вам не хухры-мухры! Меня на худсовет приглашают! Самомнение возбухало...

«Каток и скрипка» стала первой картиной Андрея, очень красиво ее снял Юсов. Главную роль мы предложили Урбанскому, но он был занят – взяли Заманского. Урбанский потом снялся у меня в «Мальчике и голубе», там всего-то для него нашлось два кадра, но он не отказался –

приятели же были. Дружба с ним началась еще до «Неотправленного письма», а уж после «Неотправленного письма» я полюбил и зауважал его сверх всякой меры.

Михаил Ильич Ромм, наш общий с Тарковским учитель, непоколебимый авторитет во всем, что касалось кино, очень приветствовал нашу совместную работу.

Андрей начинал в «Юности», потом перешел в объединение к Алову и Наумову. А вскоре и я стал снимать «Мальчика и голубя», и для меня начался «Мосфильм». У меня уже была студия. Сегодня мне давно знакомы и эти коридоры, и эти люди, которых здесь встречаю, – иных из них знаю 35 лет. Какое живое место это когда-то было!

Еще до того, как я стал снимать сам, меня много пробовали на разные роли. Сахаров пробовал меня в «Коллегах», но сниматься взял Ваську Ливанова. Пробовали меня на роль Сурикова в биографической ленте «Василий Суриков». Про Пьера Безухова я уже говорил. Магия грима, костюмов... Магия мосфильмовских коридоров...

Первый раз я снялся еще в детстве. Как-то отец взял меня с собой смотреть съемку какой-то сцены фильма «Красный галстук». Режиссером был Леонид Луков. Он меня увидел:

– А-а, это сын? Ну-ка, давай его быстренько в кадр!

Меня одели в пионерскую форму, поставили в кадр...

Мы с Тарковским росли под знаком отрицания многого из того, что было в кинематографе. Картины Пырьева вызывали у нас приступы смеха. Мы не признавали его точно так же, как поколение деда не признавало Репина.

Помню, как в Театре-студии киноактера, где какое-то время помещался Союз кинематографистов, мы столкнулись с Пырьевым на лестнице, едва поздоровались. Он спускался вниз в роскошных замшевых мокасинах, о которых в 1962-м нельзя было и мечтать. Кто-то нам потом передал его фразу: «Эти евреи – Тарковский, Кончаловский...» Мы долго над ней хохотали. Наверное, его раздражал сам стиль «Иванова детства», новый, свежий, непривычный, ошеломляющий. Это сейчас мне понятно, насколько большой, неординарной личностью– и как человек, и как художник – был Иван Александрович Пырьев. А тогда все строилось на отрицании его кинематографа. Мы обожали Калатозова, он был для нас отрицанием Пырьева, отрицанием соцреализма, фанеры, как мы говорили. Когда на экране не стены, не лица, а все – крашеная фанера. Нам казалось, что мы знаем, как делать настоящее кино. Главная правда – в фактуре, чтобы было видно, что все подлинное – камень, песок, пот, трещины в стене. Не должно быть грима, штукатурки, скрывающей живую фактуру кожи. Костюмы должны быть неглаженные, нестиранные. Мы не признавали голливудскую или, что было для нас то же, сталинскую эстетику. Ощущение было, что мир лежит у наших ног, нет преград, которые нам не под силу одолеть.

«Иваново детство» мы с Андреем написали за две с половиной недели. Писалось легко – что Бог на душу положит, то и шло в строку. Мы знали, что у студии нет ни времени, ни денег – и то и другое протратил Эдик Абалов, начинавший и заваливший картину. Студия была на все готова, лишь бы Андрей снимал.

Я принимал участие в работе как полноправный соавтор, но в титры не попал – выступал в качестве «негра». И не заплатили мне за работу ни копейки, я работал из чистого энтузиазма, за компанию. Считалось, что я как бы прохожу практику.

Мы ходили по мосфильмовским коридорам с ощущением конквистадоров, какое, наверное, есть и у сегодняшних молодых. Было фантастическое чувство избытка сил, таланта.

«Мосфильм» начала 60-х, как и все общество времен оттепели, находился в состоянии бурного обновления. Страна вдохнула свежего воздуха, догмы сталинского соцреализма затрещали по швам. После прежних шести картин в год, делавшихся огромной студией, «Мосфильм» заработал в полную силу, появились новые режиссеры. Чухрай, Рязанов, Алов и Наумов, Швейцер, Таланкин с Данелия – открывались прежде неизвестные имена. Вскоре появился и новый главный редактор студии – Вася Соловьев, соавтор Бондарчука по «Войне и миру».

Студия бурлила, возникали творческие объединения. Мосфильмовский буфет на третьем этаже у Шурочки был зеркалом этой забившей ключом студийной жизни. Рядом с нами за соседними столиками сидели живые классики – Калатозов, Ромм, Пырьев, Урусевский, Трауберг, Арнштам, Рошаль, Дзиган. Это были наши учителя, наши старшие коллеги, любимые, нелюбимые, даже те, кого – как Дзигана – мы в грош не ставили, но все равно это были не персонажи давней истории отечественного кино, а живые люди, с которыми мы сталкивались по сотне самых будничных производственных и бытовых поводов.

Времена те ощущались как очень хорошие, светлые. Да, все мы были придавлены коммунистическим режимом, но режим уже сильно подвыдохся. Да, наши картины запрещали, но разве можно было сравнить эти запреты, скажем, с запретом «Бежина луга», когда неизвестно было, останется ли Эйзенштейн в живых. В 60-е запрет делал из режиссера героя. Да, свободы не хватало, но по сравнению с тем, что испытало старшее поколение, это вообще был Божий рай. Впрочем, мы уже не довольствовались тем, что было дозволено, – хотелось большего. Кто мог в те годы мечтать поехать снимать в Америку или даже в Европу? Ну разве Бондарчук, он уже стал официальной фигурой. Дозволенное ему не дозволялось никому другому...

В ту пору в буфете у Шурочки все гудело от разговоров, планов, надежд... Сейчас цены в этом буфете такие, что режиссеру не по карману, вокруг пусто, в павильонах вырублен свет. По временам где-то что-то снимают, но по большей части рекламу...

Андрей на моих глазах становился Тарковским. У нас

были общие вкусы, интересы. Мы оба обожали Довженко. На нас влияли одни и те же режиссеры – их влияние просматривается в наших картинах.

Мы начали расходиться тогда, когда у меня стали оформляться свои творческие принципы – у него к тому времени они уже установились.

Андрей любил красиво одеваться. Но денег у него не было. Сейчас, оглядываясь назад, я думаю, как он похож на Скрябина – и по своему творчеству, трудному своей новизной, и по задиристости, и по любви модно одеваться. Скрябин тоже был небольшого роста, с изящными руками.

Андрей был человеком нервным, нуждающимся в психологической поддержке, в круге обожателей, что говорит об известной душевной неуверенности. Кликуши, объявляющиеся вокруг каждого очень талантливого, как бы непризнанного человека, были всегда.

У меня сохранилась фотография, снятая в «Национале», очень смешная. Мы разговариваем с журналисткой Соней Тадэ (я знал ее с детства, она была хроменькая, в детстве к хроменьким относятся жестоко). Мы – это Тарковский, Карасик и я – три лауреата, только что привезших призы из Венеции. Тарковский – «Золотого Льва святого Марка» за «Иваново детство», Карасик – за «Дикую собаку Динго», я – «Бронзового льва» за короткометражку «Мальчик и голубь», свою курсовую вгиковскую работу. Каждый, естественно, в меру сил тянул одеяло на себя, каждый старался говорить исключительно о себе. Андрея это страшно злило. Он такой и получился на фотографии: смотрит на меня зло-зло, очень раздраженно. Ясно же, что никакие не три лауреата были в Венеции, а один он. Он – реальный победитель всего на свете, он – автор выдающейся картины, произведшей фурор во всей Европе. Так на деле и было.

Помню, как однажды позвонил Андрей:

– Поехали, нас вызывает Сартр.

Сартр приехал в Москву с Симоной де Бовуар, захотел с нами увидеться. Забавно, что поехал и я, хотя моей фамилии в титрах не было. Но в ту пору мы с Тарковским редко расставались, и действительно, я писал вместе с ним сценарий, так что поехали вместе. Сартр долго говорил с нами. Потом Андрей показал мне разворот, кажется, в «Либерасьон»: Сартр написал об «Ивановом детстве» как о шедевре. Такое не могло не подействовать, не сбить с ног.

ВЕНЕЦИЯ

Поездка в Венецию была нашим первым выездом за границу.

Собственно, я и не предполагал, что там окажусь. Был счастлив, что Андрей едет с «Ивановым детством». Перед отъездом он пришел, сказал:

– У меня нет бабочки. В «Казино» пускают только в бабочках.

Бабочки у меня тоже не было, я украл у папы. Он уехал. А за два дня до главного фестиваля окончился фестиваль детских фильмов, где «Мальчику и голубю» дали «Бронзового льва». Меня срочно оформили и послали вдогонку кинематографической туристской группе, уже отбывшей в Венецию. Летели мы вдвоем с Александром Панном, ташкентским кинооператором– потом он снимал по моему сценарию «Седьмую пулю».

У меня сохранилась фотография от этой поездки: я, такой толстенький, хожу с чемоданчиком. Никто не знает, что внутри чемоданчика. А там – две бутылки водки, которые я пытаюсь продать.

Советским туристам строго-настрого запрещалось продавать что-либо за рубежом, но как же без этого? Деньги-то нужны, тем более в капиталистическом окружении. Во мне заработала смекалка: ё-моё, что ж я не взял еще и фотоаппарат! Его ж тоже можно продать! В таких формах выражалось наше идейное противостояние системе.

В Венецию летели мы через Рим. Прилетели поздно, нас поселили в гостинице возле главного римского вокзала «Термини». Был самый конец августа. Я вышел на балкон, думаю: «В чем дело? Что происходит?» На площади полно народу, иллюминация, все светится, играет музыка! Спрашиваю:

– Какой сегодня праздник?

На меня вытаращили глаза:

– Никакого.

– А почему так много народа?

– Мы так живем.

В мою слабую голову это никак не укладывалось. Это был первый удар. Шок. Первое осознание, что есть разные нормы жизни.

Перед отлетом мама позвонила в Рим сыну Шаляпина – Федору Федоровичу:

– Федя, Андрей будет в Риме.

Сразу по приезде я слинял к Феде. Видел его я в первый раз. До этого он приезжал в Москву, но мы не встречались.

Всю ночь просидели в траттории, называвшейся «Термы Каракаллы». Выпили на три доллара вина. Никогда не забуду ощущения легкости, радости, света, музыки, праздника. Все мои последующие идейные шатания и антипатриотические поступки идут отсюда.

Спать я лег под самое утро. Очень скоро нас разбудили, надо было лететь в Венецию. Присоединившись к группе, бросив вещи в номере, я сразу же помчался к Андрею. Мне хотелось быть рядом с ним. Помимо естественного ощущения своей причастности к его картине, свербило, что меня как туриста поселили в дерьмовенькой гостинице, а его как фестивального гостя – в отличной.

В Венеции мой культурный шок усилился. Я плыл по

каналу на венецианском речном трамвайчике, смотрел на этот ослепительный город, на этих веселящихся, поющих, танцующих людей и не верил своим глазам. Стоял вспотевший, в своих импортных несоветских брюках, держал в руках чемоданчик с водкой, которую не знал, как продать, смотрел на молодых ребят, студентов, веселых, загорелых, сидящих на берегу, и вдруг меня пронзило жгучее чувство обиды: «Почему у нас не так? Почему я не умею так веселиться! Почему?» Не я первый испытал это чувство. Петр Первый его испытал. Ленин, Владимир Ильич, его испытал. У них, правда, возникло еще и желание сделать так и у нас. Мне тоже хотелось, чтоб и у нас так было, но предпринять хоть что-нибудь для этого я не собирался.

Господи! Если бы у нас тогда, в 1962-м, кто-то из молодых где-нибудь на пароходе вот так же позволил себе сидеть, так улыбаться, так петь, так свободно себя вести, кончилось бы милицией. Да никто бы и не позволил себе так открыто радоваться жизни! Я был ошпарен. Это воспринималось как сон, и сон этот навсегда перевернул мою жизнь.

Думаю, поездка эта перевернула жизнь и Андрею. Венеция была первым зарубежным городом, где он оказался. Потом он много ездил. Вспоминаю, как он приехал с фестиваля в Нью-Йорке, где показывали «Иваново детство». В Москве был ноябрь, дул жуткий ветер, валил снег, он шел в своих легких ботиночках, купленных в Италии, рассказывал о впечатлениях...

В ту пору я был его оруженосцем. Хотя уже в Венеции обнаружилась его первая неприязнь ко мне. Тогда я не подозревал, что случилось это из-за Вали Малявиной. Только сейчас, прочитав ее воспоминания о Тарковском, я открыл для себя кое-что новое в своих взаимоотношениях с ним. Помню в одну ночь, где-то часа в два или в три, я постучался в дверь к Андрею:

– Пусти меня переночевать, я хоть на полу лягу.

Мне хотелось быть с ним, с героем фестиваля, с человеком, которому помогал делать «Иваново детство».

– Не пущу, – сказал он.

Я не знал, куда деваться, пошел на пляж и заснул в шезлонге. Проснулся часов в пять, меня всего колотило от сырости и выпитого вина.

Я опять вернулся в теплый коридор отеля. На каталке перед одним из номеров стоял поднос с остатками чьего-то завтрака – недопитый кофе, круассаны. Я потихоньку откатил поднос за угол, смел все, что там лежало недоеденного. Денег же почти не было! На всю поездку дали долларов двадцать.

Весь следующий день Андрей был со мной очень холоден. Теперь я знаю из-за чего – накануне я полночи просидел в баре с Малявиной и Лилианой Алешниковой. Читая воспоминания Малявиной, я понял, что он был в нее влюблен, ревновал ко мне. Еще узнал, что девушек за ночные гуляния со мной проработали на собрании, устроенном в самом подходящем для него месте – на пляже. Андрей в судилище, естественно, не участвовал, но целый день с Валей не разговаривал. Дня через два я попросил у него свою бабочку: мне предстояло получать «Бронзового льва». Андрей бабочку не отдал. Это была самая больная обида – во-первых, бабочка была моя, я же ее ему дал, во-вторых, денег у него было долларов на тридцать больше, он же был гость. Он-то мог позволить себе потратить десять долларов! В итоге бабочку пошел покупать я. Но я все-таки был человек предприимчивый, бутылку водки загнал, вторую – отдал гиду, который в благодарность отправил меня все с тем же Панном в Москву через Париж.

Еще в Риме, когда мы сидели в «Термах Каракаллы», я набрался наглости и по советской привычке попросил у Феди Шаляпина денег. Он дал тридцать долларов, серьезную для меня сумму.

В последний вечер на Лидо мы с Тарковским, опьяненные коктейлем и воздухом свободы, наяривали вдвоем твист на площадке, где играл оркестр. Тут же сидели, снисходительно на нас поглядывая, Герасимов с Кулиджановым – они твист не танцевали...

В Париж самолет прибывал вечером и компания должна была предоставить мне на ночь отель. Мало того что я сверх Венеции увидел Рим, мне еще повезло повидать впервые Париж! Отель «Лютеция» компании «Эр-Франс» находился на бульваре Распай. Потом с этим бульваром в моей жизни будет связано много разного – здесь я встретился с Бюнюэлем, здесь я какое-то время жил, но тогда все было впервые. Я поднялся наверх в свой дешевый мансардный номер, открыл балкон – было часов пять вечера, – напротив на балконе такой же мансарды горничная в белом фартуке, белой наколке чистила медные ручки. Слезы навернулись от вдруг нахлынувшего чувства. Значит, есть еще в мире горничные в белых фартуках, медные ручки, мансарды – то, что в России исчезло со времен Чехова!

Сколько я потом ни ездил, чего только в Париже ни видел, но сильнее этого чувства не испытал.

ГЕНА

Домой в Москву я бережно вез огромную двухлитровую бутылку дешевого итальянского вина – для Гены Шпаликова. Мы с ним в то время уже работали вместе над сценарием для моего диплома, он назывался «Счастье». Писать с Андреем у меня не получалось. Мы сделали сценарий для него, я сказал: «Теперь давай писать для меня». Он согласился. Но работа не ладилась – он увял. Писать он мог только для себя, у него был свой мир, он в нем жил. Поэтому сценарий для своего, пока еще неясно какого диплома я готовил с Геной. Мы встретились, пошли в зоопарк – он очень любил это место.

Сели за столик. Гена сказал:

– Расскажи про Париж.

Я рассказывал, мы пили вино. На мне были новые джинсы, купленные на Федины доллары, Шпаликов завидовал.

– Я тоже поеду за границу, – сказал он, когда бутылка была допита.

– Куда?

– Во Вьетнам. Воевать.

Ему очень хотелось за границу, но никуда не пускали. Как Пушкина. Поэтому он придумал эту утку про Вьетнам и не мне одному ее подпустил.

Я гляжу на старые фотографии. Вот Гена с Инной и маленькой Дашей. Я был ее кормильцем, выкормил, можно сказать, собственным молоком. У Инны молока не было, у Гены не было никакого транспортного средства. Чтобы избавить их от необходимости ездить в Москву, я гонял на велосипеде от Николиной горы в село Успенское, к кормилице – два раза ежедневно.

Сценарий «Счастье» получался странный. Он состоял из моментов счастья очень разных характеров. С момента счастья начать фильм очень трудно. Это возможно в музыке. Так начинается Первый концерт Чайковского – сразу счастье. В кино это сложнее. Получается не счастье, а информация о счастье. В музыке нет момента информации, информация не может быть абстрактной. Она – вещь рациональная, интеллектуальная, знаковая: человек умер, человек женился. Эмоция, конечно, с информацией связана, но она возникает потом. Величие музыки в том, что вся она – чистая эмоция.

С Геной у меня рабочие отношения не складывались, он не мог не пить.

Конечно, симптомы алкоголизма у него были. Думаю, он и самоубийством кончил в момент алкогольной депрессии.

Помню, Генке очень нужны были деньги, я одолжил, он написал мне расписку – в стихах.

Я был в достаточной мере жесток к нему. Не стану оправдываться, но у меня было два таких друга (Гена – один из них), подававших колоссальные надежды. Но когда они для меня их не оправдывали, я отдалялся. Не мог с ними общаться. Глупо, наверное. Они давали мне обещания, что больше такого не будет, что станут совсем другими людьми, – ничего не менялось, все начиналось заново, это меня совершенно выбивало из колеи отношений, которые мог бы считать нормальными...

РЕВНОСТЬ

В Москву я вернулся обожженный Западом. Рим, Венеция, Париж – это все разом свалилось на мою советскую голову, хоть и комсомольскую, но уже достаточно прогнившую. У меня и так была предрасположенность к тлетворным влияниям (дед – сезаннист, мать говорила всю жизнь по-английски), а тут уже был нокаутирующий культурный шок.

Думаю, и Андрей вернулся из Венеции абсолютным западником. Если он сам и не знал, что внутри себя таков, то теперь уже не мог этого не чувствовать. Италия его ошеломила, обожгла навсегда. «Андрея Рублева» он делал с прицелом на Венецию, не случайно даже вставил в финальную новеллу итальянских послов. В Канне картина оказалась по чистой случайности. Копия была готова уже в феврале, но начались проблемы, поправки, ни о каких фестивалях и речи быть не могло. Потом на какой-то момент ситуация вроде как утряслась, «Совэкспортфильм» продал «Рублева» вместе с еще шестью картинами, «Войной и миром» и другими, французскому бизнесмену Алексу Московичу. Москович привез картину на кинорынок в Канн. К этому времени опять возникли проблемы, Госкино пыталось картину отозвать, Москович сказал:

– Ничего не буду отдавать, я уже заплатил за копии.

Картина появилась в Канне вопреки советской власти, представлена была не от СССР, была во внеконкурсном показе, потому получить могла только премию критики. Успех был сногсшибательный: все знали, что большевики хотели «Рублева» снять с показа, то есть что он запрещенный. Не было бы всей этой свистопляски, картину нормально показали бы предшествующей осенью в Венеции...

Конечно, тогда, в 1962-м, Андрей имел полное право чувствовать себя единственным реальным победителем Венецианского фестиваля. Но и мне тогда было чем гордиться, кое-что для успеха его «Иванова детства» сделал и я. Своего героя, Колю Бурляева, он взял по моей рекомендации. До этого Коля снимался у меня в «Мальчике и голубе». Совершенно случайно на улице Горького я встретил забавного хрупкого паренька, он показался мне занятным.

– Мальчик, хочешь сниматься в кино? – сказал я.

На такие вопросы всегда сразу отвечают: «Хочу!» Коля не спешил с ответом.

– А вы откуда?

– Я из ВГИКа.

– Покажите документы.

Я показал ему студенческий билет. Только после этого он стал со мной разговаривать. Будущего борца за православную и славянскую идею, за общенародную трезвость в мальчике предугадать тогда было трудно. Нормальный шибздик. Миша Кожин, оператор «Мальчика и голубя», звал его не иначе как «п...деныш»: «П...деныш, иди в кадр!»

Потом он попал в «Иваново детство», потом – в «Рублева». Состоялась карьера. Бурляев очень интересный артист. С романтическим порывистым талантом.

Уже тогда, когда делалось «Иваново детство», у меня с Андреем стало возникать ощущение конфликтной ситуации. Тарковский позвал меня к себе в монтажную, показал кусок намонтированной хроники: обгорелые трупы семьи Геббельса, еще какие-то трупы – шокирующие кадры. Меня передернуло.

– Это в картине не нужно, – сказал я.

– Ты ничего не понял, – сказал он. – Это как раз и нужно.

– Нет, я против, – сказал я.

– А ты тут при чем? – Андрей заиграл желваками.

– Ну как же? Все-таки я соавтор сценария.

– В титрах тебя нет.

Я не ожидал, что разговор примет такой оборот.

– Сволочь ты! Засранец! Я с тобой разговаривать не буду!

– Ну и не надо, – сказал он.

Я побежал вниз по лестнице. Он догнал меня.

– Не приходи больше сюда.

Он оставил эти куски и оказался прав. Куски были замечательные. Они шокировали. Это была очень рискованная эстетика – дорога по лезвию бритвы, я до нее тогда не дорос. Дружба наша продолжалась, хотя наши пути уже начали расходиться. Я стал вырастать в режиссера, у меня определялась своя точка зрения, я утверждал ее.

К этому же времени относятся наши размышления о длине отдельного статичного плана. Мы были увлечены проблемами экранного времени. Какой длины кадр способен выдержать зритель, если на экране ничего не происходит?

– Интересно, – говорил Андрей, – почему, когда кадр начинается, смотреть поначалу интересно. Потом зрителю делается скучно. На экране опять ничего не меняется – уже совсем скучно. «Когда же что-то произойдет?» – думает зритель. И здесь, хотя на экране по-прежнему все то же самое, у зрителя опять возникает интерес, уже на другом уровне. «Если так долго показывают, – догадывается он, – значит это имеет смысл. В чем этот смысл?»

В прологе «Первого учителя» я этим принципом воспользовался, поставил неподвижные, неимоверной длины планы. Еву Михайловну Ладыженскую, монтировавшую картину, это приводило в ужас, я ее возражений не принял. Но у меня этот прием был использован как исключение, Тарковский сделал его правилом, распространил на весь фильм целиком. Мы спорили, каждый остался при своем.

Наши отношения с Андреем начали подспудно напрягаться. Думаю, происходило это из-за ощущения соперничества – можно назвать это и ревностью.

Помню лето 1963 года. Мы сидели на даче, возник какой-то спор. Андрей стоял у окна. Лил дождь. Андрей повернулся ко мне и неожиданно спросил.

– Ты думаешь, что ты гений? – сказал он.

Я не ответил. Возникла пауза, слышен был только шум падающих на листья капель. Я смотрел на Андрея и точно знал, что он думает. Думает, что гений – он, а не я. Уже до этого возникло соперничество (все-таки я лев: у львов чувство собственной значимости очень развито).

Замыслом «Андрея Рублева» мы с Тарковским обязаны Васе Ливанову. Он пришел к нам и сказал: «Давайте делать фильм о Рублеве». Предложение было очень неожиданно. Позже я думал, откуда Васе пришла эта идея. В начале 60-х русская иконопись постепенно, шаг за шагом стала признаваться официальной властью. Вася был молод, красив, очень подходил к роли Рублева: длинное лицо, тонкий нос. В совсем недавно открывшемся музее Андрея Рублева в Андронниковом монастыре был выставлен его Спас, и чем-то черты этого Спаса напоминали Васю. Может быть, от этого сходства и пришла ему идея фильма?

Потом Ливанов уехал сниматься, а мы с Андреем решили не ждать и сели работать. Поехали на юг, начали обсуждать тему, стала появляться история. Когда Ливанов вернулся, мы сказали: «Вася, поезд ушел. Мы написали без тебя». Мы перед ним в долгу.

Тарковский не думал снимать Ливанова, хотел снимать Смоктуновского. Мы предложили Кеше сценарий, но перед ним стал выбор: кого играть – Рублева или Гамлета? Он выбрал Гамлета.

Сценарий мы писали долго, упоенно, с полгода ушло только на изучение материала. Читали книги по истории, по быту, по ремеслам Древней Руси, старались понять, какая тогда была жизнь, – все открывать приходилось с нуля.

Андрей никогда не мог точно объяснить, чего он хочет. Всегда говорил о вещах, не имеющих отношения к характерам, к драматургии.

– Вот, – говорил он, – хочу это ощущение, когда клейкие листочки распускаются.

Попробуй из этого сделай сценарий! Ощущения у него подменяли драматургию. Сценарий распухал, в нем уже было двести пятьдесят страниц.

К концу года работы мы были истощены, измучены, доходили до полного бреда. Знаете, что такое счастье? Это когда мы, окончив сценарий под названием «Андрей Рублев», сидим в комнате и лупим друг друга изо всех сил по голове увесистой пачкой листов – он меня, я его – и хохочем. До коликов. Чем не сумасшедший дом!

Помню последний день работы над сценарием. Мы кончили часов в пять утра, в девять решили пойти в баню. Он поехал с драгоценными страницами к машинистке, я – в баню. Заказал номер, полез в парную. Когда вылез, упал – руки-ноги отнялись, давление упало. Думал, умираю. Голым, на карачках выполз из номера. Приехал врач, сделал мне укол камфары, сказал: «Закусывать надо. И пить меньше».

Врач уехал, приехал Тарковский, тоже весь синий. Мы полезли париться...

Моменты напряжения в наших отношениях, возникавшие и прежде, стали все более проявляться по ходу съемок «Рублева». Андрей позвонил: «Приезжай. Сценарий разбухает». Написан сценарий был талантливо, но недостаточно профессионально. Слишком много было всего– на мой сегодняшний взгляд. Очень много хорошего сценарного материала в картину не вошло. Хороший материал – еще не означает, что будет хороший фильм. Кирпичи могут быть и из золота, но кирпичи еще не делают архитектуру, архитектонику. Думаю, что новелла о колоколе могла бы заменить всего «Рублева». Очень мощный, очень красивый символ. Когда картина была уже кончена, я сказал:

– Знаешь, Андрей, гениально было бы просто развить один «Колокол», так и назвать – «Колокол». А на самом деле это был бы «Рублев», все там было бы, картина не обеднела бы.

Но картина стала разваливаться на новеллы, от каких-то из них вообще пришлось отказаться. «Чума» вся целиком не вошла в фильм, а это был большой образ, очень для картины важный. Царская охота на лебедей не вошла, остался только один убитый лебедь. Большие куски не вошли, да и не могли войти – слишком много всего было написано. Много, подробно– ни в какую цельную композицию не укладывалось.

Я приехал сокращать сценарий. Работали, безжалостно выбрасывая целые линии. Возвращался обратно с ехавшим со съемок Роланом Быковым. Мы с ним серьезно назюзюкались в поезде, с нами ехала ассистентка Тарковского – из-за нее мы, собственно, и назюзюкались...

Я уехал снимать «Асю», с головой погрузился в свои проблемы. Прошло около года. «Рублев» был закончен, его положили на полку. «Ася» тоже была закончена, и ее тоже положили на полку. Я посмотрел «Рублева», у меня возник ряд соображений. Попытался убедить Андрея сократить картину.

– Коммунисты тоже считают, что надо сокращать.

– Ты сделай вид, что выполняешь их поправки. А сам сокращай только там, где ты хочешь. Сохрани то, что тебе нужно, но картина-то длинна. Длинна, понимаешь?

– Это ты ничего не понимаешь.

Опять ясно проглядывался наш разлад.

«Рублева» и «Асю Клячину» запретили одновременно. Судьба нас как бы вела вместе.

Художники, которые растут вместе и чувствуют масштаб друг друга, относятся друг к другу очень настороженно. В этом нередко какая-то почти детская ревность. В этом детстве художник, в известном смысле, и живет в любом своем возрасте. Что скрывать (пустячок, а приятно), есть чувство легкого удовлетворения, когда у твоего соперника картина не получается! Хотя мы делаем серьезное лицо, показно переживаем, говорим: «Жалко. Не получилась картина». Ликования при этом и в самом деле нет, но все-таки слегка приятно. Что это? Почему? Правда же, в этом что-то детское.

Успех ровесника, а хуже того – младшего коллеги, – вещь очень болезненная. Скажем, успех младшего брата. Брату старшему полагается иметь все раньше, чем младшему. Я наблюдал за собой эти моменты...

Нет, об этом позже, пока о Тарковском.

Ревнивое желание хотя бы одним глазом подсмотреть, что делает Тарковский, быть в курсе его работ и замыслов было, естественно, и у меня. Точно так же и Андрея интересовало, что я снимаю. Помню, как-то вернувшись домой, я увидел недопитую бутылку водки, почти пустую, рядом на стекле письменного стола стояла пишущая машинка, лежало несколько отпечатанных страниц – Андрей куда-то ушел. Тогда он жил у меня. Я заглянул в страницы – это было воспоминание о матери, был там и какой-то невнятный рассказ о военруке, который потом появился в «Зеркале». На сценарную прозу это было никак не похоже – чистой воды литература. Кончался рассказ удаляющимся лицом матери в подъезде. Написано все было за четыре-пять часов, пока я отсутствовал.

Вскоре вернулся Андрей, уходивший, как оказалось, за следующей бутылкой.

– Ну как? – спросил он.

– По-моему, абракадабра.

– Ты опять ничего не понял...

После смерти Андрея появилось немалое число людей, в обильных подробностях описывающих свою приобщенность к его творчеству, рассказывающих, какими соратниками они ему были. На деле же соратников у него было немного. Ему нужны были не соратники, а «согласники», люди поддакивающие и восхищающиеся. Ну что ж, это тоже потребность художнической души. Вспоминаю слова Рахманинова, который тоже был человеком болезненно, исключительно мнительным. От своей жены, говорил Рахманинов, художник должен слышать только три вещи: что он гений, что он гений и что он абсолютный гений.

Александр Мишарин, писавший с Тарковским сценарий «Зеркала», писал потом, какой организующей силой он был для Андрея, как тот в нем нуждался. Может быть, может быть... А может и не быть. Видение «Зеркала» задолго до начала участия Мишарина в работе уже было в тех самых страничках, которые лежали у меня на столе.

В ту пору у нас еще не было конфликта. Пока еще только возникала холодноватость в отношениях. Андрей не позволял никому из друзей себя критиковать.

От Отара Иоселиани я недавно узнал об одном любопытном случае. Рассказал он мне о нем на фестивале в Сан-Себастьяне, где был членом жюри, а я прилетел получать Гран-при за «Гомера и Эдди». За кулисами, в пыльной темноте, пока мы распивали бутылку водки (я – на голодный желудок, прямо с самолета – на церемонию), Отар рассказал мне, как однажды пришел к Андрею. Вокруг за столом было обычное окружение Тарковского.

– Ну как тебе «Зеркало»? – спросил он.

– По-моему, вещь путаная, длинная, – сказал Отар свойственным ему отеческим тоном.

Возникла тяжелейшая пауза, все, потупив глаза, замолчали. Андрей бросил быстрый взгляд по сторонам, сказал:

– Ему можно.

Все тут же оживились. Боялись скандала, но пронесло. Это уже был Андрей времен «Зеркала».

Собираясь делать «Солярис», Тарковский предложил мне писать вместе с ним сценарий. Я рассказал, как, на мой взгляд, это надо делать. Ему мои предложения не понравились, в них все было слишком логично. Я все-таки вынес некоторые уроки из «Рублева», меня интересовала структура вещи – он же хотел структуру развалить. Он был захвачен этим стремлением.

Мы встретились как-то в монтажной, это было уже после «Дяди Вани», ему картина очень понравилась, он меня за нее простил («Ася Клячина» ему тоже очень нравилась).

– Понимаешь, – сказал он, – я снял картину, она не складывается.

– Я тебе три года назад говорил, что не сложится.

– Ну да! А ты знаешь, что я сделаю? Я вообще все перемешаю, чтобы никто ни хрена не понял! – И озорно по-детски (очень хорошо помню его улыбку) захохотал. – Поставлю конец в начало, середину – в конец.

Он сидел и переставлял эпизоды «Зеркала» на бумажке, пытался перегруппировать структуру в абсолютно абстрактный коллаж. Ему удалось. Он разрушил связанность рассказа, никто ничего не понимал. Но было ощущение присутствия чего-то очень значительного, кирпичи-то были золотые.

Потом приехал представитель Каннского фестиваля отбирать картину. Естественно, спросил про «Зеркало». Естественно, Ермаш сказал, что картина не готова, хотя в черновом монтаже она была уже готова. Естественно, был устроен тайный просмотр с протаскиванием обманными путями через проходную иностранца. Помню Андрея, бегущего по коридору, потного, с коробками пленки. Боже мой, что была за жизнь! Классик советского кино таскает коробки, чтобы показать свой шедевр. И при этом умирает со страха, что его застукают. Если вдуматься, это не что иное как бред. Ведь все делалось нелегально. Страшно! Криминал! Андрей не был никогда диссидентом. Он был наивным, как ребенок, человеком, напуганным советской властью. Он хотел жить за границей, хотел свободно ездить, как все нормальные художники. Это желание было важно, а не идея борьбы с советской властью. Володя Максимов собственноручно перетащил его на диссидентскую сторону. Ему организовали пресс-конференцию в Италии, она уже имела отчетливый политический оттенок: «Не возвращаюсь, потому что мне нужна свобода».

«Я – невозвращенец» – это уже было серьезным ударом, и прежде всего для самого Тарковского. С этого момента он начал бояться, что его убьют, украдут, это приобрело уже характер мании. В Лондоне он попросил для своей охраны агента Скотленд-Ярда, иначе его затолкнут в мешок, увезут в Москву.

Он был бесконечно далек от политики и не понимал, что в андроповское время уже никто никого не будет выкрадывать. Это, вероятно, еще могло быть при Хрущеве, когда пытались затащить в туалет Руди Нуриева. Но с тех пор уже прошло пятнадцать лет. Я сказал ему:

– Андрей, тебя никто не украдет. Тебя приглашает Сизов (был такой, директор киностудии «Мосфильм»), ему можно верить. Андропов лично дает гарантию, что если ты вернешься – получишь заграничный паспорт. Я убежден, так и будет.

Разговор происходил в Канне. Андрей посмотрел на меня.

– Знаешь, я решил остаться. Мне тут заплатили за «Ностальгию». Ну что я куплю на эти деньги? Ну куплю «Волгу», квартира есть. Вернусь – опять не дадут работать.

– Устрой пресс-конференцию. Объяви, что уезжаешь в Россию, что если тебя назад не выпустят, пусть все знают, ты – жертва коммунизма. Но, я уверен, тебя выпустят, не посмеют не выпустить. Ты артист международного класса.

Он меня не послушал. На прощание посмотрел на меня с сомнением. Потом дошел слух, что он сказал: «Андрон работает в КГБ. Он уговаривал меня вернуться».

Виделись мы после этого только один раз – на рю Дарю. Я шел в церковь, он – из церкви. Я уже остался за границей.

– Ты что здесь делаешь? – спросил Андрей.

– То же, что и ты. Живу.

Он холодно усмехнулся:

– Нет, мы разными делами занимаемся.

У него было замечательное лицо, скуластое, с раскосыми глазами и редкой монгольской бороденкой. Когда он смеялся, на щеках, обтянутых пергаментной кожей, собирались мелкие морщинки. В эти минуты мне всегда так хотелось его обнять! Сколько мы смеялись!.. Любимый мой Андрей.

Больше мы уже не встречались.

Когда я снимал «Дуэт для солиста», мне передали, что меня очень срочно просит позвонить Марина Влади.

– У Андрея рак, – сказала она. – Нужны деньги.

Ее муж был врач. Помню, как сейчас, я стоял в будке автомата, шел дождь, все внутри меня сжалось в комок.

Думаю, Андрей и заболел оттого, что у него такой характер – нервный, нетерпимый. То, что он уехал, что пути назад ему уже не было, его мучило. Не сомневаюсь, это ускорило развязку.

САМОКОНТРОЛЬ

Замечательная фраза, не помню уж, кем сказанная: «Всё болит у дерева жизни». Боль – манифестация жизни. Не случайна и эта популярная шутка: «Если вы утром проснулись и у вас ничего не болит, значит, вы умерли». И еще вспоминаю мудрые слова Александра Меня: «Пока есть гнев, есть надежда. Равнодушие – это смерть».

Когда думаю о любви и нелюбви, единственный верный для меня критерий – боль. Любовь – это боль, все остальное – нелюбовь, может быть, влюбленность, приятное времяпрепровождение, еще что-то, о какой бы любви речь ни шла – к женщине, к папе, маме, брату, другу, Богу. Больно, значит, сладко; можно даже плакать от сладости боли.

Во времена наших частых сидений в ВТО на студии Горького по сценарию Гены Шпаликова снимался его первый фильм – «Застава Ильича» Марлена Хуциева. Мы с Тарковским играли там небольшие роли. Вокруг картины еще задолго до выхода был немыслимый ажиотаж: то ли потому, что это сценарий Гены Шпаликова, то ли потому, что режиссер – герой неореализма, точнее – неосоцреализма, то ли потому, что в картине снимались неактеры, а также и очень молодые талантливые актеры.

Пришла на кинопробу и Марьяна Вертинская. Там я с ней и познакомился. Нет надобности рассказывать, как во времена нашей молодости звучало имя Александра Вертинского. Естественно, отсветы его озаряли и дочерей. В нашем семействе, правда, обстояло несколько по-иному. Так или иначе мы были воспитаны во вкусах деда, а для него все выходившее за рамки Моцарта, Баха и Прокофьева уже никуда не годилось. Чайковский именовался пошляком, Вагнер не заслуживал доброго слова: ни одного произведения кончить не может. Ну как дед мог относиться к Вертинскому? Вертинский– это кабаре, декаданс, а само слово «декаданс» было для деда ругательством.

Когда началось наше увлечение Вертинским, деда уже не было в живых. Но имя это я впервые услышал от него – пренебрежительно, через губу. Вообще, если бы я сказал ему, что люблю Чайковского, очень люблю Серебряный век, что мне очень нравится Игорь Северянин, не знаю, что бы он со мной сделал. Но, если вдуматься, для деда и Репин, и Чайковский были почти современники. Так же как для меня с Тарковским современником был Пырьев. Мы с Андреем не выносили его, а теперь без слез не могу смотреть «Кубанских казаков». Пырьев для меня уже классик, его картины вызывают чувство нежности. Современники друг друга не выносят. О чем могу судить и по себе. Дистанция времени многое ставит на свои места...

У Марьяны были синие глаза, вздернутый нос и рыжие волосы. Когда она сидела на подоконнике, казалось, что перед тобой картина Магритта: глаза сливаются с окружающим небом. Лицо, а за ним сквозь дыры глаз небо просвечивает. У меня есть замечательная фотография, где нас вроде как и не видно: мы с ней идем по бульвару. Есть еще очень хорошая фотография: мы сидим на съемках, там и Гена Шпаликов. Естественно, кончаловка при всем этом не могла не присутствовать. Съемочные дни часто оканчивались у нас дома. Был момент в жизни, когда на вопрос, что такое счастье, я мог бы ответить только единственным образом: «Счастье – это сидеть у Вертинских, когда за окном идет снег, смеркается, еще не зажегся свет – сидеть и пить чай с Марьяной».

Были у нас такие времена, когда я стоял перед ней на коленях и говорил: «Марьяна, я хочу, чтобы ты была с нами на Новый год». Она отказалась, у нее были другие планы. Марьяна курила, что мне не нравилось, вела неспортивный образ жизни, что мне тоже не нравилось, была очаровательна, что мне очень нравилось. Она была вся такая легкая, непредсказуемая, небесная! Была и такой же сейчас осталась – добрая, безалаберная, с детскими маленькими руками, с бесшабашным хипповым пренебрежением к условностям жизни. А рядом была девочка с раскосыми, гранеными, как стаканы, глазами, уже покорившими зрителей в «Алых парусах», – Настя. Ребенок! Шепелявый ребенок! Очаровательный. Конечно, эти сестры были звезды. Уже надвигался «Гамлет», где Анастасия сыграет Офелию. Впрочем, в то время мы думали, что «Гамлет» не состоится и что Смоктуновский сыграет Андрея Рублева.

В те годы тусовки происходили по квартирам. После двенадцати посидеть было негде, кроме ресторана внуковского аэропорта. К нам домой приходило каждый вечер человек пять или восемь.

Однажды за Марьяной с огромной легкостью начал ухаживать Смоктуновский. Они сидели у нас, вели нежный разговор, я почувствовал себя лишним. Пошел на улицу, сел в садике, поглядывал на окно, за которым были они. Было больно, но и очень сладко. Я был очень ревнив, очень влюбчив, хотя не знаю, любил ли по-настоящему...

Уже надвигался на меня поезд, называемый «женитьба». Уже стали об этом поговаривать. В моих же планах этого не было. Помню, я вел машину, не мне принадлежавшую: жена одного профессора взяла ее у своего мужа, еще ехали Марьяна и мой приятель.

– А почему бы вам, друзья, не жениться? – сказала жена профессора.

От смущения я повернул руль – повернул очень неаккуратно, кто-то в меня врезался. Так окончился этот роман.

Зато у моего младшего брата, который след в след шел за мной, начался роман с Настей. Была замечательная свадьба. Помню Никиту с длинными волосами, с бакенбардами (бакенбарды тогда были в моде), в клешах, Настю с навороченными на голове халами на этой очень озабоченной, очень светской свадьбе в ресторане «Националь».

Вертинские остались в нашем доме, в моей жизни. Во-первых, потому, что ходил по дому сын Насти и Никиты, который очень похож на Вертинских.

Быть может, любить по-настоящему мне слишком часто мешала программа самоконтроля, очень все-таки во мне сильная. Поэтому и наркотиков никогда не принимал. Точнее, это случалось крайне редко.

Однажды – это запомнилось – в Париже, у Аньес Варда. Мы собрались у нее по случаю приезда Джека Николсона. В этот день в кафе я увидел женщину потрясающей красоты. Она казалась немного похожей на Грейс Келли.

А какие ноги! Я просто обалдел. Сердце захолонуло, я сел рядом за столик, думаю, как бы начать разговор.

Женщина смотрит сквозь меня и вдруг поворачивается, улыбается роскошной улыбкой. Я уже хочу улыбнуться ей в ответ, начать разговор и тут понимаю, что она смотрит не на меня. Оборачиваюсь – Джек Николсон. Подходит, садится за ее столик. Это была его пассия, знаменитая певица из рок-группы «Мамас энд папас».

В тот же вечер мы встретились у Варда. Там был и Бертолуччи. Достали травку, марихуану, я в первый раз попробовал. Было весело, все смеялись, и мне хотелось смеяться. Все улыбались, и мне хотелось в ответ улыбаться.

Вспоминаю обо всем этом к тому, что любовь – это потеря контроля над собой. А в общем-то контроль над собой я терять не люблю. Ненавижу даже. Хотя не раз с готовностью кидался во влюбленность. Но чем старше становился, тем более неохотно это делал. Влюбишься – уже не принадлежишь себе.

Не могу сказать, что во мне жила такая уж немыслимая тяга любить. Влюбленность – бабочка нашего воображения. Села на объект – и вы уже не можете оторвать глаз, вы его обожаете. И вдруг бабочка вспорхнула – ее уже нет, а объект остался. Вы смотрите в ужасе: Боже, вот это я любил! Тот человек, которого вы любили, боготворили, кажется уже полным монстром. А может, никакой бабочки и не было? Мы сами насытили объект нашей любви качествами, вовсе ему не присущими.

МОИ ИДОЛЫ

В пору моих первых кинематографических откровений и потрясений от увиденных фильмов я еще не знал, что такое подражать, поскольку сам еще не снимал. Я еще не находился ни под чьим влиянием, а лишь под влиянием кино как единого целого. Оно сказало мне: «Иди в режиссуру». Это только потом возник вопрос: «А что ты умеешь сам?»

Я уже касался здесь шока, пережитого на просмотре «Пепла и алмаза». Ну конечно, бросилось в глаза, как похож на меня Цибульский (в подражание ему я вскоре стал носить черные очки), но прежде всего вновь была сама эстетика картины, впечатляющая, полная экспрессии. Никогда не забуду кадров, где герой одну за другой поджигает стопки со спиртом и пускает их по столу на камеру. Или его финальный пробег, удивительно красивый, среди белых простыней, развешанных на пустыре. Высокий класс экспрессионизма! Здесь была не только новая эстетика, но и новая энергетика человеческого поведения.

Картина захватила меня и неясностью своего идеала. Нигде не были расставлены морализирующие точки. Мы не могли не любить героев, точно так же, как не могли не понимать неправоту дела, за которое они борются. Убийство секретаря обкома, умирающего на руках у своего убийцы, воспринималось как новая библейская притча о братоубийстве. Это был безусловно шедевр!

Вайда – один из режиссеров (в том же ряду Мунк и Кавалерович), определивших направление развития послевоенного польского кино. Все они взросли на отрицании старой эстетики, но Вайда ближе других мне тем, что он сенсуален. В нем нет рационализма, нет ироничности, в нем все чувственно. Все фактуры – чувственны: поливание шампанским, обшарпанные стены, которые потом мы много раз обсуждали с Тарковским, битый кирпич в «Канале». Это была новая эстетика и в характерах.

Мне потом рассказал Цибульский, что Вайда показал ему фильм с Джеймсом Дином и сказал:

– Запомни и повторяй все то, что он делает. Играй точно так же.

Я еще не знал, кто такой Джеймс Дин. Для себя я открыл его через Цибульского.

Первую свою курсовую работу на сцене я делал, подражая, как мог, пластике Вайды. Первый раз делал что-то свое, и это «свое» было подражанием.

Для меня начиналось познание кино, познание многих авторов, многих фильмов. Американское кино на меня влияло совсем немного, практически не влияло вообще.

После «Пепла и алмаза» пришел черед влияния Ламориса с его поэтикой, условностью, красотой, даже красивостью формы. Тогда мы работали вместе с Андреем, и это влияние видно и в его «Катке и скрипке», и в моем «Мальчике и голубе».

Почему Ламорис так на нас повлиял? Он еще раз сломал наше представление о кино. «Белая грива», «Красный шар», «Приключения золотой рыбки» (это, правда, не его фильм, а его оператора Эдмона Сешана, но в нем та же эстетика), «Путешествие на воздушном шаре» – эти фильмы подняли на новый виток звуковое кино. Диалога в фильмах не было, сюжет развивался вне слов, но звук при этом играл очень важную роль. Это было как бы чистое кино, очень непростое по форме, привлекательное еще и тем, что оно не требовало звезд, даже вообще актеров. Ему достаточно было очень немногих типажей, в нем действовали бессловесные или вообще неодушевленные персонажи (лошадь, рыбка, надувной шарик, мальчик), а это значило, что подлинный автор – режиссер, что он насыщает своим отношением весь окружающий мир, делает его антропоморфным, делает его своим.

Поэтическая метафора Ламориса пришла в Россию одновременно с «Маленьким принцем» Экзюпери и модой на Экзюпери. Их мироощущения в моем восприятии как бы слились воедино. Не сомневаюсь, что идеи поэтического кинематографа у Тарковского складывались под очень существенным влиянием Ламориса.

В своем подражании Ламорису я опоздал на год, к тому времени мы сделали новое открытие: Бюнюэль, «Лос Ольвидадос» («Забытые»), «Виридиана», ощущение очень чувственного кино, выразительная сила уродливости, острота образов, некоторая их абстрактность – все это заметно отразилось в «Ивановом детстве». А парящая мать из «Лос Ольвидадос» просто впрямую перекочевала в «Зеркало», очень мощный шокирующий образ. Бюнюэль открыл нам то, что русское кино открыть не могло – сенсуализм. По серьезному счету, силу сенсуализма у нас чувствовали очень немногие режиссеры – Барнет в «Окраине», Николай Экк в «Путевке в жизнь». Есть, конечно, очень мощные куски у Эйзенштейна, но у него образ всегда имеет более литературное содержание, нежели чувственное – у Бюнюэля сенсуализм замешан на латиноамериканском поте, буквально можно было осязать лоснящуюся кожу.

Что такое Бюнюэль? Это Испания, испанское соединение страсти, образной безжалостности и раскаленного духовного пейзажа. До него я не представлял себе, что можно вот так, как липку, ободрать человеческий характер, заглянуть в то, что Достоевский называл «обнаженная бездна души». Наверное, это первый из художников, который не боялся быть таким жестоким в кино. В литературе уже до того был Селин, Жан Жене, уже был Генри Миллер – они не боялись этой обнаженной жестокости. Я говорю не о Бюнюэле времен «Андалузского пса»: разрезание бритвой коровьего глаза – это было пока что лишь обнажение бездн эстетики, к обнажению бездн души еще надо было прийти. Он сделал это в «Назарине», «Лос Ольвидадос», в «Виридиане» – там это игра провоцирующими, шокирующими изображениями. Почему подобная жестокость имела право на существование? Потому что она никогда не была жестокостью во имя смакования жестокости. За ней всегда ощущалось содрогание художника от необходимости такое показывать. Когда смотришь фильмы Квентина Тарантино, видишь, что режиссер от жестокости не содрогается – он облизывается. Бюнюэль, как и Бергман, обнажая бездны, страдает сам. Когда мальчишки безжалостно избивают калеку в «Лос Ольвидадос», безногого, слепого, закидывают его камнями, чувствуешь, как мучительно художнику показывать это.

«Назарин». Не могу понять, почему он произвел на меня такое впечатление. Показал мне его Том Лади в Сан-Франциско в начале 80-х, уже после моего отъезда в Америку, мы смотрели картину вместе с Ширли Мак-Лейн. То ли у меня было такое общее состояние подавленности, то ли ностальгия замучила, но после картины у меня просто был нервный срыв. Никогда не считал себя слезливым, но тут не мог остановить слез. Что-то сдвинулось в душе, озябшей от страха и тоски в чужой стране, и вдруг хлынуло чувство благодарности и боли от ощущения красоты мира...

Был момент, когда Бюнюэль как художник умер, возродился он благодаря великому французскому продюсеру – Сержу Зильберману, с помощью которого он снял один за другим три свои шедевра – «Дневную красавицу», «Тристану» и «Скромное обаяние буржуазии».

В них особо ощутимо чувство юмора, Бюнюэлю всегда свойственное. Он никогда не пугал с надсадным серьезом; юмор его был саркастичен, но это всегда был юмор.

Если рассматривать фильмы Бюнюэля с той же длительностью и пристальностью, которой требует разглядывание картин Миро, открывается много неожиданного. Интенсивность разглядывания человеческого характера приводила его к удивительным картинам, таким, как «Дневник горничной». Вроде все, как в жизни, вроде никакого сюрреализма. Нет, просто здесь новое понимание сюрреализма. Мы-то думали, что сюрреализм – это образы Кокто или «Андалузского пса», ранней ленты Бюнюэля и Дали. А Бюнюэль с течением лет очень сильно изменился. Он все больше уходил от трансформации механического, трансформации внешнего мира к трансформации мира внутреннего. Все его герои ведут себя не так, как нормальные люди в реальности, их поведение ирреально. Это и есть, мне думается, главное поле сюрреализма в кино – искажение мира достигается через искажение поведения человека.

Бюнюэлевские символы не высказывают ничего, что впрямую можно пересказать словами. Они созвучны блоковской мысли о том, что символ должен быть темен в своей последней глубине. Позднее этими принципами я достаточно много пользовался – скажем, в «Первом учителе», белая пиала с молоком в руках бая, по которой ползают мухи, окованная серебром плетка из козьей ноги, висящая на столбе в сцене приезда бая со сватами, – это все шло от Бюнюэля.

Ко времени «Первого учителя» на меня все большее влияние оказывал Куросава. Первым открытием был «Расемон», потом начались наши поездки с Тарковским в Белые столбы, где мы посмотрели «Семь самураев», «Трех негодяев в скрытой крепости», «Красную бороду», «Телохранителя». Это было время, когда мы писали «Андрея Рублева». Стилистика Куросавы у Тарковского во многом отложилась на этой картине, а у меня – на «Первом учителе». Там даже есть мизансцена, целиком взятая у Куросавы: крестьяне, сев в кружок, горюют. Так что, если по-честному, я с ним должен был бы поделиться своими постановочными. Огромная была по тем временам сумма: две тысячи рублей!

Куросава был для меня открытием еще одного измерения в искусстве кино. У него настоящее чувство эпического. Недаром он, быть может, единственный, способен передавать на экране Шекспира: «Трон в крови» – «Макбет», «Ран» – «Король Лир». Думаю, что и мне тоже близко чувство эпического. Эпический характер, трагический характер – вещь сложная. Я уже «Первого учителя» снимал с ощущением трагизма, мне хотелось сделать не драму, а нечто подобное греческой трагедии. Эпичность по-настоящему заключена в характере, в его масштабах. «Король Лир» – никакая массовка не нужна, один человек на пустой земле разговаривает с небом.

Влияние на меня Куросавы не прошло до сих пор и не пройдет никогда. Его язык, его кинематографическая техника доказали, что длинная оптика в кино дает большее ощущение правды, чем короткая.

Никогда не забуду его использования рапида: в «Семи самураях» самый молчаливый самурай выходит на бой с противником и стоит совершенно неподвижно. Затем один быстрый взмах саблей, и тело на рапиде падает в пыль.

Чрезвычайно мне дорого в Куросаве и то, что он не гнушается никаким жанром. Хотя наиболее силен он в трагедии, но снимал и комедии, и клоунады, и драмы, пьесы Горького и романы Достоевского – пробовал себя во всем, и потому скорее подобен театральному, а не кинематографическому режиссеру, снимающему всю жизнь только один фильм, создающему один мир. Куросава пытался создать разные миры, что лично мне очень дорого, поскольку в мировом кино не так много режиссеров, успешно работающих в разных жанрах. Дэвид Лин очень большой режиссер, но он всю жизнь снимает один и тот же фильм. Из американских режиссеров не таков, пожалуй, только Джон Форд. Из европейских – Бергман, хотя в кино он далеко не так свободен, как в театре.

Следующим после Куросавы открытием был Феллини – «Дорога», «Ночи Кабирии». Затем «Сладкая жизнь». Шок непередаваемый! Я физически боялся смотреть эпизод оргии. Думал: «Господи, что он показывает?!» Моя девственная советская кинематографическая мораль содрогалась от невозможности видеть на экране такое! А сейчас смотришь на Мастроянни, ездящего верхом на голой аристократке, и все кажется таким невинным. Но в ту пору эта откровенность потрясала.

По моим картинам нетрудно проследить, под чьим влиянием я находился. «Первый учитель» – Куросава,

«Ася Клячина» – Годар, с его скрытой камерой, неактерами в кадре. «Дядя Ваня» – Бергман.

Бергман со своим северным символизмом, со своей гениальной интерпретацией чеховской «Скучной истории» в «Земляничной поляне» на нас с Андреем не мог не подействовать. С ним мы надолго засели. Надо было пересмотреть много картин. Всеми правдами и неправдами мы находили такую возможность. Посмотрели «Молчание», «Источник», оставивший ощущение шока. Впервые на экране была сцена изнасилования, и какая сцена! Тогда и я, и Андрей экспериментировали со временем и во многом заимствовали бергмановские ритмы. Андрей пошел в своих поисках еще дальше, он стал головокружительно свободен. Недаром Бергман его так любит. Ведь это бергмановские слова: «Чтобы снимать свое кино, надо стать абсолютно свободным, по-сумасшедшему свободным». Тарковский мог себе позволить свободу, непозволительную никому другому.

Впрочем, еще до Бергмана Тарковский отвлекся на полемику с Кубриком. В кино ведь мы очень часто полемизируем – с тем, естественно, с кем считаем достойным полемизировать, кто провоцирует нас на полемику. Таково вообще свойство искусства. Скажем, «Живой труп» Толстого – это его полемика с Чеховым. Посмотрев «Иванова», Толстой сказал: «Какая жалкая пьеса! Русский Гамлет не получился. Я покажу, как надо писать пьесы!»

Так и «Солярис» был полемикой Андрея со Стэнли Кубриком.

Очень точно помню, «Космическая Одиссея: 2001» на Московском кинофестивале 1969 года была для нас ударом наотмашь! Мы выходили из зала, не в силах оправиться от шока. Вскоре затем возникла идея «Соляриса».

После Бергмана пришла очередь Брессона. И Брессон, и Бергман остались двумя идолами Андрея. «Ничего, ничего», – одобрительно приговаривал он, вспоминая кадры «Мушетт», «Дневника сельского священника» и

«На удачу, Бальтазар», с их невероятной католической сдержанностью. «Ничего, ничего» в его устах значило: «Гениально!»

Вот эти великие – Бюнюэль, Куросава, Феллини, Бергман, Брессон – остались для меня высеченными в скале, как знаменитые бюсты американских президентов.

Интересно, что у всех у них нет, как правило, желания выдавать рассказываемую историю за саму жизнь. Своими картинами они как бы говорят: «Это искусство. Это неправда». И Бергман в своих метафорических картинах, и Куросава в таких фильмах, как «Трон в крови», «Кагемуся», «Ран», да и других, Бюнюэль – особенно в «Виридиане», театральны. О Феллини и говорить нечего. Его фильмы – это даже больше, чем театр. Это уже цирк. И Феллини словно сам кричит из-за каждого кадра: «Вы видите, как это не похоже на правду, на реализм?»

Голливудские фильмы тоже неправдоподобны, но там неправдоподобие иного рода – неправдоподобие конфликта слишком доброго со слишком злым. Здесь же иной виток неправдоподобия – неправдоподобие искусства, и это объединяет всех этих мастеров. У всех у них трудно воровать. Можно перетащить в свой фильм какие-то мизансцены, какие-то аксессуары, какие-то внешние атрибуты, но украденное так или иначе начнет выпирать. Сразу видно, у кого украл. Обычно ведь воруются внешние атрибуты: играет цирковая музыка, клоуны ходят, висит белье. Мироощущение украсть куда как труднее. Его вообще украсть нельзя – им можно проникнуться, вдохновиться. В этом случае у зрителя уже не будет ощущения плагиата, вторичности, прямого заимствования, хотя, наверное, внимательный критик отметит, кто повлиял на экранный мир художника.

Подражание начинается в юности с попытки копировать внешние черты. В институтские годы я все думал, как повторить «Ночи Кабирии», взял картину на монтажный стол, разглядывал и записывал каждый кадрик: вот тут она идет слева направо, вот тут стоит посередине, гонял и гонял пленку, гадал: «В чем же секрет?» – и никак не мог его понять. Напоминал себе мартышку перед компьютером, которая стучит по клавишам, лижет монитор, но ничего осмысленного все равно не извлекается. Я все пытался понять Феллини по верхам, по форме, но не в ней, как всегда бывает в великом искусстве, дело. Форма вторична. У Феллини совершенно неподражаемы ситуации, поведение актера. Но тогда я этого ничего не понимал. Мне-то казалось, достаточно повторить движение слева направо, остановку, подъем... Секрет не открывался. Пришлось отложить картину. Позже пришло понимание, как это сделано. Суть в характере и в предлагаемых обстоятельствах. Это очень человеческое кино.

Для меня как-то очень взаимосвязаны три великих личности – Гоголь, Платонов, Феллини. Они создавали мир практически бесплотных фигур, мир неповторимых характеров в фантастических ситуациях.

Выстроить ассоциированный ряд между живописью и кинематографом очень сложно. Можно, конечно, найти параллели между Дали и Бюнюэлем в ранних его картинах. В более поздних если и прослеживаются параллели, то, скорее, не между Бюнюэлем и Дали, а между Бюнюэлем и Миро. Дали в общем-то художник броский, недаром он говорил: «Я процветаю потому, что в мире полно кретинов». У Миро, у Магритта такой броскости нет – есть метафизика. Загадка.

Помню, как Тарковскому понравилось «Последнее танго в Париже». Он рассказывал о нем с увлечением, хохотал, особенно ему понравился разговор героя с женой, лежащей в гробу. Неудивительно, что Бертолуччи так увлечен Фрэнсисом Бейконом. Его живопись оставляет впечатление, будто, тщательно нарисовав лицо человека, художник затер свежую краску локтем. Все в смазке! Но за ней просматривается нечто, и в этом «нечто» угадывается монстр. Картины Бейкона пугают, хочется в них вглядываться. Они заставляют вглядываться. При всей их классичности, в них есть элемент шиза – то, что, я думаю, очень повлияло на Бертолуччи. В «Последнем танго» лицо консьержки, виднеющееся за мутным стеклом,– это, конечно же, кадр, навеянный Бейконом.

Большие произведения искусства всегда вызывают у меня желание работать, не подавляют, а, напротив, рождают прилив творческих сил, возбуждают, дают надежду, веру в то, что ты тоже на что-то способен. Если кому-то своими картинами я дал желание снимать и делать лучше, это для меня высшая похвала. Самая дорогая фотография, которая у меня есть, – улыбающийся Бернардо Бертолуччи и внизу его подпись: «Портрет итальянского кинематографиста после просмотра «Дяди Вани». Андрей, благодарю тебя за две вещи: ты вернул мне желание снимать кино и я нашел истинного брата в искусстве. Бернардо». Это дорогого стоит.

Мы познакомились с Бертолуччи, когда он снял «Конформиста». Тогда он посмотрел «Дядю Ваню»: видимо, ему запомнились кадры выставленных оконных рам в коридоре, запакованных вещей. Позднее, в «Последнем танго в Париже», я увидел перекличку с этими кадрами; квартира героя пронизана той же атмосферой запустения, умирания.

Но все это было 20 лет назад, кажется, в какой-то прошлой жизни. Что я, так изменился? Неужели растерял все, что у меня было? У меня же полно сил. Или это только мне кажется, что полно сил? Полно идей. Или это только кажется, что у меня полно идей? Может, для сегодняшних молодых я уже старый пень, как Рошаль или Дзиган для меня во времена моей молодости... Мы же не можем реально оценивать себя, мы абсолютно не понимаем, каков наш истинный возраст. Или я ничего не понимаю, или не понимаю только одного: почему я так много понимаю? Пора уже вроде как минимум половины не понимать.

НИКИТА

Ребенок – маленькое животное, хищник, потребитель. Все время чего-то требует и ничего не дает – могу судить об этом по своим детям: им все время нужно что-то – еда, внимание, тепло, обновки, игрушки. Наверное, это и есть проявление инстинкта жизни – великая сила!

То, что у меня появился брат, я поначалу вроде и не заметил. Во всяком случае момента его появления в доме не помню. Запомнилась молодая женщина, поселившаяся у нас, его нянька, Хуанита. Она давала Никите соски, воспитывала, учила говорить по-испански. Страшно тосковала по Испании, ночами плакала. Могу ее понять: из Сан-Себастьяна, где море, жарко и солнечно, оказаться в России с ее холодом, слякотью, грязью.

Никиту я воспринимал, как и все в жизни, сначала как данность, потом как бремя. Маленький ребенок все-таки. Старший брат – это позиция силы. Сила пытается использовать тех, кто слабее. К младшему брату это в особой мере относится, ибо он – младший. Как старший может проявить себя по отношению к нему? Дать пинка, обругать, утереть нос.

Потом он вырос настолько, что ему позволялось присутствовать при наших возлияниях, его уже можно было послать за сигаретами, он уже был полезным. Жестокая вещь – детство! Бегает рядом какое-то бессмысленное создание. Да, конечно, была братская любовь, но не стоит забывать и низкие истины. Со временем Никиту уже можно было посылать за водкой.

Когда я снимал свою первую курсовую работу, Никите было четырнадцать лет. Я сказал: «Хочешь, возьму тебя на съемку. Но съемка очень ранняя. В пять утра оператор уже будет ждать нас на месте». Нужно было снять кадр женщины, уходящей от камеры. Никита был счастлив, что я его возьму с собой. Он должен был меня разбудить, но проспал. Не услышал будильника.

Я проснулся утром – уже полшестого. Бегу к Никите, он сладко спит. Поднимаю его пинком ноги, матюгами:

– Сволочь! Что ж ты заснул!

Он – в слезы. Чувствует себя таким виноватым!

– Вставай! Поедешь со мной!

Берем шубу моей тогдашней жены, туфли на высоком каблуке – это реквизит. Нас же актриса ждет! Хватаем такси, загружаемся вместе с реквизитом, приезжаем к Никитским воротам – актрисы уже нет. Ушла, надоело ждать. Где ее искать? Едем к оператору, он дожидается в арке на улице Грановского. Сидит один, с ним камера – железный «Конвас».

– Ну вот, сволочь, мерзавец! – кричу Никите. – Будешь играть сейчас за актрису. Закатывай брюки!

Он покорно закатал брюки, надел туфли, надел шубу, оператор лег на газетку, поставил камеру (у нас даже штатива не было), начали! Никита, мальчик еще, весь в слезах, в соплях, старается изо всех сил, ковыляет на высоких каблуках.

– Поженственней иди, – кричу я. – Вихляй задницей! Что ты идешь, как мальчишка!

Вспоминая сейчас, думаю: как жестока все-таки эта порода – старшие братья!

Так Никита впервые снялся в кино.

Потом была вторая моя картина – «Мальчик и голубь». Между этими фильмами были Тарковский, Шпаликов, Овчинников, Урбанский, сигареты, кончаловка – все сидения происходили у нас дома. То, почему у нас, понятно. Была отдельная квартира, у меня – своя отдельная комната, немыслимая в те времена редкость! И вдобавок у мамы всегда можно было отлить водки, пока она спит.

Позднее к нашей компании примкнул художник Коля Двигубский, в три утра он, стараясь не шуметь, варил у нас на кухне луковый суп с сыром. В пять мы его ели, уже напившись до чертиков. Иногда мы допускали в свою компанию Никиту с Володей Грамматиковым, позволяли себя развлечь – они танцевали для нас твист.

Грамматиковы жили в квартире напротив. Помню до сих пор маму семейства, милую пучеглазую женщину. Отец был геолог. И еще было два сына. Со старшим, Юрой, мы немного дружили, с тех пор уже лет сорок я его не видел. А с младшим, Володей, дружил Никита. Володя был проворный, как шимпанзе, маленький, гибкий, смешной мальчик. Потом он пошел в школу пантомимы, которая была у Румнева в Театре-студии киноактера, потом – во ВГИК. Не знаю, стал ли бы он режиссером, если бы не это соседство. Сегодня этот Володя уже народный артист, автор фильмов, художественный руководитель (уж не знаю чего), в общем, фигура. А тогда он бегал для нас за сигаретами, таскал водку Тарковскому, стоял на атасе с Никитой, когда мы были с женщинами. Таким было его крещение в искусство.

В это время мои отношения с Никитой шли строго по вертикали, он смотрел на меня снизу вверх, я – сверху вниз с безобразным снисхождением.

– Ты мне нужен на съемку, – сказал я Никите, когда начинал «Мальчика и голубя».

Ему было поручено наловить четыре сотни голубей. Ловили их мы сеткой – возле телеграфа и на Манежной. Раскладывали корм, ставили на палке сеть, голуби под ней собирались – тогда их накрывали. Потом голубей надо было из сетки вытащить, отвезти на машине в сарай, в сарае их набилась тьма, вонища жуткая, всем надо перевязать крылья, чтобы не летали, а ходили. Саша Козлов, ведавший на картине голубиным хозяйством, потребовал человека себе в помощь. Я сказал Никите: «Будешь перевязывать голубей». Он был готов на все. Ему уже было пятнадцать, он хотел участвовать.

Когда я приехал, Никита был весь в голубином дерьме, измученный (не шуточное дело, четыреста голубей поймать и всем перевязать крылья!), уставший, красный, разгоряченный. Я решил его поощрить за усердие и взял с собой в «Националь». Сказал: «Ты, парень, поработал!»

Он так устал, что еле стоял на ногах. Волосы в слипшемся дерьме. Я его причесал, налил пятьдесят грамм коньяку – ну чем не снисхождение доброго фараона к своему рабу? Удивительная жестокость! Конечно, он был мой брат, я вроде как желал ему добра...

Проблеск вины появился лишь однажды, я тут же постарался его загасить. Ко мне должна была прийти девушка; я попросил Никиту уйти из дома, подождать на улице, на углу – потом подхвачу его на машине, мы поедем на дачу. И забыл про него. Был жуткий мороз. Он ждал меня, а я поехал в кафе и только через час – через два про него вспомнил. Квартира заперта, ключи у меня. Я вернулся, смотрю – в телефонной будке, на корточках, спит Никита. Стекла запотели, ушанка завязана на подбородке, на глазах замерзшие слезы. Он всегда был и есть человек исключительной преданности.

Потом он поступил в театральное училище: ясно было, что он выбрал тот мир, в котором крутился с детства. Мы уже выпивали вместе, я брал его на какие-то вечеринки. Помню, как мы встречали однажды восход, я взял его в ресторан «Внуково», единственный в то время, где можно было пить и обедать в три утра. Я ему что-то говорил – мудро и долго. Мы ехали назад, остановились, вставало в дымке солнце, и я почувствовал, что у меня есть младший брат и что он мой друг. Я обнял его за плечи и то ли сказал, то ли подумал: «Это утро мы никогда не забудем». Он действительно его не забыл.

Настоящее чувство вины у меня возникло, когда я уехал. Я ведь бросил всех. Причина, толкавшая меня на выезд, была сильнее меня. Мама меня поняла. Отец был в ужасе, не хотел даже говорить. С Никитой мы простились, он меня не осуждал, но меня не оставляло чувство вины, ощущение, что я его бросил, предал. Я от себя это чувство гнал, но боялся все же, что мой отъезд наложит свой отпечаток на его судьбу, на то, что он в эти годы будет делать. Время было жутковатое. К счастью, он сумел обстоятельствам не поддаться – остался собой.

Я понимал, что с моим отъездом на него ложится бремя забот о маме, о папе, о всей семье, я переваливаю на него ответственность старшего брата. Помню его первый приезд в Америку; тогда для советских властей я был персона нон грата, малейшее упоминание обо мне отовсюду изымалось. Мы ехали в машине, разговаривали, разговор не клеился, ему было отчего-то грустно, мне тоже грустно. Я сидел без работы, без перспектив на работу. Потом группа, в которой был он, уехала в Нью-Йорк, я отправился туда, специально чтобы с ним увидеться. Мы сидели в баре, я не хотел, чтобы кто-нибудь из делегации знал, что мы с ним здесь встречаемся. Я ходил тогда в американской солдатской куртке (очень удобная, кстати, вещь), денег, чтобы как-то одеться, не было – бедность! Бар был как раз напротив кинотеатра, где проходил фестиваль советских фильмов и шла Никитина премьера. Я говорил: «Смотри за мамой» и другое, в таком же роде. Я не знал тогда, вернусь ли когда-нибудь, дадут ли мне паспорт с правом жительства за рубежом, мне в нем уже отказали – я сказал, что не вернусь, пока не дадут.

Опять между нами жило великое ощущение братства.

В следующий раз, когда Никита приехал в Америку, я был с Ширли в Лас-Вегасе, она там выступала. Никита позвонил из Лос-Анджелеса.

– Приезжай немедленно в Лас-Вегас, – сказал я.

– Как в Лас-Вегас? Я ж с делегацией!

– Какая разница! Садись на самолет. Через сорок минут будешь здесь. Мы тебя у самолета встретим, на самолет отвезем, ночь погуляем, утром будешь со своими.

Он прилетел, мы вместе сидели на шоу у Ширли, от радости опьянели. У самых наших окон был бассейн, Никита захотел нырнуть с разбега – прямо из столовой. Разбежался и с лету звезданулся в стекло. Оказывается, он не заметил, что оно там было. Фингал вскочил страшнейший. С ним он и возвратился. Советским коллегам пришлось врать, что ночью поскользнулся в темной ванной, ударился о кафель. Общение со мной по-прежнему надо было скрывать.

Недавно мы вспоминали эту историю.

– Если бы ты знал, как я возвращался! – сказал он.

Он ушел с банкета, сказал, что болит голова. Банкет давала Киноакадемия в честь советской делегации во главе с Кулиджановым. Никита вместо банкета полетел к нам. Когда в полдесятого утра подъехал на такси к гостинице, перед входом прогуливался Кулиджанов.

– Ты что, готов уже? – спросил Кулиджанов.

– Да, – невозмутимо ответил Никита, прикрывая рукой синяк под глазом и припоминая сквозь винные пары, что все его вещи раскиданы по номеру. А у отеля уже автобус, через пять минут отъезжать.

– А почему ты в вечернем костюме?

– Так мне ж сказали, что еще прием в консульстве будет.

Он пошел наверх, все с себя скинул, надел джинсы, кучей свалил в чемодан вещи, так и полетел.

Наверное, у Никиты тоже было желание вырваться из системы, но ему надо было давить его в себе, на нем была забота о доме, поневоле приходилось взрослеть. И все же я чувствовал: он понимает, что я поступаю так, как должен поступить. Иной путь для меня был невозможен. Но не покидало мучительное ощущение, что он лишился старшего брата. Я гнал от себя чувство вины, мысль о предательстве, но избавиться от них все равно не мог. Много лет спустя мы как-то выпивали, я сказал ему об этом.

– Да ты что? У меня и мысли никогда такой не было.

Не знаю, правду ли он сказал или просто так, чтоб успокоить меня. Наверное, мой отъезд в чем-то сыграл и положительную роль. Никита остался один. В его картинах прослеживается определенная полемика со мной – и в «Неоконченной пьесе для механического пианино», и в «Обломове», и в «Пяти вечерах», думаю, что и «Утомленные солнцем» – это полемика с «Ближним кругом», хотя бы по своей тематике. Он снимал Гурченко тогда же, когда они вместе снимались у меня в «Сибириаде», но и в этом образе, в чем-то даже похожем на Тайку Соломину, был внутренний спор со мной. Он делал все по-своему. И то, что он ушел в армию и отслужил там на всю катушку, – для меня удивительно. Можно было отмазаться, папа Михалков мог бы кое-что сделать, хотя бы устроить сына в другие войска, а не на Камчатку, не на атомный подводный флот, – скажем, в конный полк «Мосфильма» или в театр Советской Армии.

У Никиты всегда было свое зрение, свое понимание кино, но стиль его обрел полную самостоятельность, я думаю, все же после моего отъезда.

В моей жизни он сначала играл роль верного слуги, оруженосца, младшего брата. Я всегда относился к нему с позиции брутальной силы. Следом за мной шел хороший мальчик, глядевший мне в рот, мерзший, дожидаясь меня, в будке автомата. Потом мальчик снял кино. Ну молодец, ты смотри-ка! Снисходительность старшего брата во мне жила долго. Со временем появилось удивление, оно тоже было высокомерным: старший брат в этой системе должен иметь право на все, а младший – на то, что ему будет позволено старшим.

Удивление появилось тогда, когда я увидел, как он пользуется общими планами. Из Никиты стал образовываться режиссер, со своим познанием материала кино. Мастер. Мне уже было немного неловко. Я уже чувствовал какое-то несоответствие между тем, что происходит, и тем, как я это оцениваю. Стало появляться чувство ревности, очень сильное чувство.

Иногда я вижу повторяющийся сон. Вижу себя на съемках Никитиной картины. Удивительная, исключительно красивая декорация. Какие-то бесконечно красивые костюмы. И какие-то исключительно хорошие отношения. Все вокруг так хорошо, что с завистью думаю: «Как у него все здорово! Как красиво! Как замечательно поставлен свет! И как все вокруг ему преданы! Опять у него на картине все лучше, чем у меня!» Я просыпаюсь с нехорошим чувством: «Почему так?»

Другой повторяющийся сон – кино, которое как бы снял Тарковский. Мальчик, сидящий на заборе. Странное движение камеры. Думаю: «Что, Тарковский, что ли, снимает гениальное кино? Ничего там гениального нет!» Но с Никитой сны другие. Никита не бывает один. Вокруг него команда. Я завидую (это, конечно, не черная, а белая зависть) не картинам, им снятым, а атмосфере, которую он вокруг себя создавал, его коллективу, его способности объединять вокруг себя людей.

Долгое время мне с ним было не о чем советоваться – я был уверен, что все знаю лучше него. После «Неоконченной пьесы для механического пианино» и в особенности после «Урги» я, наконец, признал, что вырос крупный мастер.

Странно, но я никогда не читал Никитиных сценариев, он никогда их мне не давал. А режиссерских – тем более. Мне даже было обидно: почему он со мной не советуется? То ли он боялся, то ли ему было неловко меня об этом просить, то ли не хотел влияний.

Думаю, внутренне он не очень одобрял мою поездку в Америку, мои американские картины, у него на все была своя точка зрения, но бывают времена, когда первостепенное значение обретает то, что художник делает, а бывают времена, когда все это не так уж важно.

Важно, кто этот человек сам по себе. Как сказано у Марины Цветаевой: «Послушайте! Еще меня любите, за то, что я умру».

...Мы сидим с Никитой у меня дома, на кухне, в мой день рождения, 20 августа 1991 года. Я только что сделал перезапись «Ближнего круга», меня ждут с музыкой в Лондоне, нужно заканчивать фильм. Никита, возбужденный, забежал всего на двадцать минут, у него в машине противогаз и автомат – он приехал из Белого дома и сейчас же вернется в Белый дом – защищать демократию.

– Куда ты лезешь? – говорю я. – Чего тебе там надо? Ты кино снимай.

– Нет, нет, – отвечает он. – Надо.

В его глазах светится решимость. Он сделал свой выбор. Это давний спор о том, нужно ли было Вагнеру лезть на дрезденские баррикады, Байрону погибать в Мессалонги, а Хосе Марти – на Кубе. Ответить может только сам художник. Ему решать, что есть дело его жизни и чести. Никита в тот момент напоминал мне молодого декабриста, забежавшего к себе домой с Сенатской площади выпить рюмку водки, обнять брата, чтобы через несколько минут возвратиться назад, к товарищам.

Политика уже стала для него делом, серьезным и настоящим. Думаю, его очень увлекло ощущение, что теперь в политике вовсе не обязательно быть членом партии, бывшим секретарем райкома или директором завода. В политику мог прийти любой, кто чувствовал в себе силу стать политиком. Он ее чувствовал.

На мой взгляд, идти в Белый дом было бессмыслицей, чистым безумием. Мы обнялись, перекрестили друг друга. Он уехал.

На следующий день я улетел в Лондон. На прощание телевидение взяло у меня интервью в аэропорту, которое безобразно обкромсало, пустило в эфир лишь слова о том, что я уезжаю, потому что боюсь. Действительно, боялся. За жену, за новорожденную дочь, за судьбу неоконченной картины. Страх – самое нормальное, естественное чувство.

Политика стала Никиту затягивать. Руцкой, Черномырдин, Ельцин... Сейчас у меня ощущение, что я –

младший брат, а он – старший. Оказалось, положение младшего брата гораздо удобнее. Чувствуешь себя моложе, знаешь, за кем следовать, у кого попросить помощи.

Он рассказывал мне, как ездил в монастырь, где окунался зимой в священный родник, испытывал потрясающее ощущение обретения какой-то энергии, исходящей от иконы, раскачивал колокол Ивана Великого, когда патриарх служил молебен. Была даже где-то статья: «Пока Никита Михалков в колокол не ударит, патриарх не перекрестится».

Благодаря Никите я стал гораздо больше любить Россию. Если бы не он, я бы не вернулся. Я благодарен ему за его любовь к России. Она передается и мне. Он, конечно, национальный человек, олицетворение национального героя. У него есть идеалы, есть непоколебимость веры, даже я бы сказал, слепота, дающая ему силы. Слепота подчас становится бо́льшим источником силы, чем способность к зрению. Ведь знание, как-никак, умножает скорби. Все это и делает его героем. Герой должен жить больше верой, чем рассуждением, ему нужна ограниченность пространства, он должен жить эмоцией. Я благодарен ему за то, что он во многих ситуациях помогает мне преодолеть скепсис. С возрастом он стал для меня частью моей натуры.

Ему было очень тяжело года четыре назад, когда его долбили все подряд за все, что бы он ни сделал. Теперь шавки затихли – не трогают, не осмеливаются.

Если бы мы с Никитой не были братьями, никто не стал бы нас сравнивать. А так – постоянно идет сравнение. Особенно забавно об этом слышать от людей, которые работают со мной и с ним. Скажем, у клана моих монтажниц и клана монтажниц Никиты спор, чей режиссер лучше, случалось, кончался чуть ли не дракой.

– А ваш-то что сделал? А наш вот эту картину! И еще эту!

Забавно! Ярость просто с пеной у рта. У них свое состязание, свои счеты. Кто бы подумал, до каких жестоких форм это может дойти. Почти уже рукоприкладство.

Ну конечно, мы постоянно себя с кем-то сравниваем. Хотя что там делить славу! Мы давно уже не молодые люди. Каждый из нас уже перевалил вершину своей жизненной траектории. Я бы назвал все это вместе – комплекс старшего брата.

ВЛАСТЬ

Я родился и жил в стране, остававшейся православной даже тогда, когда она была объявлена атеистической. Крещен я был в год своего рождения; отец предпочитал вообще не знать, что меня крестили; крестил меня в достопамятном 1937-м дед, священника позвать боялись, да и позвать было некого – в округе их всех посажали. Дед крестил меня сам, по книжкам, по полному обряду, как то положено. Не могу сказать, что дед был человеком очень религиозным, но иконы в доме висели – в правом, красном углу. Горели лампадки. С детства в меня вошло ощущение обряда, бабушкины крестики, молитвы, поклоны, какие-то таинства в тишине. Это все часть русской жизни. Как и православная пасха, как и языческая масленица.

– Мама, что будет на сладкое? – спрашивал я.

Когда ничего на сладкое не было, мама отвечала:

– Крестики и поклоны.

Я не очень понимал, что это значит – крестики и поклоны, ну, может, печенье в виде крестиков.

Мама молилась, у нее была иконка, потом даже иконостасик. Чем старше становилась она, тем религиознее.

Я жил ощущениями обрядов, формальной частью таинств, не задумываясь, есть ли Бог, что есть Бог, существует ли иной мир. Задумываться обо всем этом стал лет в шестнадцать. Было интересно пойти в церковь.

Было страшновато, стояли комсомольские патрули, проверяли документы. Но запретный плод сладок. Пойти хотелось. Церковь связывалась с ощущением тепла, покоя, чего-то запретного.

Потом это все ожило на экране в моем «Дворянском гнезде». Думаю, это одна из немногих советских картин, где показана не только церковь, но и молитва. В 68-м году это было непросто.

Тогда я уже читал какую-то духовную литературу, хотелось постичь слой жизни более глубокий, чем просто ее внешняя оболочка. Снимая кино, я пытался запечатлеть метафизику реальности, увидеть в ней скрытое духовное. Думаю, что удалось мне это в «Сибириаде» – мое желание запечатлеть присутствие Бога, насыщение моего мира Богом.

Взаимоотношения с церковью и взаимоотношения с Богом – вещи разные. Не скажу, что я их отождествляю. Церковь не признает сомнений в вере. К Богу мы идем со своими сомнениями. Я до сих пор задаю себе и другим вопрос: а что, те, которые не верят в Христа, они все кто – неверные? Заблудшие? Еретики? Их всех что, ждет геенна огненная? Три миллиарда индийцев с китайцами – они что, уже по факту рождения обречены? На такие вопросы ответа нет, ни в одной религии, а я интересовался и буддизмом, индуизмом – ответа найти не удалось, хотя даже в Коране сказано: нет принуждения и насилия в вере.

Обо всем этом мы думали, делая «Рублева» Для 1965 года, конечно же, это была картина революционная. Фильм о монахе – это было почти немыслимо.

В «Рублеве» много размышлений о Боге, суждений, волновавших нас тогда, в 1963-м.

Запустить сценарий в производство долго не разрешали. Бесконечно обсуждали на худсоветах. Наконец, Тарковского вызвал к себе Ильичев, главный идеолог Отечества.

– Что это за сценарий такой у вас? Вы – лауреат, у вас призы, награды. Зачем вам это нужно?

Тарковский стал объяснять, какая это будет важная картина о русской культуре, русской истории.

– А когда картина выйдет? – спросил Ильичев.

– Года через полтора-два.

– Ладно. Запускайтесь.

Сразу согласился. Он уже знал, что его «уходят» и, запустив «Рублева», он одновременно и нам делает доброе дело, и подбрасывает подлянку своему преемнику Демичеву. Не ему, Ильичеву, придется кашу расхлебывать...

Как хотелось не зависеть ни от какого Ильичева и всего его ведомства! Стать свободным! Неподвластным никакой власти! В 60–70-е это желание становилось буквально непереносимым. Идешь по коридору – я это на себе испытывал – с мягкими ковровыми дорожками, минуешь одну охрану, вторую, третью, читаешь надписи на дверях и чувствуешь себя все меньше и меньше. Меньше просто физически, в размере! Может быть, есть счастливые люди, подобного чувства не испытавшие, – я к их числу не принадлежу.

На дверях в коридоре надписи – «Суслов», «Косыгин», в ногах вата, некая легкость в теле, на лице – непонятная улыбка, входишь бодренький в кабинет... Что это за наказание – рабское чувство униженности перед начальником! Можно, конечно, по-разному себя вести, давить понт, выступать, но все равно куда деться от ощущения своей зависимости! От желания сказать начальнику: «Пошел ты...» А само это желание есть признак рабства. Когда люди разговаривают на равных, ни у кого не возникает желания посылать собеседника «на» или «в». Достаточно сказать: «Я с вами не согласен».

В моей жизни подобное бывало не раз. Хождения к начальству, к министру, в райком партии, на выездную комиссию. Сидят люди, которых ты презираешь, но от них зависит, поедешь ли ты за границу. Они ничего ни в чем не понимают, задают вопросы. Я уже женат на иностранке. Я уже пожил в Париже два года, а они меня спрашивают: кто лидер компартии в Уругвае? Как будто от знания этого хоть как-то зависит, можно ли меня выпускать или нет!

У меня было одно страстное желание – избавиться от всего этого. Уехать. Выйти из системы. Избавиться от советского паспорта. Жить с ним стыдно. В этой стране жить стыдно. Советский паспорт – паспорт раба. Идешь по парижской улице, видишь клошара, спящего под мостом на газете, думаешь: «Он счастливее меня – у него не советский паспорт». Слава Богу, это чувство ушло в прошлое. Так стыдиться за свою страну уже не приходится.

А комсомольские хождения в райком! Когда мне исполнилось двадцать восемь лет, я пошел в райком сдавать документы. Мне проставили отметку: «Выбыл по возрасту». Я возвращался домой, у меня уже другой была походка! Я больше не несу на себе этого бремени! Меня не могут выгнать из ВЛКСМ! Приляпать пятно на всю жизнь! Облегчение невероятное! А ведь было время, когда я подумывал о необходимости вступить в партию.

Что значило в те годы получить выговор по комсомольской линии? Значило, что ты стал невыездным. А желание ездить было уже непреодолимым. После поездки в Венецию мне хотелось видеть мир. От кого это зависело? От Романова, от министерства, от Ермаша...

Я ловил себя на мысли, что завидую сбежавшим – Рудольфу Нуриеву, Наталье Макаровой... Они остались там!

Взаимоотношения с властью развивались от «все, как надо» к «хочу больше», затем к «это невыносимо». Ты хочешь больше свободы – тебе ее не дают. Желание вырваться накапливалось уже с середины 60-х.

Когда «Рублев» был окончен, от нас потребовали поправки, потом – еще поправки. Был редакционный совет, который вел Дымшиц, тогдашний главный редактор Госкино. Забавно вспоминать это время. Власть, с одной стороны, была зубаста и жестока, с другой – уже ощущала собственную ущербность. Мы, грустные, вышли с худсовета, зашли к Кокоревой, одному из редакторов коллегии, она нас постаралась успокоить; выходя от нее, увидели катящийся навстречу шарик. Это был тот самый Дымшиц, который только что гробанул (ну не намертво гробанул, а дал поправки) картину. Он остановился, осмотрелся по сторонам, убедился, что в коридоре никого нет, после чего схватил наши руки, прошептал: «Будьте художниками» (имелось в виду – не выполняйте поправок) и убежал дальше. В 1939 году какой-нибудь Храпченко или Большаков такого себе не могли бы позволить.

Думаю, время это было довольно гуманным. Диссиденты, конечно, правы, говоря о преследованиях КГБ, о страхе, в котором все жили, но все-таки, все-таки... Запретили «Андрея Рублева», но Тарковский тут же получил работу. Запретили «Асю Клячину», но меня вызвал Сурков, новый главный редактор Госкино, сменивший Дымшица.

– Что ты хочешь снимать?

– «Где тонко, там и рвется» Тургенева.

– А давай-ка к юбилею сними-ка лучше нам «Дворянское гнездо».

И меня тут же запустили с картиной. В 30-е годы такое бы вряд ли случилось.

Гуманизм этот, конечно, был ограничен, но тем не менее...

В голове у меня был один Париж. У меня была знакомая в Париже, мы переписывались. Париж виделся кадрами из «На последнем дыхании» Годара. Жара, какие-то красивые женщины в шляпах, полицейская сирена, толпа... Париж... Париж был синонимом слова «свобода». Но выбраться из системы было очень непросто. Во-первых, у меня была семья, она была вся в системе, и любой свой поступок я должен был соразмерять с тем, как он отразится на отце, на маме, на Никите – на всех.

Диссидентом я никогда не был. Советскую власть, конечно, не любил, но кого этим можно было удивить? Ее не любили и многие из тех, кто преданно служил ей. Тарковский, кстати, диссидентом тоже никогда не был. Мы просто прикидывали, что пройдет, что не пройдет, что стоит попытаться протащить – вдруг пройдет. Его картины вообще были лишены политической окраски. Это были исключительно эстетически личные произведения, в отличие, скажем, от «Ангела» Андрея Смирнова.

Когда я решил жениться на француженке Вивиан Годэ, дома был переполох. Все-таки это был 1969 год. Для меня Вивиан олицетворяла всю Францию, всю свободу на свете. Она была откуда-то из другого мира. Женившись на ней, я женился на Франции – со всеми этими походами в посольство, оформлением документов и прочее. Меня вызвали в КГБ. Очень благожелательный чиновник сказал:

– Андрей, ты понимаешь (не Андрей Сергеевич, не «вы», а вот так вот), что она вообще может быть экономической шпионкой.

– Если я когда-нибудь что-то об этом узнаю, – единственное, что соображаю сказать в ответ, – обязательно вам сообщу.

Ясно, конечно, было, что это полная ерунда, никакая она не шпионка (Вивиан работала няней у банкира), но КГБ о себе напомнил. Само это слово – КГБ – довлело надо всем. Хотя были и вполне симпатичные чекисты, с иными из которых я пил водку. Но одно дело пить водку с конкретным человеком, другое – некая абстракция системы: микрофоны, подслушивания, шепоты, предостережения. Страх КГБ – это был страх власти. КГБ и ЦК – это было, по сути, одно и то же.

На концерте в Малом зале консерватории.
До сих пор завидую состоявшимся музыкантам

Девятнадцатилетний
Юлик Семенов

Два гения –
Володя Ашкенази и Слава Овчинников

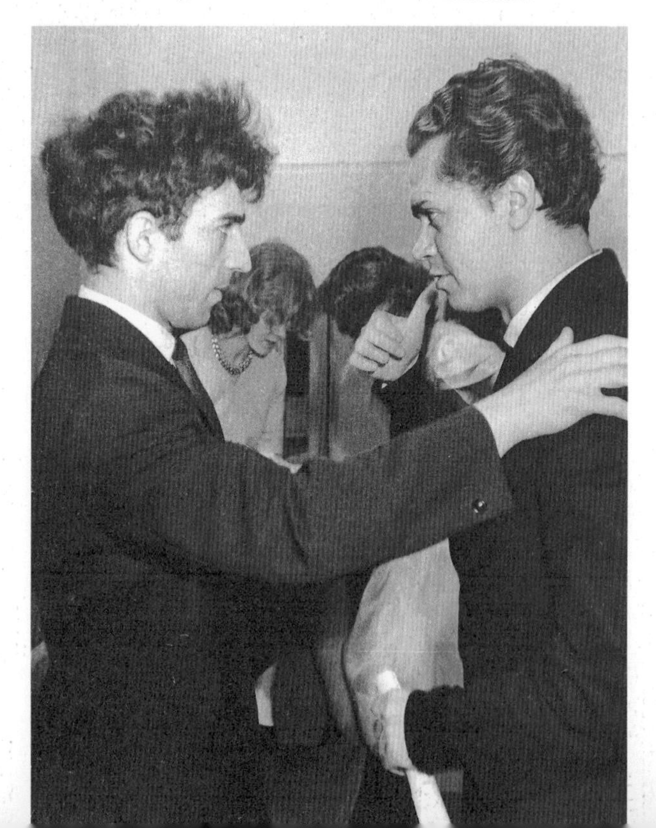

Проба с Танечкой Лавровой в «Девяти днях одного года». Ромм говорил: «Михалков циничен и благополучен, как мой Куликов». Всегда говорили о моем цинизме. А, между прочим, что такое цинизм? Философская школа в Греции, позволившая себе усомниться в добропорядочности человеческой сущности

Друг детства Миша Казаков подарил мне свою фотографию из фильма «Убийство на улице Данте» с надписью «Дорогому Андрону в памятнейший день моей жизни». 16 февраля 1956 года, день премьеры. Уже два дня, как идет XX съезд КПСС, в последний день которого Хрущев сделает свой ошеломляющий доклад о культе Сталина

Это было время, когда я звал Бондарчука Сережей,
а Вася Ливанов думал, что похож на Рублева, в чем не ошибался

Как приятно позировать фотографу.
Молодые, но уже известные

Вадим Юсов, Андрей Тарковский и я.
В ту пору мы были неразлучны

Италия.
Первый
культурный шок

«Учитель, перед образом твоим позволь смиренно преклонить колени. 13 июля». Подписано Гулая, но написал Гена Шпаликов. Его манера

«Дорогому всей нашей семье человеку Андрею Кончаловскому
в память о многом.
Г. Шпаликов. 1963 год»

Лауреаты Венецианского фестиваля

Даем интервью в «Метрополе»

Де Сика

Мастроянни

В моем отношении к власти очень многое изменил Коля Шишлин, который работал в ЦК, в отделе Андропова, еще до того, как тот стал председателем КГБ. Коля, я считаю, исключительно много сделал для страны, для того, чтобы процесс десталинизации продолжался. Коля и люди его поколения – Бовин, Арбатов, Черняев – сделали максимум возможного для того, чтобы к власти не вернулось сталинское крыло партии. По его рассказам знаю, сколько труда стоило оставить в очередном докладе Брежнева одну или две фразы о пережитках культа личности. Как только доклад уходил в другой отдел ЦК (скажем, индустриальный или военный), из него эти фразы вычеркивались, их надо было опять вставлять. Все зависело от того, кто держал в руках доклад последним. Он мог проверить, сохранились ли эти фразы, вставить, если не сохранились. Одна такая фраза в докладе давала возможность существовать всему либеральному крылу партийных функционеров.

Мало кто задумывается о том, что происходило в этой среде. Проще мазать всех одним цветом: что с них взять – номенклатура!

Коля любил стихи Пастернака, читал нам знаменитые стихи Павла Васильева – «О сталинском терроре». Конечно же, это был либерально настроенный человек. Это поколение людей пыталось сделать экономическую реформу и перестройку – в 1968 году! Тогда это не получилось из-за Дубчека. Помню, как встречал на аэродроме Колю Шишлина, приехавшего из Чиерны-над-Тиссой. Он сказал:

– Все, мы погибли! Все, что мы двадцать лет делали, пропало. Мы ползли в темноте к окопам неприятеля, а Дубчек, м...к, решил, что уже время. Вскочил и закричал: «Ура!» Они нас всех накрыли. Всех!

Коля – один из тех, кто изменил мое мнение о системе. Я чувствовал, что система не монолитна. Внутри нее существуют достаточно позитивные и разумные элементы.

Мы (мы – это я и Андрей Тарковский) очень дружили с Колей, часто сидели, читали стихи. Кстати, мы с Колей, с Черняевым, который потом был советником Горбачева, и с Бовиным (он был послом в Израиле, а ныне – обозреватель «Известий») испортили из благих намерений судьбу «Рублева». Им картина очень понравилась, они решили показать ее Брежневу. На его даче (они все там были, потому что писали ему доклад) устроили просмотр картины, тогда уже запрещенной. Брежнев посмотрел пять минут (дело было после обеда, с водкой, естественно), потом сказал:

– Скучища какая-то! Пойду играть в бильярд.

Попытка была из добрых намерений, но раз картина Брежневу не понравилась, ждать каких-то изменений в ее судьбе не приходилось.

КНЯЖНА ГАГАРИНА

Летом 1967 года, когда уже положили на полку «Асю Клячину» и «Андрея Рублева», происходил очередной международный кинофестиваль в Москве. Ко мне уже был определенный интерес, я пользовался славой диссидента, автора запрещенной картины. В это время я уже знал, что буду снимать «Дворянское гнездо», уже состоялся тот самый разговор с Сурковым, где я дал согласие на эту постановку.

Приехала большая французская делегация, и в составе ее Паскаль Обье, интересный человек, талантливый режиссер, внешне чем-то похожий на Гоголя, с такими же свисающими усами. Он слегка знал русский, старался говорить по-русски. С ним была молодая девушка, скуластая, со вздернутым носом, с раскосыми татарскими, совершенно голубыми глазами, с темно-русыми волосами, с чудным овалом лица – казалось, что я уже давно ее знаю. Звали ее Маша Мериль. Когда я увидел ее, у меня все внутри остановилось. Остановилось потому, что я был женат, у меня родился ребенок, очень дорогое мне существо. Наташа была с ним на даче.

Бывают такие отношения с женщиной, когда уже не владеешь собой от невыносимости чувства. Боишься не только прикоснуться – боишься находиться рядом. Когда я узнал, что она русская дворянка, княжна Гагарина, мое падение в бездну еще более ускорилось. Было ощущение абсолютной обреченности. Самое смешное, что я не собирался оставаться на фестивале. Мы начинали работать над «Дворянским гнездом», сняли большую избу в селе Безводном, там, где я снимал «Асю Клячину». Валя Ежов уже сидел там, я должен был ехать к нему. Машу я увидел за два дня до отъезда – на открытии фестиваля.

Я решился пригласить ее прокатиться на машине – я летел в Горький, мы поехали во Внуково, нас вез шофер. Я показывал ей Москву, а сам все время искоса смотрел на ее неподражаемый вздернутый нос, на нежный овал лица. Пошел, взял билет, она меня проводила, я улетел.

Приехал на Волгу, надо было писать сценарий, но я понимал, что не могу там находиться. Валя все время говорил:

– Что с тобой? Ну что с тобой? Давай работать.

Я ходил по полю и чувствовал, что упускаю звездный час своей жизни. Позвонил из Горького в Москву, фестиваль продолжался, начиналась уже вторая его неделя. Я связался со студией, договорился устроить просмотр «Аси Клячиной», позвонил Маше, сказал, что возвращаюсь. В последний день фестиваля я показал ей картину. Пригласил к себе домой.

Она пришла с удовольствием, мы съели «табака», мне ничего не лезло в горло. Меня трясло. Я испытывал точно то же, что мой герой в «Возлюбленных Марии» – такой силы чувство, которое оставляло лишь возможность платонических отношений. Мы поцеловались, она ушла в ванную, через десять минут вернулась в комнату, умытая, свежая, распахнувшая мне объятья, улыбающаяся, девственно нагая.

– Иди...

У меня был шок, я не чувствовал себя мужчиной. Она заснула. Я просидел рядом всю ночь, глядя на нее и как сумасшедший куря.

Лето. Июль. Рассветает рано... Это было первое наше любовное свидание, и оно было абсолютно неэротическим. Потом она уехала.

В сентябре я начал ей звонить. Она прислала мне несколько своих фотографий, храню их. На одной – она с учебником русского языка. Начала писать мне на ломаном русском, сообщила, что учит язык.

В это время в Прагу отправлялась кинематографическая делегация. Там уже происходили события, из которых выросла потом «пражская весна». Брежнев с командой пытались использовать все рычаги, чтобы удержать события под контролем. Поездка киноделегации на встречу с чехословацкими коллегами была звеном в общей цепи. Я уговорил Караганова, главного идеолога кинематографического союза, взять меня с собой, с одной только целью – увидеть Машу. Выступление, написанное для этой встречи, я закончил цитатой из Солженицына. Меня попросили ее вынуть. «Не стоит вспоминать Солженицына», – сказал Караганов. Я его слова проигнорировал...

Мне стоило огромных нервов и трудов задержаться в Праге еще на два дня после окончания встречи – Караганов очень был против, но помогли чехи.

Маша приехала в тот день, когда уезжала делегация. Я попросил Иоселиани сказать ей, что жду ее в машине, – боялся. Такое было время. Все боялись всего. Всюду мерещились агенты КГБ, агенты чешских служб.

Маша была такая же прекрасная, загоревшая, обветренная, солнечная. Она где-то плавала по Средиземному морю на яхте своего друга, великого композитора Ксенакиса, руки были в шрамах от натягивания лееров. Она остановилась в том же отеле. Меня опять трясло, я ничего не соображал. Я чувствовал, что она так далека от меня! Мы так не подходим друг другу! Что я делаю здесь? От этих мыслей тянуло пить.

Многое она говорила по-французски. Я не все понимал, но кивал головой. Мне было грустно. Я чувствовал рядом с ней свою несостоятельность. Мне она казалась настолько недостижимой!

Мы гуляли по Праге. Я купил шесть открыток с репродукциями Ван Гога, дал их ей. Сказал:

– Каждый месяц 5-го числа (это было 5 сентября) посылай мне, пожалуйста, одну открытку. Письма не дойдут, а на открытки КГБ не слишком обращает внимание. Пиши о чем угодно – о погоде, что в голову взбредет. Если открытки придут, я буду знать, что ты все еще меня любишь, и скажу моей жене о наших отношениях.

Мы разъехались. Первая открытка была как гром среди ясного неба. После нее я уже жил только тем, что ждал следующую.

Вторая открытка. Третья. Четвертая...

После четвертой открытки я не выдержал. Наташа возвращалась от родителей из Казахстана, везла с собой моего дорогого мальчика. Я встретил ее, мы ехали на машине. На коленях у нее сидел маленький Егор. Я сказал, что люблю другую.

– Лучше бы ты сказал, что у меня умерла мама...

Чувствовал я себя ужасно. Но иначе поступить уже не мог.

Через месяц пришла пятая открытка. В ней было написано.

«Дорогой Андрон! У меня все хорошо. Я выхожу замуж. Он итальянский продюсер, чудный человек, очень интересный... Уверена, что он тебе понравится».

Мои отношения с Наташей уже все равно были поломаны. Я почувствовал внутри себя полную пустоту.

Я поехал в Чехословакию. В Карловы Вары, лечиться. Позвонил ей, она была в Италии. Это был момент, когда я был готов уехать, обрубить все концы, стать невозвращенцем. Написал ей большое письмо. «Все равно, пройдут годы, я тебя буду любить, я заберу тебя со всеми твоими детьми, когда ты разведешься».

Продюсер, за которого она вышла, имел троих детей, она стала им матерью.

Встреча с Машей была для меня почти роковой. Дворянка, княжна, женщина европейской культуры – это было то, о чем я втайне мечтал, такой хотел видеть свою спутницу. То, что она меня бросила, казалось само собой понятно. Разве могло быть иначе? Я остро пережил случившееся, но про себя не удивился. Думал: куда мне! Я совок, а там Париж, Италия! Я уже знал, что это такое.

Разрыв с Наташей происходил очень болезненно. Она хотела уехать во Вьетнам, воевать. Хотела немедленного развода. Я ей не давал, знал, что ей это будет только во вред – она училась тогда во ВГИКе.

Рана моя была настолько сильна, что, когда я писал сценарий «Дворянского гнезда», который я начал снимать на следующий год, Маша Мериль влезла в картину под своей подлинной фамилией – княжна Гагарина. Лаврецкий встречается с ней в Париже. Русская, не говорящая ни слова по-русски, но тем не менее чистокровная пензенская. Сыграла ее Лиля Огиенко, чудная молодая киноведка из ВГИКа.

Вообще все «Дворянское гнездо» пронизано чудовищной тоской – по Маше Мериль, по Франции и по тому, что делать нечего, я должен жить здесь, в России, в своей почве, не стать вырванным из нее корнями. Все мучения Лаврецкого, все его мысли выросли из того, что я весь этот год чувствовал, думая о том, что там, в залитом светом Риме и Париже, ходит женщина, которую я боготворю и в которой я обманулся. Вся картина об этом– о том, где жить. Роман с Машей меня очень сильно обжег.

Года два спустя, уже женившись на Вивиан, я ехал в Рим, думая только об одном – о том, что встречусь с Машей. Она знала, что я приезжаю. Мы встретились в тот же день. Она приехала на машине с детьми, со всеми познакомила. Была очень возбуждена, весела. Я тоже был возбужден и весел – боялся этой встречи ужасно, хотя и ехал с одной только целью – увидеть ее.

Она повезла меня с собой на съемку. Ее фотографировали на крыше где-то за Тибром, в Трастевере. Я сидел, пил кофе, смотрел, как она позирует, и вдруг почувствовал, что освобождаюсь от нее. Что эта любовь меня больше не гнетет – я снова свободен. Мне стало так легко, что я захохотал.

– Что ты смеешься?

Все годы с момента нашей встречи я жил под ощущением ее пленительного образа, а виделись-то мы с ней всего три дня и две ночи.

Мы с ней стали друзьями. Мама с ней познакомилась. Я бывал у нее, познакомился с ее чудными сестрами, с ее матерью. Потом Маша развелась, вернулась в Париж. Замуж уже не вышла, жила с разными интересными людьми.

Она чудесный человек. Всегда весела. Прекрасно готовит, пишет книги – по искусству кулинарии, по рецептам спагетти, по интерьеру – универсальная женщина, замечательная актриса. Она снималась у меня в «Дуэте для солиста». И все-таки внутренне я ощущал душевную рану – чувствовал, что мне, моим ожиданиям изменили.

Уже после «Дуэта для солиста» она предложила поставить пьесу.

– Я тебя познакомлю со Стрелером, давай сделаем Чехова.

Так появилась «Чайка», где она играла Аркадину. Отношения у нас неизменно оставались чудными, но всегда ощущалась тень недоговоренности. Что-то между нами случилось. Что-то драматическое. Что?

Шли репетиции. Работалось интенсивно и очень интересно. На одной из репетиций Маша вдруг сильно повздорила с партнером, с актером, игравшим Треплева. Она хотела на эту роль своего молодого бойфренда – я его не взял. Не люблю, когда мне кого-то навязывают. Потом у меня не раз был случай пожалеть о том, что ее не послушался...

Вспышка раздражения была неожиданной и острой, Маша была зла и резка. Когда мы уходили, я остановил ее на лестнице. Сказал:

– Маша, надо быть добрее. Надо уметь прощать.

Она посмотрела на меня, словно ее ударило током или ошпарило кипятком. Вся побледнела.

– Прощать? И это ты мне говоришь? Какое право ты имеешь говорить мне это!

И побежала вниз. Я ничего не понял. В первый раз за двадцатилетней давности отношения.

На следующий день мы снова встретились на репетиции. Я сказал:

– Маша, я не понял, что ты вчера сказала мне. Почему я не мог сказать тебе «надо уметь прощать».

– Ты что, не понимаешь сам?

– Нет.

Она посмотрела на меня так, будто в первый раз увидела. Сказала:

– Ну ладно, мы как-нибудь поговорим об этом.

Мы дождались конца репетиции, я пришел к ней в уборную.

– Маша, объясни мне, в чем дело

– Разве ты не знаешь, что между нами произошло?

– Я точно знаю, что между нами произошло. Ты меня бросила.

– Я тебя бросила? Ты меня бросил, дорогой мой.

У меня все перевернулось внутри.

– Я получил от тебя открытку. Ты вышла замуж за другого. Я развелся из-за тебя с женой. Я ждал твои открытки как манны небесной! У меня все в жизни из-за тебя перемешалось.

– Я же все сказала тебе в Праге...

– Что ты мне сказала?

– Что я беременна. Полтора месяца уже как беремен на. От тебя.

У меня все поплыло перед глазами. Как! Я вообще не мог представить, что от меня в ту ночь можно было забеременеть. Наша встреча была на грани чистой платоники... По крайней мере, так мне казалось.

– Не может быть!

– Я тебе это сказала. Ты никак не отреагировал. Я жда ла от тебя хоть какого-то знака. Думала, что ты хочешь ребенка. Что мы его сохраним. Ты ничего не ответил. Ничего не сказал. Просто напился. И никак не отреаги ровал в течение двух месяцев. Я ждала очень долго. В конце концов я поняла, что ребенок тебе не нужен. Вот так. Я тебя хотела забыть. Я вышла замуж.

Стефан Цвейг! Все двадцать лет наших отношений, моих представлений об этих отношениях полетели в тартарары. Никакие розы, которые я эти годы слал ей домой и в ее уборную, не могли ни объяснить, ни изви нить этого драматического непонимания.

Она удивительное существо, умнейшее создание. Во обще идеальная женщина. Русская. Аристократическая. Всегда для меня дорогая.

Не могу освободиться от чувства вины, хотя вина вроде всего лишь в том, что плохо знал французский.

МАЭСТРО!

1969 год. Я только что снял «Дворянское гнездо», же нился на француженке.

Агеев, директор нашего объединения, вызвал меня к себе.

– Приезжает Карло Понти. Будет снимать у нас «Подсолнухи» с Софи Лорен и Марчелло Мастроянни. Режиссер – Де Сика. Россию он знает мало, ему нужен молодой талантливый помощник. Ты не хотел бы?

Поработать с Де Сикой! Конечно!

Приехал Понти, мы познакомились. Он посмотрел «Дворянское гнездо», моя персона его устроила. К тому же я немного говорил по-английски, по-французски, тут это было существенно. Стали говорить, что надо сделать к приезду Де Сики.

– Когда он приедет?

– В день съемок.

– Как?!

– Да. Когда можно будет снимать сцены.

– А кто же будет готовить?

– Вы. Вы будете готовить сцены.

– Какие?

– Отступление итальянской армии. Сцены с Мастроянни в маленьком городке.

Приехала огромная итальянская группа, привезли костюмы, приехал Мастроянни. Я прочитал сцены, которые предстояло снимать, обдумывал, что Де Сике может понадобиться. По своему разумению стал готовить будущие съемки. Всю натуру выбирал Понти.

Наконец, приехал Де Сика. Кашемировое пальто, перчатки на заячьем пуху – я таких никогда не видел. Седой, красивый. Маэстро! Рядом с ним я ощущал себя студентом, хотя у меня уже были три картины, четыре года, как окончил ВГИК.

Меня привели к нему в избу, представили:

– Вот молодой русский режиссер – Кончаловский.

Он подозвал меня пальцем. Я подошел знакомиться.

– О, каро, каро! Руссо! – Он улыбался, говорил любезные слова. – Хорошо. Давай выбирать артисток.

В избе сидели дети, из которых надо было выбрать девочку для съемок. Снимать предстояло здесь же.

– Мне нужна девочка, чтобы она смогла заплакать. Эти все не плачут.

– Это просто. Сейчас ущипну – она заплачет.

Что тут же и сделал. Девочка заорала.

– О, эту и берем, – обрадовался Де Сика, видимо не хотевший брать на себя такие методы работы.

Он посмотрел остальных девочек, посмотрел натуру.

– У меня готовы раскадровки, – сказал я.

Он взял листы с плодами моих творческих озарений, бегло их перелистал.

– Бене, бене. – В его голосе никакого энтузиазма я не почувствовал.

Мы немного поговорили еще о чем-то, расстались. На следующий день узнаю, что маэстро нет, он уехал.

– Как уехал! Куда?

– В Италию.

Кто-то проговорился, что он проиграл в Монако сто пятьдесят тысяч долларов и уехал отыгрываться.

– И вообще ему здесь холодно, – сказал Понти.

– Что же делать?

– Снимать. Ты будешь снимать.

– Как!

– Эти сцены будешь снимать ты. Он сказал, что тебе верит.

Пока Де Сика отыгрывался в Монте-Карло (оказалось, он был страстный игрок), я творил на площадке. Ну, думал, сейчас такое для него сниму! Лучшие кадры в его картине будут мои. Все знание мировой живописи от Брейгеля, Дюрера до импрессионистов я вложил в эти сцены. Шли какие-то слепые итальянские солдаты, их вела смерть, на лошади ехал Дон-Кихот, камера наезжала на красные знамена, дули яростные ветродуи, отступающие солдаты снимались с одного ракурса, с другого, с третьего.

Я в первый раз увидел западный способ организации съемок. Вся итальянская группа была в каких-то красивых куртках, веселые, неунывающие парни.

Марчелло с вечера ставил на стол бутылку водки – русский национальный напиток он очень любил; где-то в середине ночи калининская телефонистка соединяла его с Америкой, и он до рассвета висел на телефоне. В группе все знали, что у него роман с Фэй Данавэй. В то время она была самой популярной звездой Голливуда – после мирового успеха «Бонни и Клайда».

Знал ли я тогда, в 69-м, что Мастроянни будет сниматься у моего брата, что Фэй Данавэй в 83-м будет звонить мне в Лондон, просить о пробах.

Но все это будет позже. А тогда, глядя на выставленную Мастроянни бутылку, я понимал, что пить вровень с ним не сможет ни один русский – он геройски тянул стакан за стаканом.

Утром все на площадке – Мастроянни спит в машине. Спящего его гримируют, спящего одевают – будят только тогда, когда надо идти в кадр.

– Что мне делать? – спрашивает он.

– Плакать, – говорю я.

– Пожалуйста.

Из глаз текут слезы... Крупный план снят, Мастроянни укладывается в машину, опять спит. Ни с какой сценой у него проблем не было. Надо ползти – ползет, надо плакать – плачет. И снова спит, отсыпается.

Я, как мне кажется, снимаю интересные кадры. Наснимал много – Понти смотрит материал, хвалит.

– Хорошо! Хорошо!

К тому же мне должны заплатить в валюте, зелеными, по секрету от властей. Это ж 69-й год!

Когда договаривались, Понти спросил:

– Сколько вы хотите?

Разговаривали в машине, я смертельно боялся всяких жучков и микрофонов.

– Шесть тысяч долларов, – сказал я, затаив дыхание от собственной наглости.

– Хорошо, – сказал Понти, ни секунды не задумываясь.

Шесть тысяч долларов за две недели работы! Это казалось мне немыслимой суммой. Четыре тысячи рублей платили постановочных за картину, над которой надо было потеть целый год. И это еще, если оценят по первой категории! А тут за две недели по нормальному черноыночному курсу тех лет – двадцать четыре тысячи рублей! На это же можно купить две «Волги»! Деньги, впрочем, я потратил иначе – спустил их со своей французской женой на Ривьере.

Позднее знакомый итальянец спросил меня, сколько Понти мне заплатил.

– Шесть тысяч? Ты что, с ума сошел? Ты же у него режиссером работал! Он мог тебе все двадцать пять заплатить!

Я не поверил. Такую сумму я вообще не мог вообразить, а тем более что ее можно заработать за две недели.

Материал в итоге получился хороший. Понти уехал довольный, расплатился со мной как обещал.

Потом была премьера. Я назвал друзей, знакомых, нарассказывал им, какие выдающиеся кадры они увидят – ни одного моего кадра в картине не было. Точнее, два все-таки было – крупный план Мастроянни и знамя; остальные пошли в корзину. Я был ошарашен. Друзья надо мной подтрунивали. Я врал, что снял и ту, и эту сцену – из тех, что были на экране.

Так я поработал с Де Сикой. И все равно впечатление от маэстро осталось замечательное – от того самого одного-единственного дня, когда мы встретились, когда я чувствовал себя коллегой гения, когда мы так недолго поговорили, когда он объяснял мне, как снимать. Как легко, без усилия все у него получалось! Он не раз повторял «нон троппо» – «не очень». И в этом была суть его неореалистического взгляда на мир. Много лет спустя я понял, что мое старательное желание быть экспрессивным оказалось ему совсем чуждым. Я-то не сомневался, что мои кадры так хороши, что Де Сика от них просто не сможет отказаться. Но рядом с его неореалистической простотой все мои изыски казались искусственными зубами – так что результат был вполне закономерен...

Знаменательными эти съемки в моей жизни остались не потому, что я поработал с великим режиссером, и не потому, что на заработанные деньги мы с Вивиан поехали отдыхать. Эти съемки были нашим медовым месяцем. Через девять месяцев родилась дочка Саша.

ЧАСТЬ ТРЕТЬЯ

«ЧАСТНОЕ ЛИЦО»

ЗАРУБЕЖНЫЕ КАНИКУЛЫ

Высокую честь представлять за рубежами Родины первую в мире страну победившего социализма я не оправдал уже в первый свой выезд. Поведение мое было явно сомнительным, звания советского гражданина недостойным. Второй мой зарубежный выезд, когда в 1966 году я повез в Венецию «Первого учителя», в этом отношении был не лучше.

Я был там вместе с Наташей Аринбасаровой, ставшей после этой картины моей женой, мне очень хотелось показать ей Париж. Перед отлетом в Венецию я позвонил знакомому продюсеру, тот послал мне на фестиваль телеграмму о встрече и билеты в Париж. Полагалось сказать об этом главе делегации – Льву Александровичу Кулиджанову. Он сидел вальяжный, симпатичный.

– Знаете, – сказал я, – меня продюсер вызывает. Обратно я хочу лететь через Париж.

Кулиджанову это не понравилось.

– Ну зачем тебе это сейчас? Ты поезжай в Москву, оттуда потом нормально поедешь.

– Но он же меня сейчас приглашает.

– Ну не знаю, не знаю... Посоветуюсь.

Он с кем-то действительно посоветовался. Через пару дней сказал:

– Ладно, поезжай. Но лично я тебе не рекомендую.

– Положил я на то, что ты рекомендуешь, – мысленно ответил я и полетел на один день показать Наташе Париж.

Никто нас не встретил. Продюсер о договоренной встрече забыл, а может, и вовсе не собирался встречаться. Отеля не было. Денег ни копейки не было. Была спасительная для советского туриста бутылка водки. Мы всю ночь таскались по Парижу с тяжеленным чемоданом, в котором был кубок Вольпи, Наташин приз за лучшую женскую роль.

Мысль у меня была одна: найти какой-то отель, отоспаться. А как расплачиваться?

Пока Наташа спала на чемодане на автобусной станции, я поехал к своей знакомой, которая в этот день как раз уезжала и согласилась оставить нам свои ключи. И тут удача: по дороге я столкнулся с Сергеем Аполлинариевичем Герасимовым, пребывавшим в Париже по случаю переговоров с продюсером в связи со съемками «Журналиста».

– Андрон, откуда?

– А-а-а, – простонал я обессиленно, уже ничего не соображая от усталости и прощального венецианского приема.

Сергей Аполлинариевич приютил нас, и мы отоспались в его номере в отеле «Георг V».

Не забывайте, был 1966 год, тогда мы вели себя совсем не так, как сейчас. Но я уже был обожжен Парижем...

Позже, когда я женился на Вивиан, Париж стал моим! Я мог уехать туда не как член очередной советской делегации, будь она трижды неладна, но просто как частное лицо. Немыслимое освобождение! Достаточно просто получить приглашение, пойти в ОВИР, поставить визу. Ни Ермаша, ни выездной комиссии, ни подписи о неразглашении неизвестно каких тайн – сел в самолет и полетел. Я очень благодарен за это освобождение Вивиан. Прожили с ней мы недолго, она до сих пор носит фамилию Михалкова. Вивиан стала хорошим специалистом по русскому языку, а по русскому мату она, пожалуй, стала мастером непревзойденным. Сейчас занимается переводами.

Теперь я уже не должен был уезжать из Парижа просто потому, что «делегация должна уезжать»! Бог с ней, с делегацией! Ей надо – пусть едет! Прежде и заикнуться о том, что мне хочется задержаться где-то хоть на день, было немыслимо.

В Париже появились новые друзья. В основном это были артисты эстрады – замечательный певец Серж Гинзбург, певица Франсуаза Арди.

Серж Гинзбург говорил по-русски, его мать была из Феодосии. Крепко пил и в итоге спился, умер от алкоголизма. Он был эксцентричен, ездил на «роллс-ройсе», носил перчатки. Меня поразил его дом. Все в нем было отделано черным мрамором – черные лакированные стены, черный рояль, на рояле – тяжелая перчатка из серебра. Серж был в черном халате. Он подписал мне на память несколько своих пластинок – до сих пор они у меня.

Самое грустное, что было связано с Парижем, – необходимость из него уезжать. Не хотелось на партийную Родину. И потому из Парижа я старался привезти как можно больше Парижа. Я пытался и дачу свою отделать на парижский фасон: была такая невероятная иллюзия, что это возможно.

С начала 70-х я, что называется, пошел шастать по Европе. Недоступное и упоительное удовольствие!

Где-то году в 72-м я устроил показ «Дворянского гнезда» в Риме. Хватило наглости позвать Антониони, Феллини, Лидзани, Пазолини, Джину Лоллобриджиду – всех, кого знал. И, к моему удивлению, все пришли. Феллини, правда, после пяти минут просмотра тихо ушел. До конца остались Антониони, которому картина очень понравилась, Пазолини и Лоллобриджида. Мы замечательно поговорили с Пазолини – они все очень серьезно со мной разговаривали. С Пазолини была Лаура Бетти, маленькая дама с квадратной фигурой, актриса, снимавшаяся у него в «Теореме». Он у нее жил.

Я обронил в разговоре, что мне негде жить в Риме.

– Я сейчас уезжаю, – сказал Пазолини, – ты можешь жить у Лауры.

Следующие три недели я проспал на жесткой узкой кушетке Пазолини.

Лаура Бетти тоже уехала, оставила мне свою квартиру, с просторной террасой и шестью котами, которых я обещал кормить. Коты лезли ко мне в постель, я их расшвыривал ногами, мог под горячую руку и отлупить. Такого чисто российского обращения они прежде не знавали, я их вдобавок держал впроголодь: не будут есть – не будут и гадить. Всех их запирал на террасе, они с голодухи надсадно мяукали. Потом, кажется, вернулись к первоначальному естеству – начали ловить мышей и птичек.

Меня пригласила к себе домой Лоллобриджида. Подарила книгу своих фотографий, на отдельном листе типографским шрифтом было оттиснуто: «Этот экземпляр напечатан специально для Андрея Кончаловского». Ей хотелось сделать мне любезность, и она дала мне свою машину покататься... «роллс-ройс». Мне показалось, что я вижу сон: я в Риме на «роллс-ройсе». Невероятно! Тем более это 1972 год!

Появились какие-то милые девицы. Мы пошли в бар. В четыре утра вышли – «роллс-ройса» нет! Я протрезвел мгновенно. Холодный пот прошиб. Нет машины. Что я скажу Джине?! Наутро позвонил:

– Джина, у меня катастрофа!

– Какая?

– Украли машину.

– Не волнуйся, она застрахована.

Откуда советскому человеку знать, что такое бывает – застрахованная машина.

Самое смешное, что «роллс-ройс» вовсе не украли. Просто улицы в Риме все такие узкие и такие друг на друга похожие, что я искал машину не там, где ее оставил. Она простояла два дня, полиция выяснила, чей это номер, позвонили Джине, сказали:

– Заберите свою машину. И заплатите штраф за неправильную парковку.

Больше свою машину Джина мне не давала.

С Джиной мы очень подружились. В Италии левые интеллектуалы к ней относились скептически, считали ее, так сказать, уже сошедшей со сцены, но для друзей она человек живой, нежный, преданный. В 1974-м она даже приехала ко мне в Москву, сняла фоторепортаж о моей работе на площадке «Романса о влюбленных».

Я привел Джину к Смоктуновскому, она снимала и его. Тогда же Джина привезла аппаратуру для Саши Градского – ему понадобился какой-то штудер для электрогитары (не помню уж точно, как эта штука называется), чтобы было ро́ковое, такое слегка мяукающее звучание. Я позвонил Джине – она достала все, что было нужно.

Храню подаренную ею замечательную фотографию – она и Альберто Моравиа. Моравиа тогда написал знаменитый роман, «Я и он», «Мио и люи» – о взаимоотношениях мужчины и его пениса. Они все время ведут диалог: что бы герой ни предлагал, пенис это всегда отвергает, и все равно герой неизменно поступает не так, как хочет сам, а так, как хочет пенис. Короче – конфликт сознательного и бессознательного в человеке. Моравиа был очень аристократичен, обожал женщин, всегда был окружен красавицами. На своей с ним фотографии, подаренной мне, Джина написала – «мио и люи», «я и он».

Тогда же я познакомился с Антониони, он еще был женат на Монике Витти. Спустя два года я увидел его с другой, маленькой хрупкой блондинкой, которую он привез из Англии, после съемок «Блоу ап». Клер Пепло было тогда девятнадцать лет, Антониони – пятьдесят пять. Сейчас Клер – жена Бертолуччи, сама снимает фильмы как режиссер. Ее брат Марк Пепло – постоянный сценарист Бертолуччи, автор «Последнего императора» и всех последовавших затем лент.

В Италии началась моя дружба с Уго Пирро, замечательным сценаристом, автором «Следствия по делу человека вне подозрений» и многих других прекрасных картин. У меня хранится написанная им акварель – еще одна память о Риме.

В советском посольстве ко мне относились неприязненно, очень настороженно. Я никогда не ходил туда регистрироваться. Уже этого хватало для подозрительных взглядов: «Что этот Кончаловский здесь делает? Почему не пришел отметиться?»

В то время я уже всерьез изучал советское законодательство. Помогал мне в этом очень известный адвокат Константин Симис, к нему я ходил уже с середины 1968 года. Жена его тоже была очень известным адвокатом, вела процессы диссидентов – Даниэля, Синявского, Горбаневской, многих еще.

Как-то, придя к Симису за очередными консультациями, я увидел молодого человека с двумя пачками книг. Он уже уходил, видимо, только что закончился малоприятный разговор.

– Ну и Бог с ним! – сказал Симис.

– Что-нибудь случилось? – спросил я, когда мы зашли в кабинет.

– Это мой сын. Он уезжает. Навсегда. Хочет в Америку. Понимаете, он не может здесь жить. Он отказник, ему долго не давали разрешения, сейчас, наконец, дают. Он прекрасно говорит по-английски, сделает себе карьеру. Здесь ему ничего не светит – там он может стать президентом страны.

Сейчас сын Симиса (нынешняя его фамилия – Саймс) работает в Вашингтоне политическим советником какого-то стратегического института...

Я спросил у Симиса, есть ли у меня способ пробить советскую систему.

– Только один, – сказал он, – и никаких других. Уехать как частному лицу на постоянное жительство за границу, сохранив свое советское гражданство.

На это я тогда еще не решался.

В 70-х я нелегально зарабатывал – писал для Карло Понти сценарий о Достоевском. Как-то Понти сказал:

– Приходи на Виллу Боргезе. Будет прием в честь советской делегации.

Я пришел с опозданием, все уже сидели за столом, Сизов говорил тост. Увидев меня в шелковой цветастой рубашечке (вся делегация в пиджаках, при галстуках), он помрачнел, глаз налился свинцом. А за столами – Дино де Лаурентис, Лидзани, Данелия.

– Андрон, давай сюда!

Я сел за стол. Как замечательно чувствовать себя пусть хоть отчасти, но уже за пределами этой проклятой системы. Какое это счастье – быть частным лицом! Я знал: да, могут быть неприятности. Ну и гори оно синим пламенем! У меня французская жена, вашим законам я уже неподвластен.

Рядом со мной стоит ослепительная блондинка – просто с ума сойти! Вино придает мне куражу – она на меня смотрит, прикасается к моей руке. Я смотрю на Карло Лидзани, он одобрительно подмаргивает – не робей. Я не робею.

После банкета спускаемся на лифте вниз. Я говорю Данелия:

– Гия, едем в бар. Вот эта блондинка с нами едет...

– Не могу. Делегация!

– Да брось ты! Я тебя привезу обратно!

Гия сокрушенно качает головой.

Сизов еле со мной разговаривает, смотрит насупленно. За ним – с сигарой Де Лаурентис, ждет, что будет.

– Что ты вообще тут делаешь? – цедит сквозь зубы Сизов. – Даже не познакомился с товарищем послом, не зашел в посольство.

– Да, да, – говорит человек с серым лицом, серыми волосами, в сером пиджаке (понимаю, это и есть посол, товарищ Аристов), – нехорошо, Андрей Сергеевич. Вы бы уж как-нибудь зашли бы к нам. Отметились хотя бы. Печать полагается поставить.

– Да, да, обязательно зайду. Как-то не с руки все было, – говорю я, опять ощущая отвратную дрожь в душе. Но мне уже все равно. Блондинка держит меня за руку. Допускать такую степень близости с иностранкой – это уже поведение вопиюще антисоветское, гибель окончательная. Мы садимся в машину к Лидзани – белый «ситроен».

– Гия! – кричу я уже на ходу. – Мы будем тебя ждать!

– Езжай! Езжай! – отмахивается Гия. Я его понимаю, сам был в той же шкуре.

Когда я ехал в бар с блондинкой в надежде, что впереди у нас веселая ночь, о ней я не знал ничего. При знакомстве она назвала себя, но имя я тут же забыл – у меня вообще отвратительная память на имена. Мы танцуем, вдруг во время танца она начинает раздеваться. Снимает блузку.

– Ты оденься, – говорю я.

– О-ля-ля-таа! – поет она в порыве чувств.

Вокруг смотрят. Бармен насупился. Я ретировался в угол к Лидзани, спрашиваю:

– Что она делает?

– Сиди, не рыпайся! – говорит он.

– Ля-ля-ля, – поет она и снимает бюстгальтер.

Толпа вокруг продолжает танцевать, но как-то уже замедляет ритм.

– Ля-ля-ля, – она снимает юбочку.

– Ля-ля-ля, – снимает ботинки.

– Ля-ля-ля, – снимает трусики. Уже все перестали танцевать. Расступились. Она одна. Голая!

Приходит полиция. Ее забирают. Она поет.

На следующий день весь Рим был заполнен фотографиями блондинки, которую голой выводят из «Диско». Ей захотелось привлечь к себе внимание.

«Господи, – думаю, – как вовремя я отошел в угол. Меня бы замели вместе с ней. Только этого не хватало! За компанию с голой красоткой стать героем скандальной прессы!»

Спустя несколько дней мы встретились, она привезла меня к себе. В шесть утра отослала – приезжал муж, а может, ее содержатель. Я шел в состоянии крепкого похмелья, пытаясь вспомнить, как ее зовут.

«Как же мне теперь найти ее? Даже имени ее не помню!»

И вдруг на кинотеатре – афиша очередной серии «Джеймса Бонда», на афише – она, роскошная красавица с роскошной грудью. Барбара Буше! Вот ты кто, теперь уже не забуду... Она была швейцарка, снималась в английских фильмах, жила в Риме.

Таким был для меня Рим, который я тоже увозил с собой в Москву. Мои римские каникулы. Правда, почти никому о них не рассказывал – разве что Генке Шпаликову, с ним я многим делился. Одним вообще нельзя было ни о чем заикнуться – тут же бы стукнули, другие просто б не поняли, что это за наслаждение – быть «частным лицом».

Со мной хотели встречаться многие из тех, кто знал, что я постановщик «Первого учителя». В Париже этот фильм имел колоссальный успех. Маша Мериль хотела вызвать меня туда на показ фильма. Помню, как после этого приглашения Баскаков кричал, даже не кричал – орал на меня в своем кабинете:

– Ты что, мать твою! Ты это подстроил?! Почему тебя приглашают? Почему Герасимова не приглашают? Его, понимаешь, приглашают! Кто ты такой?!

Конечно, я подстроил это приглашение. Но не мог же я в этом признаться!

– Картина там идет. С успехом. Им интересно. – Опять я чувствовал эту липкую отвратительную дрожь в душе.

– Забудь! Ты только что ездил за границу!

Другая картина, сделавшая мне известность в Париже, – «Андрей Рублев». В один из моих приездов со мной захотел встретиться Арагон. Незадолго до того умерла Эльза Триоле, он со слезами на глазах говорил, что без нее жить не может. Подарил мне офорт Пикассо, подписанный автором оригинал. А на задней стороне окантовки написал: «Дорогому Андрею Кончаловскому от Арагона в надежде на лучшие времена. Больше я никогда не поеду в Россию». В 1968 году случились чехословацкие события, и Арагон, хотя и был коммунистом, окончательно разругался с московскими властями. Коммунисты тоже бывают разными. Тогда, как говорили, он активно примкнул к сексуальным меньшинствам, вокруг него вилось множество молодых людей.

Он водил меня по своей квартире, показывал, говорил:

– Видишь, как хорошо. У меня за стеной живет русский посол. Если случится какая-нибудь неприятность, я сразу на рю Гренель, к русскому послу.

Он показывал мне вещи, открывал ящики:

– Видишь, не могу трогать. Эльза, вокруг все Эльза.

Тогда он написал ей прекрасные стихи. Очень ее любил.

В эти же дни мне посчастливилось познакомиться с Марком Шагалом, память об этом – его фотография с автографом. А потом в моей жизни появился великий фотограф – Анри Картье-Брессон.

Помню, я должен был на машине возвращаться в Россию. Чем я только я не нагрузил ее! Вез кучу пластинок, кучу каких-то сувениров, ящик молодого вина. Машина была загружена доверху. В Москву я решил поехать самым длинным, насколько это было возможно, путем – не через Польшу, а через Италию, Венецию. Провожала меня до самого советского лагеря одна очень милая голубоглазая, рыжая женщина. Когда мы ночевали в Венеции, я проснулся и увидел ее сидящей на подоконнике. Был ноябрь, в Москве уже снег, а здесь – мягкое солнце, за ее спиной нежное голубое небо, точно в цвет ее глаз... У границы Югославии мы расстались, она уехала обратно.

Я поехал на север через Загреб, в Загребе пообедал, заночевал. Это уже был «свой город» – пьянство, неухоженные отели. Потом был Будапешт, Венгрия, вся уже покрытая снегом. До советской границы я добрался в самый последний день, когда еще действительна была моя виза, боялся, что меня не впустят. Граница была уже закрыта, я ночевал в каптерке у русских пограничников, мы засадили весь ящик вина. И какого вина! Нового божоле. Так я и не довез его до Москвы. Они пили драгоценную рубиновую влагу и ругались: «Кислятина! Лучше бы водки дал!» Шел густой снег. Возвращение в советскую зиму...

В Ужгороде меня ждала другая женщина, приехавшая провожать меня дальше. Мы сели с ней на поезд и поехали в Москву, а шофер, которого я вызвал, погнал машину. Одним словом, приключения русского Казановы. Пересекаешь границу, тебя встречает родина. Начинается родная жизнь, знакомые радости.

Желание выхода из системы особенно обострилось, когда Андрей уехал снимать «Ностальгию». Тогда и начался новый виток моих взаимоотношений с властью. Я хотел уехать на год, мне не дали разрешения. Ермаш чувствовал, что я гляжу на Запад, понимал, что никакими запретительными способами меня удержать нельзя – я был женат на иностранке (хоть давно уже и не жил с женой), у меня была дочь в Париже, имел полное право вообще уехать, выбрать как «частное лицо» другую страну проживания.

Когда я попросил разрешения уехать на год, меня вызвал Ермаш. Система пыталась затащить меня назад, тем более что я снял «Романс о влюбленных», картину, системе понравившуюся. Меня приглашали в партию – в то время несколько кинематографистов в нее вступили.

Первый раз пригласили где-то в году 1973-м. Я сказал:

– Знаете, я не готов.

Не знал, как отвертеться. В партию я не рвался, чувствовал, что таланта у меня достаточно, могу прожить и беспартийным. Партия нужна посредственностям, без нее им в обществе не продвинуться.

Когда приглашали в очередной раз, я сказал:

– Знаете, у меня третья жена, к тому же – француженка. Не думаю, что я заслуживаю.

– Ну ничего.

– Нет, нет. Я все-таки человек, не очень для вас подходящий.

В следующий раз приглашал меня Агеев, директор нашего объединения:

– Вот, Андрей Сергеевич, хотим принять вас в партию.

– Знаете, Владимир Юрьевич, я в Бога верю.

Тогда я уже снимал «Сибириаду», мог позволить себе сказать такое. Агеев оглянулся и побежал. Боже, что за время было! Человек озирается по сторонам, боится, что при нем сказали про Бога. Не слышал ли кто-нибудь? Трудно поверить.

МОЕ ОТКРЫТИЕ АМЕРИКИ

Одновременно с открытием Европы происходило мое открытие Америки. Началось оно в 1969-м, когда директор киноархива в университете Беркли Том Лади пригласил меня с «Дворянским гнездом» на фестиваль в Сан-Франциско.

Я уже побывал в Венеции, в Париже, в Лондоне, был подготовлен к «другой жизни», но Америка буквально обрушилась на меня. Мы прилетели в день премьеры моей картины. Только успели принять душ и пошли сразу вверх, в горочку (весь город состоит из подъемов и спусков), к Дворцу кино, где проходил фестиваль. Перед дворцом была толпа, мы стояли среди нее где-то поближе к входу – вдруг раздался хохот, началась паника, суета, куда-то бросилась полиция. На красном ковре, по которому участники фестиваля входили в фойе, стоял человек в черном смокинге, и в него летело что-то белое, мгновенно залепившее ему лицо, обмазавшее весь костюм. И во второго, и в третьего, парадно-торжественно одетого, летели пышные торты, точь-в-точь какими кидались комики в немых мак-сеннетовских лентах. Всю американскую делегацию какие-то шутники закидали тортами со взбитыми сливками.

Для человека, приехавшего из Москвы, готовившегося к торжественной премьере, это было невообразимо. Я не понимал, что происходит. Кто с кем сводил счеты и ради чего учинен скандал...

Хохот, полисмены, кого-то ведут. «А что, если начнут кидаться в меня? У меня же единственный костюм!» Я боялся войти во дворец.

Меня встретил Том Лади. В те годы он был очень левым, троцкистом, изучал русскую литературу. Все, кто приезжал из России, в его среде принимались с чрезвычайным энтузиазмом и интересом. Мы очень близки до сих пор, он один из уникальных знатоков мирового кино, наизусть помнит, кто какую картину снял, в каком году, сколько она длится – час сорок две минуты или час сорок семь, прекрасно знает и все мировое кино, и кино советское. Со времени нашей первой встречи Том Лади очень мало изменился. Он всегда был лысеющий, с остатками волос на голове, бодрый, жизнерадостный, всегда готовый помочь. Сейчас Том работает у Копполы...

О Томе Лади могу рассказывать очень много. Он не раз приезжал в Москву, ему и Бертолуччи я тайком показывал на «Мосфильме» запрещенную «Асю Клячину». О, эти подпольные показы! Поддельные пропуска, конспирация, затаенное дыхание, страх, что студийные стукачи пронюхают о показе запрещенного детища иностранцам...

После того показа Бернардо оказался у Ермаша.

– Только что я видел лучший фильм советского кино, – сказал он.

– Какой? «Броненосец «Потемкин»?

– Нет, «Ася Клячина».

У Ермаша вытянулась физиономия. Он соображал, каким образом Кончаловский достал копию, где организовал просмотровый зал...

Но это было намного позже, в 1973-м, а тогда, в 1969-м, стоял ноябрь, осень.

В Сан-Франциско цветут деревья, вокруг небоскребы, рядом залив. После просмотра ко мне подходили многие, я был редкой диковиной. Ведь это 1969 год, война во Вьетнаме, расцвет хиппи, «поколение цветов»...

Том подвел ко мне высокую женщину.

– Познакомься. Вива.

Мне это имя ничего не говорило. Вива была похожа на Грету Гарбо. Высокая блондинка, очень красивая, слегка сутулая, с острыми плечами.

– Хотите пойти на концерт «Джеферсон Айрплейн»?– сказала Вива.

«Джеферсон Айрплейн» – знаменитая рок-группа, из ряда самых прославленных, таких, как «Доорс», «Ху», «Роллинг-стоунз».

– Да, – говорю, – конечно.

– Я возьму вас с собой.

Мы поехали. Огромный стадион. Вокруг полиция. Огромные полицейские в черной форме, на поясе – наручники, рядом наган, тут же газовый баллончик, с другого бока – рация. Все подогнано, темные очки. Для меня они как инопланетяне. Стоят, никого не пропускают.

– Я – Вива. А это – со мной.

– Йес, мэм. Пожалуйста.

У нее черный развевающийся плащ, она широко шагает. Еле поспеваю за ней.

Билетов у нас никаких. Кто такая Вива? Почему полиция берет перед ней под козырек? Потом я узнал, что она– фотомодель, звезда. Снималась в поставангардистских фильмах Энди Уорхолла. Ее знала вся Америка. Где-то у меня лежит ее книга, которую она прислала спустя десять лет.

Входим в зал. Гремит, грохочет оркестр. Рок-н-ролл. Гигантские динамики. Я же никогда ничего подобного не слышал! Невозможно объяснить, как в 1969-м это действовало на советского человека. Не знаю, сколько децибел сотрясают воздух. Под крышей стадиона – тридцать тысяч, хиппи в джинсах, без рубашек, на теле татуировки. Пахнет каким-то странным табаком, такого запаха я прежде не нюхал.

Вива продирается вперед, я – за ней. Она держит меня за руку. Идем сквозь толпу волосатых орущих людей. Мне страшно. Кажется, я попал в ад. Тут же на матрацах сидят накурившиеся марихуаны, то ли взасос целуются, то ли уже занимаются любовью. Дурманит запах травки. Ощущение незнакомое, пугающее. Ведь это после ежедневного Брежнева по всем четырем программам телека, после верха дозволенной раскованности – «Песняров», два притопа, три прихлопа. Мне посмотреть по сторонам страшно, голова не поворачивается. Мы идем, переступая через лежащие тела. Грохочет музыка.

Держусь за свой задний карман. Там все мои деньги – тридцать долларов. Как бы не стибрили! Они же все волосатые, бородатые, публика очень сомнительная. Наверняка стибрят! Мне и в голову не приходит, что у этих небритых, волосатых денег в сто раз больше, чем у меня. Просто они такие, потому что хиппи. Цветы жизни. Флауэр дженерейшен – поколение цветов. Царство свободы, свободной любви.

Вива тащит меня, подводит к самой эстраде. Рев и грохот. Том говорит:

– Хочешь курнуть?

Я курнул, в голове засвистело, поехало.

Мы простояли там минут тридцать, дольше не выдержал.

– Пошли, больше не могу.

Опять, переступая через тела, продираемся к выходу. Я, как говорится, в отпаде.

– Надо, – говорю, – завтра привести сюда Жалакявичюса. Он такого не видел.

Жалакявичюс тоже был в делегации. Я хотел разделить с ним впечатления.

В этот же вечер мы сидим на террасе, внизу – Сан-Францисский залив, синее море, солнце над водой – красота. За столом я, Том, Вива, ее муж, странный, весь в шелке хипповый субъект. Вива смотрит на меня, улыбается загадочно.

– Я хотела бы трахнуть тебя сегодня ночью, – задумчиво говорит она.

Не верю своим ушам. Муж же рядом! Никак особенно он не реагирует. Просто на меня смотрит. Что может испытывать в такой ситуации нормальный совок? Не знаю, что сказать. Лицо у меня такое глупое, что Том, на меня глядя, падает со стула от хохота.

– Я люблю свою жену, – мямлю я.

– Ну и что? – говорит она.

– Ну вообще-то, когда я люблю женщину, у меня на других не очень.

– А, импотент! – догадывается она. – Ну так это даже еще интереснее!

Смотрю на нее, на ее мужа, никак не могу понять, что происходит. Мозги съехали набок.

Позже, на фестивальном приеме, ко мне подошла женщина в меховой русской шапке и произнесла несколько слов на русском. Я глаз не мог оторвать от ее прозрачной блузки, сквозь которую светились упругие полушария. Зрелище для советского человека нокаутирующее. А где же обязательный бюстгальтер? Женщина тем временем рассказывала мне историю своей любви к русскому матросу. Она была дочерью крупного авиационного фабриканта. Ее любовь началась в Сан-Францисском порту. Его корабль шел на юг вдоль побережья Латинской Америки. Она поехала за ним следом, они снова встречались на берегу. После двух или трех таких встреч его засекли и на берег больше не выпускали. Он успел переслать ей записочку. Она ездила следом, встречала его корабль во всех портах, высматривала его лицо в иллюминаторе, рыдала – роман об этом можно писать! Ждала его, любила. По возвращении в СССР его посадили. Свою любовь к нему она сублимировала на все русское, и на меня в частности.

У нее была огромная машина. В машине я заснул, на следующий день в ее постели проснулся. Очень милая была женщина.

Да, этот пахнущий марихуаной и океаном мир поражал оглушительной свободой и децибелами. Вдобавок всякие другие, более мелкие потрясения. Куриную печенку можно купить в магазине, отдельно, сырую, в баночке. Радио у них стереофоническое. Радио! (Другого запомнившегося тоже было достаточно, но об этих двух потрясениях я потом постоянно рассказывал в Москве.) Все кивали головами, но, думаю, про куриную печенку никто не верил, считали, что приукрашиваю.

...Обрывки воспоминаний от той, обрушившейся на меня Америки.

Рашен Хилл, Русский Холм в Сан-Франциско. Огромный русский собор. Доносится православное пение, церковная музыка, запрещенная советской властью. Мимо едет «фольксваген», на нем лежит доска для серфинга. Она еще мокрая. За рулем сидит молодой загорелый блондин с мокрыми волосами. На тротуаре стоит ошалелый советской человек, то есть я, и спрашивает себя: «Где я? Что это?» Я знаю, что где-то совсем близко океан, он не виден, но вот этот парень в «фольксвагене», быть может, двадцать минут назад катался по нему на серфинге. Я уже слыхал тогда, что такой спорт существует. Естественно, не у нас.

«Почему я не этот мальчик? – думал я. – Едет он на

своей тачке и знать не знает, что есть где-то страна Лимония, именуемая СССР, что в ней живет товарищ Брежнев, а с ним и товарищи Романов, Ермаш и Сурин, что есть худсоветы во главе с товарищем Дымшицем, и неужели жить мне в этой картонной жизни до конца своих дней?»

Острое воспоминание: загорелое плечо, падающие мокрые пряди волос, серебристая доска серфинга на крыше и мысли, от которых тошнит...

Америка обваливалась на меня несколько раз – каждый раз по-разному.

Для советского человека поездка за границу – это само по себе уже событие. Разные люди переживают его по-разному. Вася Шукшин за границей вообще не мог жить, пил бесконечно и думал лишь о том, как бы скорее вернуться. У меня все было наоборот: каждый раз на родину я приезжал с ощущением, что больше уже никогда не вырвусь. Окажусь ли когда-нибудь там, где побывал? Хотелось как можно больше взять с собой. Это желание возникло у меня сразу же после первой поездки на Запад – желание быть частью мира, а не только России. Эта недосягаемая, заведомо казавшаяся обреченной мечта давала острое чувство драгоценности каждой минуте – не оттого, что дома плохо, – оттого, что не знаешь, повторится ли еще раз такое.

Необходимость уезжать все время будила горечь, неудовольствие, чувство неполноценности. Отсюда и зависть к загорелому парню в «фольксвагене»: ему не надо завтра садиться в самолет, набив чемодан какими-то дефицитными в отечестве шмотками и подарками – для всех. Для райкома, для выездной комиссии, для бухгалтера киностудии – список бесконечен. Каждому что-то везешь, хоть какой-нибудь брелочек для секретарши. Эти маленькие взяточки им, может, еще дороже, чем мне вся поездка, – у них и возможности хоть куда-то выехать нет. В какую же тусклую жизнь я возвращаюсь!

В Америке я оказывался примерно раз в два года, по разным поводам. Всегда этому сопутствовало ощущение запоя. Помимо того что на самом деле выпивал, все время было перевозбуждение.

Тогда, в 1969-м, Том Лади сказал мне:

– Тебя хочет видеть Милош Форман.

С Милошем Форманом я познакомился в 1965 году в Праге, тогда я только-то и сделал, что «Первого учителя». Милош приехал на «мерседесе», предмете моей зависти и мечты. О чем мечтает режиссер Страны Советов? О нехитрых предметах буржуазной роскоши. О красивой машине, о норковой шубе жене, о том, чтобы включили в делегацию на зарубежный кинофестиваль...

На этот раз мы встретились в «Сосолито», баре, который никогда не забуду. Дымно, играет музыка, огромные деревянные полированные столы-плахи, залитые лаком. Сел Милош, тогда уже перешагнувший эту черту, уже несчастный сладким несчастьем эмигранта. Мы разговаривали о жизни, о Чехословакии, о ненависти к русским и о любви к ним. Мы до сих пор с ним друзья. Но тогда чувство нашей близости ощущалось особенно остро.

Потом мы встретились в Канне в 1979-м. Я был членом жюри, приехал Форман, привез «Волосы». Он сидел на улице, с ним было его окружение. Был молодой Поль Гэтти, внук миллиардера Гэтти, тот самый, которого потом похитили, потребовали за него выкуп и для устрашения отрезали ухо. С ними были какие-то блондинки в черных очках, одна из них – кинозвезда, снимавшаяся в «Волосах».

У Милоша была огромная японская фотокамера. Он снимал меня, своих девушек, всех подряд. Я смотрел на него – Боже мой! Какой он счастливый! Какой свободный! Без комплексов. У него нет Ермаша. Зависть обуревала меня. Хоть я и член жюри, хоть и снимаю «Сибириаду», где могу себе позволить столько, сколько ни одному из моих коллег и не приснится, я все равно по эту сторону несвободы.

Вышел, иду по Круазетт. А по другой стороне идет Ермаш, пиджачок внакидочку, кто-то шестерит рядом, кажется, Шкаликов, начальник зарубежного отдела Госкино. Ермаш увидел меня, поманил пальчиком. И я, член жюри, перебегаю бодрячком через дорогу, широко улыбаюсь министру.

– Ну как дела? Все нормально? – спрашивает Филипп Тимофеевич.

Киваю, киваю, смотрю на него, а в душе фанфары. Я знаю, я уверен – кончу «Сибириаду» и привет! В следующем году хрен ты поманишь меня вот так, пальчиком. Не увидите меня больше. Не удержите.

Как раз во время этого фестиваля французская продюсерша предложила мне написать сценарий по роману ирландской писательницы «Я послала письмо своей любви». Заключили контракт, я сел писать. Сценарий мы делали с Фридрихом Горенштейном. До того я предлагал то же Мережко, Трунину, еще нескольким – все испугались. Сценарий, по секрету от начальства, для заграницы – страшно! Горенштейн не боялся. Для себя он все концы уже отрезал.

Написали сценарий, я кончил «Сибириаду», поехал на лето к семье в Париж.

Писался сценарий для Симоны Синьоре – как режиссер я ей понравился. Мы несколько раз встречались, обедали в ресторане на Иль Сан-Луи – они с Монтаном там жили. Она пила вино, видно было, что пьет она сильно. Подарила мне свою книгу «Ностальгия – это не сейчас» с очень теплой надписью. У нас начались очень доверительные отношения. И вдруг все скисло. Она отказалась сниматься. Я не мог понять, в чем дело. Хороший же сценарий! Хорошая роль для нее! Мой французский продюсер, опустив глаза, пробормотал: «Симоне кто-то сказал, что ты агент КГБ».

Бывает больно, бывает обидно. Но когда ты знаешь, что подозрение тобой никак не заслужено, оно больнее и обиднее в тысячу крат. Никому же ничего не объяснишь. И подозревающие к тому же имели кое-какие основания: из советских (или бывших советских) за границей в то время жили или диссиденты, или агенты КГБ. Практически я был первым нормальным человеком, нормально приехавшим жить за рубеж, не клял Россию, не хвалил ее – просто нашел способ уехать. Кроме себя, могу припомнить только двоих – Спасского и Ашкенази.

Но из-за всех этих подозрений картина с Симоной сорвалась, и мой французский продюсер решил попытать счастья в Америке. Тогда у меня еще был обычный советский загранпаспорт, но впервые я пересекал границу Америки не как член советской делегации, а просто как нормальный человек. Ни у какой выездной комиссии разрешения не спрашивал. И вообще никого не спрашивал, не ставил в известность, не регистрировался в советском консульстве. Я приехал в Голливуд с французами, жил в доме художника-постановщика Тавулариса, работавшего с Копполой, у него обосновалась целая французская колония.

Не знаю почему, но в Калифорнии я себя всегда физически замечательно чувствовал. То ли это из-за солнца, то ли из-за воздуха, то ли из-за психологической настроенности жить здесь. Помню, я взял на кухне сэндвич – ржаной хлеб с помидорами, вышел в трусах из дома на улицу. Солнце светит, зеленый газон, стоят пальмы. Теперь я часто проезжаю мимо этого места в Вест-Голливуде, на улице Хай-Ленд, ведущей прямо к Голливуду – к огромной надписи, за которой и начинается, собственно, территория города снов.

Я сел с сэндвичем на газон и понял: это моя страна. Здесь я буду жить. Было ощущение свободы и пространства. Это ощущение немыслимого пространства и немыслимой свободы каждый раз поражало меня в

Америке. Просторно, как в России. Летишь над Америкой и представляешь, что это могла бы быть Россия – такая же большая, прекрасная страна: и горы, покрытые снегом, и немыслимая тайга, и океан с суровыми большими волнами, и пустыни, и столько еще всего! Шесть часов лету от Нью-Йорка до Сан-Франциско, впечатление огромное. Но одновременно с этим...

В 1988 году мы с Юрой Нагибиным писали сценарий «Рахманинова». Он приехал ко мне на съемки «Гомера и Эдди». Ему было все интересно. Снимал я в штате Орегон. Место красоты удивительной. Океан, скалы, горы, леса стоят, река, обрывы, скалистые берега – очень мощная природа, то же ощущение первозданной дикости и нетронутости, как у нас где-нибудь в Западной Сибири.

Юра приезжал с утра на съемки, брал для опохмелки пивка, сидел нахохлившись в черном пальто на скамеечке. Холодно. По вечерам мы пишем сценарий, днем он свободен. Я снял с ним какой-то кадр, чтобы просто оправдать его присутствие, суточные, которые ему платят. Рядом я снимаю. Ему спокойно, уютно.

– Ты что такой грустный? – спрашиваю я.

Он сидит, смотрит вдаль. Течет река. Мощная, как Енисей. Горы. Красиво.

– Сижу и думаю, – говорит он. – Вот видишь – река? Такая же, как наша. И течет, как у нас. Но она, бл..., беспартийная. Горы стоят, поросшие тайгой, хвоей – беспартийный лес. Видишь, чайка летит над дымом, который из трубы идет. Беспартийная чайка. Понимаешь? И мне так от этого гнусно...

Так он себя чувствовал в 1988 году, когда уже была перестройка и вроде все так переменилось. Но в главном Россия продолжала быть прежней. Красивая страна, но все равно каждая елка в ней партийная...

Все те же ощущения я пережил десятью годами раньше – когда жевал сэндвич на зеленом хайлендском газоне. Системе я уже был неподвластен. Незадолго до этого была пышная премьера «Сибириады» в «Октябре». Ермаш делал все, чтобы меня удержать. Шампанское лилось рекой. «Хочешь снимать «Рахманинова», сейчас запущу», – говорил он. Но в голове у меня было другое. Я думал: «Почему Спасскому можно, а мне нельзя». Хотя знал, что Спасскому за свое законное право жить за рубежом (он тоже был женат на иностранке) пришлось очень сурово повоевать.

Отъезд за границу означал выход из системы. Но за выходом из одной системы последовал вход в другую. Игры с другой системой, другой властью начались в Голливуде. Там не сразу, но пришлось убедиться, что Голливуд – тот же самый ЦК КПСС, только в зеркальном отражении. Голливуд– это собрание хорошо выглядящих или старающихся хорошо выглядеть загорелых, наглаженных, наманикюренных перепуганных людей. Впрочем, о Голливуде позже.

БЮНЮЭЛЬ

Когда началась моя парижская эпопея и Европа перестала быть недосягаемой мечтой, Анри Ланглуа, президент Парижской синематеки, устроил у себя просмотры «Первого учителя». В это время я уже был достаточно известной фигурой во Франции. После огромной статьи Сартра об «Ивановом детстве», после «Андрея Рублева» и «Первого учителя» мной заинтересовались интеллектуалы. Одним из зрителей оказался Анри Картье-Брессон. «Первый учитель» ему очень понравился, и прежде всего своей эстетикой, использованием случайных композиций. Ланглуа познакомил меня с ним.

Представлять Картье-Брессона вряд ли есть необходимость, его фотографии знает весь мир, да и сам он со своей приросшей к руке «леечкой» объездил, и не единожды, весь мир. Кино он очень любил, когда-то работал ассистентом у Ренуара. Мы подружились. Я относился к нему с обожанием. Храню все его книги с дарственными надписями: в один из своих альбомов он даже вклеил оригинал фотографии «В публичном доме», приписал внизу очень симпатичные и дружеские слова.

Как-то разговаривая с ним, я обронил что-то о своей любви к Бюнюэлю.

– Хочешь с ним познакомиться? – спросил он.

Нет надобности описывать мою реакцию. Драматизм ситуации заключался в том, что на следующий день я улетал в Москву, уже были уложены чемоданы.

– Ничего, – сказал он, – я сейчас позвоню.

И тут же набрал номер.

– У меня тут сейчас молодой человек. Он очень хочет с тобой познакомиться. Русский режиссер. Я хочу, чтобы ты с ним встретился.

Бюнюэль назначил в девять тридцать утра. В двенадцать у меня самолет. Со своими неподъемными чемоданами еду на бульвар Распай – хорошо, что это прямо по дороге в Орли. Стоит отель, небольшой, грязный, поднимаюсь на третий этаж, звоню в дверь, открывает небритый, неприветливый тип в пижаме. Квадратный череп, глаза навыкате.

– Я тот самый русский режиссер, – говорю я.

– Ты не похож на русского.

– Но это все-таки я.

– Ладно, проходи.

Чувствую какую-то неловкость. Заявился к человеку с раннего утра, он еще и побриться не успел. А главное, непонятно, о чем говорить.

Идем на кухню. Антураж почти советский – холодильник, плита. Номер вообще почти пустой, мебели очень мало.

Он открывает холодильник.

– Ты какую будешь пить водку? У меня есть русская и польская.

Водка с утра! Ё-моё! Он ставит на стол два стакана, чуть поменьше, чем наши граненые, но тоже вполне вместительные. Мне было все равно, какую пить, – кажется, я выбрал польскую.

– Я предпочитаю «столи́», – сказал он.

Наливает по стакану, чокаемся, он говорит на ломаном русском: «На здоровье», выпивает полстакана. До сих пор вспоминаю тошнотворный вкус водки в полдесятого утра. Я тоже выпил полстакана, быстро захмелел. Говорю о своих впечатлениях от его картин, он безразлично кивает головой. Его интересует, как в Москве, что там у коммунистов, в нем еще живет его республиканское, не остывшее со времен гражданской войны, прошлое.

– Кино снимать можно?

– Можно, только у меня две картины запрещены.

– Понимаю. Но все-таки снимаете кино.

Я рассказываю, какое впечатление произвели на нас с Тарковским образы «Лос Ольвидадос», спрашиваю о сюрреализме, которым мы были увлечены.

– Да. Юность, юность... – говорит Бюнюэль и, хитро взглянув, добавляет: – А вообще реализма нет, есть только сюрреализм.

– В каком смысле?

– А какая разница? Реализм, сюрреализм... Вот яблоко. Ты что видишь?

– Яблоко.

– А еще что?

– Больше ничего.

– Так. Но если посмотреть в микроскоп, будет видно очень много микробов. Понимаешь? Они друг друга едят. Они знают о существовании друг друга, но не знают о твоем существовании, так же как и ты не знаешь о них. Ну может, и знаешь, но на тебя это никак не влияет. Если ты их съешь, они не узнают о том, что ты их съел, они узнают только о том, что оказались в другой флоре, к которой надо приспособляться. Это что, реализм? Или сюрреализм? Что мы видим? Что знаем и представляем? Все – в поведении. В живописи сюрреализм начинается там, где художник изменяет реальность. А кино не изменяет, оно отражает реальность, но отражать ее нужно сюрреалистично.

– Как?

– В поведении.

– У Феллини люди очень часто ведут себя сюрреалистично, – говорю я. – Помните того человека в новелле «Бокаччио», который все время дергает себя за ухо?

– Не помню. Не видел, – говорит он, заметно посмурнев. Ему интересно говорить только о себе.

Я начинаю рассказывать о своей любви к Феллини.

– Помните «8 1/2»? Какой там поразительный кусок, когда герой стреляется под столом! Смотрит в зеркало, залезает под стол и стреляется. Это же полнейшее выражение подсознания!

– Нет, не видел, – мрачно повторяет Бюнюэль.

Я рассказываю ему этот кусок. Говорю о потрясшем меня финале с цирковыми оркестрантами, выходящими все в белом.

– Ничего подобного, – поправляет Бюнюэль (к этому моменту мы выпили еще), – они в цирковых костюмах.

– Так вы ж не видели! – ловлю его на том, что он проболтался. Выходит, все-таки видел.

– Куски какие-то, кажется, видел, – заминает он щекотливый вопрос.

Я вел с ним студенческий разговор, был похож на теленка, резвящегося вокруг матерого буйвола. К этому времени у Бюнюэля уже открылось второе дыхание, он снял «Скромное очарование буржуазии».

...Он наливает еще по полстакана:

– Идем!

Заходим в спальню. Смятая кровать, на ней – старый халат, никакой мебели, на стене – огромный Миро. Такая картина стоит миллиона два долларов. С Миро они дружили. Кажется, на картине была даже дарственная надпись.

– Вот мой любимый художник. Когда мне хочется прогуляться, я беру бутылку виски или водки, сажусь вот на этот диван и смотрю вот на эту картину.

Только спустя время я понял, что он имел в виду. Но в память врезалось: продавленный диванчик, смятая пижама, кровать и над ней – огромный прекрасный Миро. Вот они какие, прогулки сюрреалиста – бесконечные путешествия в мире нерасшифровываемых образов, ошеломляющего цвета, пятен и красок.

Мне давно уже надо ехать. Внизу ждало такси. От стакана водки голова была тяжелой. На самолет «Аэрофлота» я успел.

БРУК

Питер Брук вошел в мою жизнь, когда я прочитал его книгу «Пустое пространство». На нее я ссылался по любому возможному поводу. Она поражала спокойствием, полной открытостью, мужеством говорить без забрала. Очень хотелось увидеть этого человека.

Приехав в Париж, позвонил ему. Вообще-то он говорит по-русски, но мы разговаривали по-французски. Он назначил мне встречу в кафе театра Буф дю Нор. Мелькала мыслишка, что все-таки это Брук, режиссер, первая величина мирового театра, сейчас мы с ним куда-то закатимся, может в хороший ресторан: на свои обедать в ресторане мне не по карману – пообедаем на его.

Встретились на углу в задрипанном парижском кафе. Табаком воняло – хоть нос затыкай. Заказали чай. Надежды на ресторан вмиг истаяли.

Очень хотелось посмотреть, как он работает. «Хорошо, – сказал он, – приходите. У меня через час репетиция начнется».

Так я оказался в театре Брука. Обшарпанные стены, разнокалиберные стулья – двух одинаковых нет. На сцене песок. Артисты сели в кружок, взялись за руки, замолчали. Я открыл от изумления рот: что это? Они просидели так минут пять, просто держась за руки, в кружке. Как мне потом объяснили, Брук пытается вводить артистов в творческое состояние через медитацию, через передачу энергии. Необычен был состав его труппы: французы, американцы, итальянцы, два китайца, и все (кто не французы) играют на каком-то ломаном французском. Было ощущение бродячего театра, семьи циркачей или чего-то в этом роде... Он работал тогда над «Кармен», но пели совсем не по-оперному – вполголоса. На сцене сидели три или четыре музыканта, актеры свои арии негромко напевали и потрясающе играли. Речитативы были важнее самой музыки. Музыка существовала лишь как дополнение к слову. Я был потрясен этим представлением: впервые мне воочию показали, как из оперы можно убрать всю оперность.

Брук – один из тех режиссеров, кто помог понять, как, не тронув текст, сделать его абсолютно театральным и в то же время остаться в пределах грубо земного – во тьме низких истин, не поднимаясь к возвышающему обману. На сцене была реальность, но в то же время это была театральная реальность. Его восьмичасовой спектакль (он шел два вечера) – «Махабхарата» – был чем-то фантастическим по простоте. Брук – один из немногих, кого постмодернизм не коснулся. Основы и первоисточники его театра там, где играют на ситаре, балалайке, гитаре – на инструментах, под которые поет самый простой человек. Он всегда искал в этом кругу. Его театр – это действительно театр наций. Там соединено все. Уже то хотя бы, что китаец может играть у него Отелло, восхищает меня как сказка. И так во всем.

В свои секреты он никого не пускал. Впрочем, может, и секретов никаких не было? Нет, пожалуй, все-таки были. Иначе зачем ассистентка в какой-то момент попросила: «А сейчас вам нужно уйти». Ее словами как бы сам Брук вежливо говорил: «Вот это мы вам показали. А дальше – закрыто. Для всех. Приходите на спектакль».

Конечно, он, как и любой режиссер, диктатор. В его театре – культ Брука. Так, думаю, и должно быть. Так и есть – у Стрелера, Питера Холла, Гарольда Принса.

Он надписал мне свою книжку, а много лет спустя позвонил после премьеры моей парижской «Чайки», сказал: «Это первый Чехов, которого я за последние пятнадцать лет видел». Услышать это от человека, перед которым искренне преклоняюсь, было для меня огромным счастьем.

ЛИВ

Читающим эту книгу, особенно людям меня знающим и, может быть, женщинам, которых я любил, наверное, покажется странным, что я не написал об очень многих, с кем мне было хорошо, интересно, кому я бесконечно благодарен или даже, напротив, на кого держу черный зуб. Действительно, это так. Но я не считаю эту книгу мемуарами: в ней я рассказываю, конечно, о себе, но не только о себе – еще и о других, и потому пишу прежде всего о тех, о ком, как мне кажется, интересно узнать тебе, мой читатель.

В начале 70-х я был целиком поглощен Ингмаром Бергманом. В те годы до нас довольно быстро доходили его последние фильмы – «Персона», «Крики и шепоты». В «Персоне» в паре с Биби Андерсон впервые снялась норвежка – Лив Ульман.

После этой картины, кстати, Бергман разошелся с Биби и женился на Лив Ульман.

Началось все с того, что я, с простуженными легкими, ходил по Ленинграду, температурил, бредил. Мне приснилась Лив Ульман. Я пошел на международный почтамт, сказал:

– Дайте мне телефон Лив Ульман.

Удивились, но позвонили в Осло. Там тоже не нашли телефон.

Я знал, что Ульман играет в Национальном театре, попросил соединить меня с театром. Удивились снова. Как-никак был 1974 год. В 1974-м люди у нас так себя не вели. Меня соединили.

– Мне Лив Ульман, – сказал я.

– Она на репетиции.

У меня захолонуло сердце – значит, дозвонился.

– А когда кончится репетиция?

– Поздно кончится. Звоните завтра.

Советскому человеку, вернее, бывшему советскому, внутри себя уже понимающему, что он не советский, но думающему, что об этом еще никто не знает, свойственно постоянно оглядываться. Помню, в начале 70-х у меня было свидание с Биби Андерсон в Ленинграде. Мы договорились встретиться у почтамта. Сам факт общения с иностранцем, тем более из «капиталистического окружения», в те годы уже был страшным криминалом. Я так боялся слежки, что прошел мимо нее почти как в плохих фильмах, прошептал на ходу: «Иди прямо по этой улице, не поворачивай». Перешел на другую сторону, мы прошли, наверное, километра три по разным сторонам, пока, наконец, не стало меньше народа и я поверил, что за нами не следят. Только после этого я решился подойти к ней, поцеловать руку, заговорить.

...На следующий день снова был на почтамте. Звонил я оттуда по простой причине. Из дома, из гостиницы звонок «просвечен». «Где надо» знают, кто звонил, кому звонил. А с переговорного пункта звонок анонимен, документы не спрашивают, называйся какой хочешь фамилией.

Я опять заказал Осло, Национальный театр, попросил Лив Ульман.

– Это говорит режиссер Кончаловский.

– Очень приятно.

– Хочу с вами встретиться.

Это звучит очень несерьезно, но мне втемяшилось в голову, что, если Лив положит мне руки на голову, это меня вылечит, температура пройдет. Было приятно воображать невероятное, невозможное. И вдруг в телефонной трубке:

– Ну что ж. Приезжайте, поговорим.

Я вернулся в Москву, пытался лечиться, днями должен был ехать в Париж – виза уже была. Пошел в посольство Норвегии, попросил визу в Осло: поскольку французская виза уже стояла, с норвежской проблем не возникло.

Вернулся домой. По-прежнему весь больной, в поту, температура высокая. Отец спрашивает.

– Ты где был?

– В посольстве.

– В каком посольстве?!

– В норвежском.

– Ты что, с ума сошел? Разрешения спросил?

– У кого?

– У Госкино!

– Зачем?

– Ты что о себе думаешь?! Неприятностей захотелось!

Он мне много чего еще сказал обо мне, моей женитьбе на француженке, моем идиотском поведении.

Я прилетел в Осло с температурой, весь мокрый, снял пенал в гостинице, позвонил в театр.

– Приходите на спектакль сегодня вечером, – сказала Лив.

Я купил цветы, пошел в театр. Бред собачий! Я в Осло! Три недели назад, вдрызг больной звонил ей из Ленинграда.

Оставил ей цветы. После спектакля позвонил.

– Я встречусь с вами завтра, – сказала Лив.

Мы встретились.

– Слушаю вас, – говорит она.

– Я болен. Вы можете меня вылечить.

Видимо, она решила, что я сумасшедший. Но из вежливости сказала:

– Я рада, что вы были на моем спектакле.

Я стал говорить ей о ее игре, о своих впечатлениях, о постановке. Она слушала меня с интересом.

– Я просто хотел вас увидеть.

– Как? Просто увидеть?

– Да.

– Я думала, вы – режиссер, у вас ко мне какое-то предложение.

– Нет, никакого предложения. Просто хотел вас увидеть, подержать за руку.

Еще утром позвонил в отделение «Совэкспортфильма», там сидел Реваз Топадзе, красивый грузин, мой соученик по роммовской мастерской. Наверное, он работал в органах. Потом, в перестроечные годы, занялся бизнесом, его убили.

– Нужно, чтобы ты показал «Дядю Ваню».

– Ты что, в Осло?

– Да.

– А почему в посольстве не знают?

– Зачем?

– Ты что! Советский гражданин, приехал в страну. Надо зарегистрироваться. Пошли в посольство, сейчас все оформим.

Мы сходили в посольство, меня зарегистрировали.

– Я хочу, чтобы вы посмотрели «Дядю Ваню», – сказал я Лив.

Она пришла со своей подругой. Посмотрела картину, вышла из зала, стала смотреть на меня уже с большим интересом. Мы пошли в ресторан, я заметил, что она волнуется, ее голубые глаза смотрели мне прямо в душу. Великая актриса, красивая женщина...

– Вы приехали, чтобы подержать меня за руку?

– Да. Я думал, вы меня вылечите.

Она дала мне свою руку.

– Я уезжаю в Стокгольм. Мне надо подписать контракт. Завтра вернусь. Вы не могли бы меня проводить, а завтра встретить на моей машине?

– Пожалуйста, – говорю я.

А мне уже надо быть в Париже. К черту Париж!

Провожаю Лив на ее машине. Потом, больной, катаюсь по городу, плохо соображая, что происходит. На следующий день встречаю ее, по-прежнему больной. Завтра надо лететь в Париж, откладывать больше нельзя. Топадзе сидит в моем номере, не выпускает меня из виду.

Мы поехали к Лив.

– У меня дома мама и дочка, – сказала она. – Сейчас они уже спят.

Лив – человек застенчивый, глубокий, очень цельный.

Сначала мы сидели в столовой, еда была невкусная. Пили много. И вина, и норвежской водки «аквавит». Потом перешли к камину, посидели на диване, спустились на пол.

– Я с тобой спать не буду, – сказала она, глядя в огонь.

– А мне не надо, – сказал я.

Так мы просидели часов до пяти утра, ели, пили водку, смотрели в камин. В семь я простился и поехал в аэропорт.

Там я проболел еще дней десять – за мной ухаживала теща. Дочке было уже четыре года.

Я позвонил Лив, оставил ей свой телефон. С этого момента мы через день перезванивались.

Потом они с Биби Андерсон уехали отдыхать на какие-то острова в Вест-Индию. Зимой все нормальные люди в Европе едут отдыхать куда-нибудь, где потеплее. Она звонила мне в Париж, мы разговаривали часами.

С Биби Андерсон я уже лет пять как был знаком, мы встретились в Москве, подружились. Наверное, они с

Лив, две подруги, отдыхая на островах, обсуждали этого странного русского.

Наши разговоры с Лив потом перешли в переписку, мы стали близкими друзьями.

– Приезжай в Москву, – сказал ей я.

Весной в апреле она приехала. Жила у меня на даче. Я показал ей на «Мосфильме» свои картины.

Дня через четыре – звонок. Из Осло звонила мама Лив, дама строгая, сильно антисоветская.

– Позвони Ингмару, – сказала она.

Лив позвонила. Красная от возбуждения, положила трубку, со слезами стала собирать вещи.

– Ингмар требует, чтобы я немедленно вернулась. Сказал, что, если не вернусь, не будет снимать меня в «Змеином яйце».

Замечательно смотрела она на меня через стол своими детскими голубыми глазами. Такое в них было доверие и недоверие!

Лив – человек очень цельный. Она вынуждена была уехать немедленно, в этот же день – требование Бергмана было ультимативно. Насколько могу судить, человек он очень ревнивый. Они уже тогда расстались, вместе не жили, у него была новая жена, но все равно он крайне ревниво следил за Лив. Говорили, что во время съемок он даже поселил ее в гостинице в номере напротив своего, держал дверь открытой, мог наблюдать, когда она приходит, одна ли приходит.

В это время я уже снимал «Сибириаду». Снималась у меня Наташа Андрейченко, тогда она была вся из себя сибирская – круглолицая, румяная, ядреная. Привел ее ко мне Саша Панкратов-Черный (вторую половину фамилии к своей настоящей в то время он еще не приделал, был просто Панкратов). Саша был моим ассистентом и исполнителем одной из небольших ролей – рабочего-буровика, бывшего уголовника. Я набирал артистов и подумал, что Лив может сыграть Таю.

Где-то весной я поехал в Нью-Йорк подбирать материал для документальных частей «Сибириады». Лив тоже была в это время в Нью-Йорке.

Я жил в страшноватом номере какого-то жуткого отеля (на госкиновские командировочные не разгуляешься), ко мне туда приходила Лив. Позвонили Милошу Форману, встретились с ним. Он из-за чего-то был зол на Лив, все время язвил. После обеда Лив предложила:

– Хочешь, пойдем на концерт. Меня пригласила Ширли Мак-Лейн.

– Как! – Я еле сдержался. – Ширли Мак-Лейн! С ума сойти! Конечно, хочу!

Мы пошли на ее концерт. В это время шла избирательная кампания будущего президента Картера, в зале сидела его мать – по этой причине было полно полиции. Я сидел и смотрел, как смотрит на сцену Лив. Она была в очках, которые редко надевает. Я видел на ее лице удивительную гамму восхищения и зависти. Лив, конечно же, красивая женщина, но в определенном смысле это красота почти юношеской нескладности. В ее фигуре, в манере двигаться есть что-то очаровательно застенчивое, что и создает ее красоту. А Ширли двигалась, как танцовщица, пела одна и с хором, танцевала с кордебалетом – не много на свете актрис с таким редким чувством свободы. У Лив просто ладони потели от зависти. Я впервые наблюдал, как одна великая актриса завидует другой.

Ширли пригласила нас после концерта зайти к ней за кулисы. Мы пошли, меня тут же взяли за шкирку люди из охраны:

– Вы откуда?

Последовала пауза.

– Он со мной, – сказала Лив. Нас пропустили.

В уборной сидела мать Картера, коротко стриженная, старая, седая женщина с большими руками и ногами.

Ширли была потная, возбужденная. У меня с собой

была огромная, грехкилограммовая банка черной икры (удалось протащить ее через таможню).

Лив сказала:

– Давай отдадим ее Ширли.

Банка икры в Америке стоила безумные деньги, порядка четырех тысяч долларов. Там бы их мне хватило на четыре-пять месяцев жизни.

– Вот вам из России.

– А! Спасибо большое. Проходите.

Мы немного посидели у Ширли, потом ушли.

– А ты ей завидуешь, – сказал я Лив. – Тому, как она двигается.

– Да. Но это не обязательно отмечать вслух.

В эти же дни я показал Лив сценарий «Сибириады», она сказала: «С удовольствием снимусь». Боже, как я был рад! Прошло полгода, и она прислала письмо: «К сожалению, не могу сниматься. Очень занята, много дел...» Это меня очень разозлило: я уже всем сказал, что она будет сниматься.

В тот момент я уже монтировал, складывал первую серию.

– Хорошо, – говорю, – сейчас позвоним Ширли МакЛейн.

Нашел ее телефон, позвонил, она подошла.

– Ширли, вы меня помните?

Уже прошел год или полтора.

– Кто это?

– Это из Москвы.

– Из Москвы?

– Да. Андрей Кончаловский. Я был у вас с Лив Ульман, я вам еще икру подарил.

– А, да-да-да...

По голосу чувствую, что ничего не помнит. Какой такой русский? Что за икра?

– Я сейчас снимаю фильм, для вас в нем есть замечательная роль.

На Тайку в юности уже была утверждена Коренева. Они с Ширли очень похожи. Ширли я предлагал играть ту же Тайку спустя двадцать лет. Конечно, с моей стороны это была наглость.

– Большое спасибо за предложение, но я сейчас занята. Пишу книгу.

Оказывается, она еще и книги пишет!

– Очень жаль, – говорю. – До свиданья.

Очень нагло я говорил. Пер, как танк.

Жизнь шла дальше, в 1979-м меня пригласили в жюри Каннского фестиваля. Я позвонил Лив:

– Очень хочу тебя видеть. Давай поедем на Каннский фестиваль, в жюри!

– Когда?

– Через полгода, в мае.

– С удовольствием.

Я тут же перезвонил президенту Каннского фестиваля:

– Вы не хотите пригласить в жюри Лив Ульман?

– А она поедет?

– Поедет.

– Это чудная идея!

Мы встретились в Канне. Это были замечательные дни, но заставить ее по утрам бегать я так и не смог. Сам я уже вовсю занимался спортом, ее эта перспектива никак не увлекала.

РУССКИЙ ЛЮБОВНИК

Времена, когда я сидел с сэндвичем на хайлендском газоне и думал: «Это моя страна», – были радужными. Я приехал с континента, где меня уже признали. В 1979 году я был членом жюри Каннского фестиваля, факт не пустячный – кого ни попадя туда не приглашают. В 1980 году я был реальным претендентом на Гран-при в Канне и имел все основания разозлиться, что «Сибириаде» его не дали.

Франсуаза Саган, бывшая тогда президентом жюри, сказала мне, что подала заявление о выходе из состава жюри, если картина Кончаловского не поделит Гран-при с «Апокалипсисом сегодня» Копполы.

Дело все-таки сумели замять, уговорили ее не поднимать скандал.

Приз поделили Коппола и Шлендорф. Главным мотивом, по которому шло давление на Саган, было то, что нельзя делить Гран-при между двумя супердержавами.

Самое забавное, что Коппола вовсе не считал себя бесспорным лидером фестиваля. Он пригласил меня к себе на яхту, стоявшую в заливе. Мы же друзья. Он был похож на большого продюсера, крестного отца. Дымил сигарой. «Сибириаду» уже посмотрел.

– Ну что же, – сказал Коппола. – Я не против поделить с тобой Гран-при.

Разговор был такой, будто встретились Громыко и Киссинджер, две державы.

Я вспоминаю об этом к тому, чтобы яснее было, как в то время я воспринимал себя в киномире.

К моменту приезда с французскими продюсерами в Америку я уже испытал первые ожоги от соприкосновения с реальностью, но пока еще казалось, что искусство способно смести все преграды. Были бы хорошие идеи, а их у меня, как представлялось, в избытке. И хотя в Америке мой французский проект уже окончательно лопнул, я все еще был полон надежд. Я жил в доме на Хай-Ленд и верил, что сейчас-то и начну строить свою американскую карьеру. Оказалось – не так все просто! Оказалось, обо мне здесь никто ничего не знает. Канн, Венеция, призы, пресса – никто ничего здесь не слыхивал! Кто я? Какие фильмы снял? Приходилось все о себе рассказывать.

Я был полон совковых представлений о Голливуде. Я – известный режиссер. У меня здесь много друзей, знакомых. Сейчас они помогут мне устроиться с работой. Позвонил Милошу Форману.

– Милош, я приехал. Хочу здесь работать. Не мог бы ты написать мне рекомендательное письмо для президента «Парамаунта»? У меня есть для него отличный проект.

– Ну конечно, напишу, – сказал он с какой-то задумчивой неуверенностью. – Почему же нет?

– Ну спасибо, а то мне надо будет к нему идти. С письмом будет надежнее.

«Боже мой! – наверное, думал Милош. – Этот человек еще не представляет, что его ждет!»

Да, я не представлял, что такие письма там ровным счетом ничего не значат, никому они не помогали. И как могло помочь рекомендательное письмо, когда картина стоила пять, восемь, двадцать миллионов долларов!

После месяца безрезультатных хождений и мыканий мне посоветовали:

– Хочешь построить в Голливуде карьеру – обзаведись тремя «А»: аккаунтант – бухгалтером, атторней – адвокатом и эйджент – агентом. Иначе все будет впустую.

Я стал искать адвоката. Адвокат нашелся, согласился меня взять, предложил агента. Агент посмотрел «Сибириаду», тоже согласился. Сейчас он крупный менеджер в Голливуде, в то время активно работал с Ридли Скоттом, сделал с ним «Бегущего по лезвию бритвы», «Чужого». Нашелся и бухгалтер, которому предстояло считать несуществующие деньги.

Я жил по законам «Мосфильма». Мне казалось, что можно слоняться по кабинетам, пить чаи, мило беседовать. Я приходил к агенту, он меня принимал. Мы пили чай.

– Извини, я немного занят, – тактично говорил он.

Я уходил в приемную, сидел там, пил чай, замечал, что на меня как-то странно смотрят секретари и ассистенты: что это за непонятный русский?

Потом я забегал к адвокату на Уилшир-бульвар, говорил о жизни, тоже пил чаек, совсем по-советски. Чаепития мои кончились, когда в конце года пришел счет.

Каждое мое сидение было учтено и подсчитано, за каждое я должен был платить, и немало. Полчасика милых разговоров о том о сем – ни о чем – обходились в пятьдесят, в семьдесят пять долларов. Американцы не понимают, как можно часами пить чаи и прекраснодушно болтать в рабочее время – «время – деньги».

Адвокат Гарри был человеком очень известным, представлял интересы очень серьезных людей – одним словом, типичный преуспевающий американец. Как-то, спустя года три, он пригласил меня позавтракать, мы встретились, он курил, был бодр, подтянут. Рассказывал о том, что сегодня двадцать восемь раз переплыл бассейн, о каких-то соревнованиях. Казалось, он– само воплощение духа Америки. Человек, у которого все в порядке. На следующий день он застрелился.

Бигельман, на которого он работал, вице-президент одной из крупнейших американских кинофирм, заключал контракты со сценаристами, вписывая в их гонорар и «откат» для себя – ему потом его возвращали как взятку. Это дело раскрутило ФБР, в его офисе были поставлены микрофоны, началось следствие, дело закончилось колоссальнейшим скандалом. Гарри в эту историю оказался замешан, поскольку представлял Бигельмана. Когда все раскрылось, ему не оставалось ничего иного, как застрелиться. Он был порядочный человек. Бигельман жив и здоров. Об этом деле много писалось, вышла даже толстая книга – «Неприличное открытие»...

Ко мне относились без всякого интереса. За мной не было ни одной картины, сделавшей «бокс-офис» (кассу) в Америке. Я приходил, рассказывал разные сюжеты. Меня принимали. Обычно со мной разговаривали вице-президенты компаний.

Однажды был устроен ланч. Устроила его Джил Клэйберн, потом снявшаяся у меня в «Стыдливых людях». Она видела «Сибириаду», картина ей очень понравилась. Ее двоюродным братом был Айснер, президент

«Парамаунта». Он пришел на ланч с Катценбергом – две могущественные фигуры в голливудской вселенной.

У меня была идея фильма с ролью для Джил – та очень хотела ее сыграть. Идея, кстати, была придумана еще в Москве. Я стал рассказывать, они улыбались, но посередине рассказа Айснер надел темные очки. Тогда я не понял зачем. Затем, чтобы не слушать меня. Следующая часть рассказа ему была уже не важна, он погрузился в еду. Были сказаны вежливые слова:

– Да, очень интересно. Спасибо. Мы подумаем. Очень приятно было познакомиться.

Обычно, когда хотят избавиться от назойливого посетителя, говорят:

– Мы вам позвоним. Ваш телефон у нас есть.

Переводя на язык родных осин, это значит:

– Идите далеко-далеко...

Помню, как-то вечером я сидел в машине, остановившейся перед светофором. В соседней машине сидел погруженный в свои мысли человек, слегка усталый после дня работы, окна его «линкольна» были закрыты, я смотрел на него, и вдруг мне пришло в голову:

«Боже мой! Наверное, этот человек умеет продавать свой талант. У него «линкольн». Наверное, он сценарист. А может, режиссер. Или, допустим, юрист. Но он умеет продавать свой талант. А я не умею».

Это было для меня откровением. Живя в России, я был нормальным совком, и сама мысль об умении продавать свой талант мне и в голову не приходила. Не отношу запоздалость этого откровения к своему национальному менталитету, в дореволюционные годы русские художники (да и не только они) талант свой продавать умели, знали ему цену – отучила их от заботы об этом советская действительность.

Я ощущал приближение депрессии. Денег не было. Были кое-какие друзья. В Голливуде очень удачливые режиссеры дружат с очень удачливыми режиссерами, менее удачливые – с менее удачливыми, а полные неудачники – только с полными неудачниками: никаких иных друзей у них быть не может.

У меня было несколько друзей, таких же полных неудачников. Мы пили, встречались, устраивали «парти» (вечеринки). Было интересно, весело, по советским меркам роскошно – у всех были дома, виллы, но работы ни у кого не было и перспективы не обнадеживали. В этой компании я встретился с Джерри Шацбергом. Джерри после своего замечательного фильма «Чучело» с Джином Хэкменом и Аль Пачино сделал пару неудачных фильмов – больще с ним уже никто не хотел работать. Был Монти Хеллман, очень интересный режиссер, в свое время открывший Джека Николсона, снимавший многих прославленных звезд. Про него говорили, что он проклятый: его прокляла брошенная жена и с тех пор он не мог получить работу.

Благодаря дружбе с Томом Лади, а через него – с Копполой и сан-францисской киноколонией, у меня был более широкий круг общения. Но с работой по-прежнему не получалось. Я зарабатывал фарцовкой – привозил, каждый раз наведываясь в Москву, две большие трехкилограммовые банки черной икры и продавал ее. Иногда удавалось протащить икру мимо рентгеновских камер, иногда – запастись письмом, что икра нужна для фестивального приема. Шесть кило икры можно было продать за шесть тысяч долларов. Моими клиентами были Милош Форман, Барбра Стрейзанд. Конечно, неудобно было говорить, что это я торгую икрой, – говорил, что вот, приехал приятель, у него есть икра, не надо ли? Иногда отвечали, что три кило – это уж слишком много. «Ну а сколько вы хотите?» – спрашивал я. Фасовал, отвозил. Надо было жить.

В Москву я ездил не часто, но на пять-шесть месяцев мне этих денег хватало. На тысячу долларов в месяц можно было жить – очень скромно, конечно. Я снимал маленькую комнатку, не в Лос-Анджелесе, а за чертой города, ходил в одних и тех же джинсах, купил старую машину. Жить было интересно, я был очень счастливым человеком. Но ощущение замечательной свободы сменялось приступами депрессии. Меня не заботило то, что обо мне говорили в России – предал родину, опозорил высокое звание советского художника. Просто вдруг становилось жутко, что я, имеющий столько идей, умеющий снимать фильмы, сижу без дела. А время шло... Но когда проходило отчаяние – снова возникала надежда.

Мне нравилось калифорнийское солнце, ветер, океан, новые знакомства. Я чувствовал себя таким молодым! Мне было все внове, всему надо было заново учиться – языку, умению себя продавать. Учиться другой жизни. Это давало огромные силы. По натуре я человек любознательный. Учиться мне было интересно. Я жалел, что уехал в сорок три года. Надо бы на десяток лет раньше.

В Голливуде мне первый раз повезло, когда Джон Войт увидел «Сибириаду», ему захотелось, чтобы я написал для него сценарий – точнее, переписал уже имевшийся, гречанки Елены Калейнотис. Его компания заключила со мной контракт на семнадцать тысяч. Это казалось немыслимой суммой. Со мной обращались как с творческим человеком на контракте, поселили в гостинице «Шато Мормон». Об этой гостинице написано во множестве голливудских мемуаров. Там живут в основном звезды богемы. Отель этот построен в 40–50-е годы, похож на мрачную крепость, и как повествует молва, все, кто там жил – от Битлов до Мэрилин Монро, – принимали наркотики.

Отель декадансного стиля, как бы из английского XIX века. При этом еда неважная, обстановка мрачная, моден отель был исключительно благодаря славным именам своих былых постояльцев. У Роберта Де Ниро в «Шато Мормон» был постоянный номер (в нем, кстати, пятью годами позже я снимал сцены «Стыдливых людей»).

В очередной раз я жил как во сне. Сон был не всегда

приятным, иногда очень тяжким, но все равно было ощущение полета. Уже само то, что я сижу в Америке, в «Шато Мормон», пишу сценарий с каким-то странным женоподобным греком, выпадало из какой-либо реальности. Грек был забавный, эксцентричный человек, не знаю, где он сейчас, – возможно, умер от СПИДа вследствие чрезмерной активности по гомосексуальной части. На православную пасху он въехал в греческую церковь на белом коне, завернутый в белую простыню с золоченым терновым венцом на голове – так он намеревался выразить свою любовь к Христу. Соплеменники его порыва не поняли и крепко его поколотили; в понедельник он заявился для продолжения работы весь в синяках.

Сознание, что в Голливуде у меня уже появилась пусть хоть какая-то, но работа, придавало сил. Угнетало, правда, что по-прежнему все неясно с моей гражданской ситуацией. Дадут ли мне паспорт?

Я уже сделал все необходимые в этом направлении шаги. Ранней весной я съездил в Париж, написал в советское посольство, что хочу остаться на Западе и посему прошу выдать мне паспорт на постоянное проживание за рубежом. Как только такой паспорт получу, готов по первому вызову явиться на родину. Очень волновался, отправляясь в посольство, взял с собой адвоката. Мы приехали, я вызвал советника по культуре, сделал ему это заявление.

– Андрей Сергеевич, зачем это вам нужно? Вас ждет Филипп Тимофеевич. Вам хотят дать картину.

– Вы знаете, – сказал я, – боюсь, что все-таки мне не удастся приехать.

– Вас Ермаш приглашает.

– Понимаю, но сейчас никак не могу.

– Ну а на что вы собираетесь жить здесь?

– Это мои проблемы. Я сам их решу.

Советник изменился в лице.

Смысл стоявшего за этими словами был вот какой.

Симис объяснил мне, что под советский закон о монополии внешней торговли подпадают все граждане СССР за исключением постоянно проживающих за рубежом. Этот закон в моем случае имел наиглавнейшее значение, поскольку он распространялся и на торговлю рабочей силой, в том числе и художниками. В соответствии с ним ни один советский художник, проживающий на территории СССР, не имел права на зарубежные контракты. Другое дело, если место его постоянного жительства за пределами Отечества... Вырвавшись на постоянное жительство за рубеж, я избавлялся от подчиненности Ермашу.

Сегодня я порой заглядываю в свои старые записные книжки. Вот запись: «Я просыпаюсь и вспоминаю, что существует Филипп. Его существование портит мне жизнь». Запись, наверное, несправедливая. Он был далеко не худший из управляющих от кинематографа. Просто он часть системы. Это она портит мне жизнь. Пусть он существует там, и система, которой он служит, с ним вместе, а я буду существовать здесь. Отдельно от них. Обойдемся друг без друга.

Сделав заявление в посольстве, я уехал в Америку.

...Я сидел в «Шато Мормон», писал сценарий. Шел проливной весенний дождь. Он продолжался четыре или пять недель. Я жил в том самом номере-домике, где умер от чрезмерной дозы наркотиков Джон Белуччи, замечательный актер – впоследствии его брат Джим снимался у меня в «Гомере и Эдди». Я сидел один, слушал шум проливного дождя. Передо мной лежало письмо от мамы, очень дорогое мне письмо – сегодня оно постоянно со мной:

«Мой дорогой любимый Андрон! Это уже второе в этом месяце письмо. Первое отвозил Саша Вишневский. Получил ли ты его? За эти двадцать дней кое-что прояснилось. Мне, наконец, все же дали визу. Я очень успокоилась. Но поеду только с тобой вместе. Я все-таки очень рада, что писала тебе первое письмо. (Письмо было такое: «Ты Родину не должен продавать!» – *А. К.*) Тебе надо во что бы то ни стало приехать сюда, летом. Надо бы все наладить с «Сибириадой». Сергей Васильевич (уже не помню, кто это: может, какой-то чиновник из ОВИРа. – *А. К.*) сказал, что паспорт ты все-таки получишь и сможешь ездить домой, когда захочешь. Не отрывайся надолго. Это очень опасно. Нельзя жить без Родины. Но об этом я тебе уже писала много. Позвони мне как только приедешь в Париж. У меня за тебя все поджилки трясутся. 27 апреля 1980 года».

Тут же приписка от папы: «Крайне неосмотрительно посылать письмо мне, Ермашу, Сизову через французского дипломата (я написал Сизову и Ермашу, что не вернусь. – *А. К.*), ясно, что все это сфотографировано на всякий случай (Господи, даже если так, какое это имеет значение! – *А. К.*). Письма не переданы, так как ты просил передать их после того, как решишь вопрос в ОВИРе. Фадеев говорит, что основной упор надо делать на сложившиеся семейные обстоятельства. Вообще же Ермаш уже знает очень многое о тебе».

Все происходило очень непросто. Все было скрыто, вроде как нескандально, но...

Я снова ощутил страшную пустоту одиночества – ни мамы, ни родных, ни друзей – никого. Навалилась депрессия, хоть вешайся. Тогда и появилась в моей жизни Ширли Мак-Лейн. Это она вытащила меня из этого состояния. Отношения с ней для меня стали отдушиной, я нырнул в них.

Началось с того, что Джон Войт помог мне устроить просмотр «Сибириады» – просто для того хотя бы, чтобы его голливудские коллеги увидели, на что я способен. Собралось человек тридцать. Дней за десять до просмотра я позвонил Ширли Мак-Лейн.

– Здравствуйте!

– Здравствуйте.

– Это Андрей Кончаловский. Вы, наверное, меня не помните, я вас как-то приглашал сниматься у меня в «Сибириаде».

– Почему же? Помню.

– Не хотите посмотреть картину? Я ее скоро буду показывать.

– Большое спасибо, но, к сожалению, не смогу. Пишу книгу.

– Ну ладно. До свиданья.

Утром в день просмотра я позвонил ей.

– Это Андрей Кончаловский. Сегодня просмотр. Вы не придете?

– Приду.

Это было неожиданно, как удар грома.

Бывают в Лос-Анджелесе влажные дождливые дни, как небо затянет, так на неделю. Я стою в дверях просмотрового зала. Проезжает машина, потом подает назад. Спускаюсь встретить, в машине Ширли.

– Тут будет просмотр русской картины?

– Да. Я – режиссер.

– Я знаю.

Пустили проекцию, смотрели замечательно, в зале было много интересных людей. Роль, которую я предлагал Ширли, в картине сыграла Гурченко– сыграла прекрасно, другой такой роли, думаю, у нее больше не было. Когда Ширли увидела юную Тайку – Кореневу, она просто со стула упала от смеха – настолько поражена была сходством.

После просмотра большой компанией собрались идти в ресторан.

– Ширли, пойдемте с нами!

– К сожалению, я занята.

– Я к вам позже подойду, – сказал я остальным. – Мы тут поговорим немного.

Мы проговорили полтора часа, не выходя из зала. Курили (в тот вечер я закурил, хотя уже задолго до этого бросил). Когда Ширли чем-то увлечена, об этом может говорить часами. Уже потом, живя с ней, я не мог выносить ее привычку, уходя из гостей, стоять в коридоре минут по сорок. Уходи или сиди в комнате, чего у двери стоять!

Домой я вернулся абсолютно обалдевший – от общения с ней, от ее вопросов о России. Оказалось, она неплохо осведомлена о нас, по взглядам – левая либералка. Забавно, но мы могли познакомиться за пятнадцать лет до этой встречи.

Когда я впервые приехал в Америку в 1969 году с «Первым учителем», мне устроили просмотр в академии, пришел Уоррен Битти, молодой, красивый, в широкополой шляпе, брюки клеш. Я ничего о нем не знал, «Бонни и Клайд» тогда еще не видел. Ему очень хотелось с советскими познакомиться. Он спросил:

– Вы чего-нибудь хотите?

– Хочу искупаться.

Я мечтал искупаться в океане, думал: Лос-Анджелес, рядом Мексика, Тихий океан, тепло...

– В океане купаться как-то не очень...

– Нет, мне хочется в океане.

Он привез меня и мою переводчицу на пляж, в Санта-Монику. Потом, бегая каждое утро по этому пляжу, я часто вспоминал тот день: туман, Уоррен Битти в огромной красной машине...

– Что, правда будете купаться?

– Ну да, буду, очень хочу искупаться.

– Но можно же искупаться в бассейне.

– Где?

– У моей сестры. Можем сейчас же к ней поехать.

– Нет, в бассейне не хочу.

Я тогда и понятия не имел, что речь идет о бассейне в доме Ширли Мак-Лейн, что она – сестра Уоррена Битти и что оба они одинаково сдвинуты на социалистических идеях...

Марианна Вертинская

Весна. Тверской бульвар. Марианна Вертинская.
А я и не знал, что нас снимают

С Наташей

Наташа Аринбасарова и Настя Вертинская. Когда невестки стали ссориться, мама их вызвала и сказала: «Если вы мне поссорите моих сыновей, я вас прокляну»

Егорушка, мой сын, единственный мальчик

Сцена, не вошедшая в «Асю Клячину».
Я хотел сделать что-то в стиле лубочного сюрреализма

Маша Мериль, русская княжна, по-русски ни слова.
О ней — «Дворянское гнездо»

Моя французская жена Вивиан
до того, как она испытала счастье узнать Россию, и меня в частности

А это та же Вивиан
после того, как узнала и Россию и меня

Съемки «Дворянского гнезда»
начинались со стакана коньяка каждое утро.
Как снимать фильм, я совершенно не знал

Джина Лоллобриджида и Альберто Моравиа. Моравиа тогда написал знаменитый роман, «Я и он», «Мио и люи», построенный как диалог мужчины и его пениса: что бы герой ни предлагал, пенис это всегда отвергает, и все равно герой неизменно поступает не так, как хочет сам, а так, как хочет его пенис. «Андрей! Я и он (без кавычек)» – написала на фотографии Джина.
Моравиа ограничился просто автографом

«Андрею, с большой симпатией и уважением».
Микеланджело Антониони

Лив

Снимок 1974-го, мы на фестивале в Карловых Варах. На обороте:
«Филипп Тимофеевич, вы помните «чудное мгновенье»?» – «Хочу забыть». Подписано: Ф. Ермаш.
«Чудное мгновенье» – это когда он поздравлял меня после просмотра «Аси Клячиной», хвалил, говорил: «Насколько эта картина лучше, добрее, гуманнее, поэтичнее «Первого учителя». Поздравляю».
Ермаш тогда заведовал сектором кино в ЦК КПСС.
Через три недели картину запретили

С Ширли договорились на следующий день пообедать вместе. Пошли во французский ресторан на Сансет-бульвар. Денег в карманах было в обрез, не знал, хватит ли. Платить должен был я, иного себе не представлял.

Этот французский ресторан я уже знал: однажды мы там с Элтоном Джоном пытались перепить друг друга – куражились. Нас познакомил Джон Войт. Элтону Джону было интересно со мной познакомиться – с единственным русским во всем Голливуде.

После обеда мы с Ширли долго гуляли, шутили, было очень весело. Говорили о переселении душ и прочем подобном – она всем этим очень интересуется. Есть лица, которые по необъяснимым причинам кажутся родными, другие точно так же необъяснимо кажутся чужими. Лицо Ширли изначально мне было родным.

– Приезжайте ко мне на дачу в Малибу. Посидим на пляже, – сказала она.

– Когда?

– Завтра.

Назавтра была суббота.

– Хорошо. Тогда я возьму с собой кеды, хочу побегать.

– Конечно.

Малибу – артистическая колония на берегу океана, севернее Лос-Анджелеса. Здесь живут все звезды. Красиво звучит – Малибу! Есть ликер с таким названием – «Малибу».

У Ширли скромный, хотя и довольно большой дом на океане. Старый. Не очень ухоженный. Она предложила мне остаться ночевать. На следующий день, когда я собрался уезжать, она сказала:

– Не хочешь попробовать жить вместе?

Вот момент, когда трудно описать испытанное ощущение. Что это? Шок? Обрыв? Падение? Ширли МакЛейн! Она мне очень нравилась – просто как женщина, даже если вдруг забыть, что она великая актриса. Я не долго думал.

– Почему же не попробовать?

С этого момента мы стали жить вместе. Как муж и жена. Мне надо было повсюду сопровождать ее, она очень много ездила. К тому времени я закончил сценарий для Джона Войта, и тот пытался найти деньги на его постановку. Это было нелегко. Я снова стал безработным.

Вокруг каждой звезды существует какое-то число людей, при ней пасущихся и кормящихся. Я как бы попал в ту же когорту, чем вызвал неприязнь к себе ее окружения. Вроде как бы появился новый человек, посягающий на их кусок.

В это время я выпивал каждый день – от возбуждения и оттого, что возбуждение надо было погасить. Я вел себя, как русский любовник. Часто ревновал Ширли, особенно когда выпивал. Ее это веселило. Она – человек по натуре очень независимый, всю жизнь была независима, она – американка, независимость в природе американцев.

В своих воспоминаниях она очень много написала, что такое Россия. Россия ей открывалась через меня.

По натуре я тоже человек независимый, устраивать через Ширли свою карьеру мне и в голову не приходило, я и сам себя считал звездой, хотя было ясно, что в Америке я никто.

И вдруг я погружаюсь в совершенно другой мир. С кем только я не обедал, с кем не общался! Фрэнк Синатра, Бинг Кросби, Дин Мартин, Михаил Барышников, Барбра Стрейзанд, Калвин Клайн (сейчас чуть ли не на всех московских улицах висит реклама его знаменитых джинсов), Лари Хэгмен (мистер Джей Ар, известный всей Америке по «Династии» – знаменитому сериалу из жизни нефтепромышленников), пианист Либераччи. Это был другой круг – элита, собиравшаяся на премьеры и приемы. Особенное впечатление производили звезды 40–50-х. Джин Келли, замечательный танцор, настоящий джентльмен, степенный, старомодный, элегантный, он очень красиво ухаживал за женщинами. Кэри

Грант. Все они говорили на бостонском английском, одевались консервативно, ездили на «роллс-ройсах». Стареющие звезды, слава 50-х...

Очень странное ощущение – вдруг попасть, да еще из отчаяния безработицы, в жизнь американской суперзвезды, разглядывать окружающий мир уже изнутри этой жизни. Полагаю, не менее странное впечатление производил я на моих новых знакомых – какой-то русский режиссер, про которого Ширли говорила, что он очень талантлив. «Если бы вы видели его картины!» Никто, конечно, ни одной не видел. Да и вообще Россия почти для всех них была чем-то крайне непонятным, далеким.

Я пытался работать. Писал для Ширли сценарий, получалось интересно, с отличной для нее ролью. Она выступала по всей Америке. Мы много раз ездили в Нью-Йорк, жили в Лас-Вегасе, в Неваде, на озере Тахо. Почти каждый вечер я ходил на ее шоу. Приятно было сидеть в самой лучшей ложе, с ледяным мартини в руке, слушать ее пение.

– А теперь я пою, – каждый раз непременно говорила она, – для моего сладкого медведя.

Никто в зале не знал, что речь обо мне.

Странно было после идеологического отдела ЦК, после Ермаша и Романова оказаться в эпицентре шоу-бизнеса, в Лас-Вегасе, видеть гангстеров, подъезжающих к казино на шикарных лимузинах под охраной полицейских машин с мигалками. Все казалось сном, так в жизни не бывает. Сон был и неожиданным, и интересным. Так и подмывало себя ущипнуть: «Я это или не я?»

Мы приехали с Ширли в Париж на свидание с мамой. Ее после моего отъезда долго никуда не выпускали. Она стала невыездной. В конце концов по ходатайству отца дали визу, чтобы она уговорила меня вернуться.

– Знаешь, – сказала она при встрече, – я не буду тебя уговаривать. Ты должен жить так, как тебе хочется. Слава Богу, что мне позволили с тобой встретиться.

Советским послом во Франции тогда был Червоненко, он говорил маме:

– Хорошо бы вы на него повлияли. Что здесь Андрею делать? Он не работает. Мы ему тут же дадим работу.

«Вернуться? – думал я. – Успеется! Вернусь, если подопрет уже так, что захочется стать на колени посреди Красной площади, разорвать на груди рубаху и закричать: «Виноват, бл..! Простите!» Обратный билет у меня пока еще есть».

Мама, наверное, ревновала меня к Ширли. Помню, когда мы собрались куда-то ехать вместе, она сделала так, чтобы Ширли опоздала на поезд, сказала ей не то время отправления, не то направление.

Ей очень хотелось быть со мной вдвоем, только вдвоем...

Снимать в Голливуде кино по-прежнему не получалось. Я преподавал в университете Пепердайн, зарабатывал какие-то гроши.

Заработанное тратил на обеды с Ширли. Когда мы шли в ресторан, платил я. Кто-то потом написал, что я жил на ее содержании. Ладно! Мне-то лучше знать, как на самом деле было. Я не так воспитан. Я – мачо (мексиканское слово, значащее «мужчина»), на Востоке мы все – мачо, мы платим за женщину. Для нас это нормально, естественно. Ширли знала, что денег у меня нет. Но ей было очень приятно, что плачу я. Как бы то ни было, безденежье угнетало, злило.

Я смотрел, как работает Ширли, и не мог не восхищаться ею. Видел ее стертые до крови ноги, видел, сколько вложено в каждое ее шоу труда, сил души. Она работала с двух до десяти – ежедневно. Потрясающая работоспособность!

Я еще не освоился с языком, преподавал на ломаном английском, но было смешно и весело. Все казалось прекрасно, ничего плохого не могу вспомнить. Словно бы все это происходит не со мной, все это – в сказке. К нам приходили гости, первые звездные имена Америки. Но кто я был для них? Любовник Ширли, жиголо. Красивый, симпатичный русский. «Стар-факер», есть такое ходовое в Голливуде слово, в русском переводе достаточно грубое, да и по-английски не слишком уважительное. Кто и что там знал обо мне, кроме того, что я сплю с Ширли? Американцы считали, что с ее помощью я пытаюсь сделать себе карьеру. Долгое время я не задумывался, как воспринимаюсь со стороны. Для Ширли я был просто человек, но я же помимо всего и режиссер, у меня свое имя, своя судьба, свой путь.

Бесконечно это продолжаться не могло. Я сказал Ширли, что с меня хватит.

Попав в первый раз, в 1969-м, в Калифорнию, я знал, что это мой мир, мой рай, что я там буду жить. В голливудских домах особый полусладкий запах – запах влаги, прелых, много раз промокавших и высыхавших ковров, пропитанного океанской водой дерева, сырого песка, смога, выхлопных газов и цветов. Запах Голливуда. Я очень люблю солнце, океан. Конечно же, это рай.

И вдруг все стало чужим, ненужным. Стало безумно страшно, что не увижу Москвы, мамы, близких мне людей, живших во мне все это время. Мне было очень плохо. Слезы вдруг подступили к горлу.

Ширли очень верит в реинкарнацию, вокруг нее постоянно были ясновидящие, медиумы, устраивались культовые собрания.

Легкость, с которой Ширли приняла решение жить со мной, как я потом узнал, объяснялась тем, что какой-то ясновидящий сказал ей, что в этот день она встретит человека своей жизни. Приехав на мой просмотр, она уже знала, что мы будем вместе. Она и до сих пор убеждена, что человек ее жизни – я, мы реинкарнация двух существ, любивших друг друга в своих прежних воплощениях.

Однажды мы стояли под душем, на нас лилась вода, Ширли стала говорить о реинкарнации, я смотрел на ее лицо и вдруг всем существом ощутил, что эту женщину знаю много сотен лет. Ее лицо давно преследовало меня. Мне всегда нравились женщины такого типа: рыжие, широкоскулые – Коренева, Гурченко, Маша Мериль, которую называли французской Ширли Мак-Лейн. У меня ее фотография – вылитая Ширли.

В тот миг, когда мы стояли под душем, меня абсолютно, до мурашек, до дрожи пронзило это чувство нашего давнего безусловного родства. Это было состояние высокой энергетики, потрясение, которого никогда не забуду.

С собой у меня были две очень дорогие мне вещи – старая Библия и иконка, которую дала мне с собой мама. Уходя, я сказал:

– Самые дорогие мои вещи оставляю тебе.

Совсем недавно я позвонил Ширли.

– Ширли, у тебя сохранилась мамина иконка? Можешь мне ее вернуть?

– Конечно. Она у меня. Обязательно тебе ее отдам.

Пятнадцать лет спустя иконка вернулась ко мне.

А тогда я взял чемодан и ушел на улицу. В кармане было пусто.

НАСТАСЬЯ

Я по-прежнему сидел без работы, кое-как зарабатывал преподаванием. Стать снова режиссером мне помогла Настасья Кински. Ее звезда только всходила. Она любила мои картины, видела «Сибириаду», к тому времени уже снялась в «Тэсс». Мне предложили с ней сделать спектакль, «Чайку» (потом в спектакле Заречную сыграла Жюльет Бинош).

В Лос-Анджелесе мы как-то договорились встретиться. Помню, как я шел на это свидание в ее модный отель «Шангри-Ла» в Санта-Монике. У отеля стояли дорогие машины. «Как только сниму картину, – думал я, – сразу куплю себе новый автомобиль, вот вроде этого». Моя старенькая «тойота», которую подарил мне мой приятель, сценарист Дэвид Милч, сломалась.

Дэвид Милч – фигура, заслуживающая отдельного рассказа – яркая личность, сценарист, создатель самых популярных телесериалов, таких, как «Хилл-стрит блюз» и «Нью-Йоркский полицейский», специалист по Достоевскому и сам игрок.

Я хотел немножко поухаживать за Кински. Из этого ничего не получилось. Однажды я обнял ее, это было на океане. Подошел сзади и обнял, это длилось всего секунд пять, но их хватило, чтобы почувствовать, что ничего не получится. Биотоки у нас, наверное, разные. Но отношения сложились очень хорошие.

В пору нашей встречи в отеле «Шангри-Ла» я был нищим, в кошельке – стодолларовая бумажка, и все. Прикинул. Ста долларов на обед с Кински вроде хватает, мы пошли в ресторан. Глядя в меню, озабоченно гадал: «Что она закажет?» Такие тогда были у меня веселые времена...

Разговор зашел о спектакле, который мы будем вместе делать.

– Ты когда-нибудь снимешь со мной картину? – спросила она.

– Ну конечно, сниму.

– Когда? Когда я уже состарюсь?

– Пока у меня нет никаких идей для фильма с тобой.

За годы безработицы я написал несколько сценариев, которые никак не мог пристроить. Среди них была и «Река Потудань» по Андрею Платонову. Экранизировать этот рассказ я задумал очень давно, еще в середине 60-х. Первый раз, когда возникла эта идея, я предложил ее Юрию Клепикову, сценаристу «Аси Клячиной». Помню, как сейчас, мы идем по нынешней Поварской, тогдашней Воровского, мимо Союза писателей.

– Вот если бы можно было снять «Реку Потудань»! – говорю я. – Не разрешат же никогда в жизни!

Пятнадцать лет спустя идея эта стала сценарием, который я написал с Жераром Брашем, классиком французского кино, автором «Тэсс», «Битвы за огонь», сценариев французских картин Иоселиани. Писался сценарий для Изабель Аджани, она согласилась сниматься, но не дали денег. Все из-за слуха, что я – агент КГБ.

– Вообще-то, – говорю я Кински, – у меня есть сценарий. Но я писал его не для тебя.

– Расскажи.

Я рассказал.

– Я хочу это играть! – Она просто с ума сошла, так он ей понравился.

– Но это не для тебя. Я писал для Изабель, – говорю я.

– А я не смогу сыграть? – обиделась она.

– Нет, ты, конечно, можешь...

Буквально в эти дни появился «Тайм» с ее портретом на обложке, это было пропуском в карьеру, признанием статуса мировой звезды.

Мы поехали в Канн продавать сюжет, меня свели с продюсером Менахемом Голаном, он назначил мне свидание у себя в номере. В восемь утра я пришел к нему, он сидел в трусах, брился в ванной. За десять минут я выложил весь сюжет, попутно изобразив в лицах душевные страдания героев – играл за всех. Не дослушав до конца, Менахем сказал:

– Идите вниз и подписывайте контракт.

Случилось немыслимое! Единственное условие, им поставленное, – перенести действие из Югославии, где я собирался снимать, в Америку.

– Идите, подумайте, выпейте кофе. Если согласны, я подписываю.

Я пошел вниз. Не хотел даже думать – готов был переделать что угодно на что угодно. Три года без работы! Единственная мысль была: «Боже! Куплю себе приличный автомобиль!» Без колес в Лос-Анджелесе туго – общественного транспорта, как такового, там вообще нет.

СНИМАЮ АМЕРИКАНСКОЕ КИНО

То, что Кински захотела играть роль в картине, способствовало созданию так называемого пэкеджа, то есть пакета – сценарий, режиссер, актриса. Вскоре пакет пополнился Джоном Сэвиджем, очень известным актером, он играл в «Волосах» Милоша Формана, в «Охотнике на оленей» Майкла Чимино. Сэвидж прочитал сценарий и очень захотел сниматься. Затем добавился Берт Ланкастер, ему понравилась роль отца героя. Проект обретал все более реальный вес. Впоследствии Ланкастер сниматься не смог – ему сделали операцию на сердце. Вместо него сыграл Роберт Митчум, тоже звезда первого разряда, что-то вроде американского Крючкова, он снялся в ста фильмах, в том числе и в «Дочери Района» и «Крыльях войны», красивый седой лев. Потом появился Кит Кэродин. Есть такая знаменитая актерская семья: отец, Джон Кэродин, снимавшийся еще в «Дилижансе» Джона Форда, и три его сына, все актеры. Старший играл у Бергмана в «Змеином яйце», в «Кунфу», Кит получил «Оскара» за исполнение роли певца и песню в «Нэшвилле» Роберта Олтмена.

Продюсировала «Возлюбленных Марии» компания «Кэннон», Менахем Голан владел ею вместе со своим кузеном Йорамом Глобусом.

«Возлюбленные Марии» имели небольшой бюджет – 2 миллиона 800 тысяч долларов. В то время средняя картина в США стоила от пяти до семи миллионов. Дорогие – больше пятнадцати. «Тутси» стоила 22 миллиона.

Деньги на картины не обязательно идут от главных голливудских компаний. Происхождение их может быть самое разное – и от лас-вегасского игорного бизнеса, и от мафии, и от нефтяных компаний. Но уж когда тратишь деньги мафии, то ответственность тут особая – люди там серьезные, шуток не понимают.

Рассказывали занятную байку про то, как Коппола снимал «Коттон-клаб» на деньги мафии. Это фильм о джазовых музыкантах, о временах сухого закона, о мафии. Согласился он на эту постановку, потому что фильму дали очень большой бюджет – 44 миллиона. Отношения с продюсером складывались неважно, обещанный аванс ему не заплатили.

– Ладно, – сказал Коппола. – Вы мне не платите – я не выйду на съемку.

В тот же день вблизи отеля рядом с ним остановился лимузин.

– Вы Коппола?

– Да.

– Я ваш большой поклонник. Сядьте, пожалуйста, ко мне в машину. Вы просто не представляете, как я люблю ваши фильмы! Какая замечательная сцена у вас в «Крестном отце», когда Майкла везут через Бруклинский мост на свидание с полицейским! Классная сцена!

Он доверительно нагнулся к Фрэнсису и, глядя в глаза, проговорил:

– Должен вам сказать, что, если сегодня после трех часов вы не появитесь на съемке, ночью вас сбросят с этого самого моста. Имейте в виду.

Через два часа Коппола был на площадке. 44 миллиона из Лас-Вегаса – штука серьезная. Мафия знает, как работать. Шутки с ней плохи...

Каждый съемочный день «Коттон-клаба» стоил 85 тысяч долларов. У меня на «Возлюбленных Марии» – 30 тысяч. Когда я закончил съемки на два дня раньше срока, мои продюсеры были сильно удивлены. Они, как и все в Голливуде, считали, что в России деньги никто считать не умеет...

Стратегия кинокомпаний может строиться на разных принципах. Независимая кинокомпания знает, что с низким бюджетом меньше риска, режиссеру тут больше возможностей для художественного поиска. Хозяева «Кэннона» надеялись, что при таком сценарии и режиссере с репутацией звезды пойдут сниматься и за небольшие деньги. И со звездами, как выяснилось, можно снимать низкобюджетные картины.

Монтажницей у меня работала дочь режиссера Алана Пакулы, практиканткой – дочь писателя Уильяма Стайрона.

На «Возлюбленных Марии» я работал так, как до этого никогда в жизни не работал. В Америке умеют выжимать из людей все, досуха.

Группа работала шесть дней в неделю, я – семь. Рабочий день группы – двенадцать часов, ни о каких опозданиях не может быть и речи. Вылететь со студии проще простого: не хотите работать – придет другой. До свидания. Двенадцать часов – это у группы, у меня – пятнадцать, три часа на репетиции, на отсмотр материала. Напряжение непередаваемое. Как в профессиональном боксе. Словно только что поднялся из нокдауна. Какие-то люди кричат в лицо, машут полотенцем. Давай! Гони дальше! За сорок два дня сложная актерски картина, с массовкой, да к тому же еще действие происходит в 1945-м, автомобили, костюмы, реквизит – все должно было быть из того времени. По замыслу это чем-то должно было быть похоже на «Последний сеанс» Питера Богдановича, только изображение не чернобелое, а слегка цветное.

Я снимал в трогательном маленьком городке, недалеко от Питтсбурга, штат Пенсильвания. Хотя я и перенес действие в Америку, как обещал Голану, но героями все равно сделал югославов. В Америке много разных национальных общин – итальянцев, китайцев. Сербов сразу распознаешь по знакомой мелодике славянской речи, по песням. У меня в первый день съемок по случаю их начала был замечательный обед – сербы пели, танцевали, выглядело все, как в нормальной столовке где-нибудь на Украине – железные стулья, водка рекой. Том Лади, спустя два дня приехавший ко мне, сказал:

– Не ожидал, что ты посреди Америки устроишь себе Россию. Вылитая «Ася Клячина».

ЕВРЕИ, ПРИНОСЯЩИЕ ПЛОХИЕ НОВОСТИ

В Голливуде сложнейшие правила игры, постигать их нужно годами. Мне это долго не давалось. Конечно, решают все личные контакты, взаимоотношения с людьми. Нужно быть на виду, пить не водку, а минеральную воду, улыбаться, тереться на приемах, чтобы когда-то наконец-то добиться того, к чему вы стремитесь. Я-то думал, что все решает художественный замысел, который вы предлагаете. Оказалось, зависит от него самая малая часть успеха.

В Голливуд я попал благодаря аутсайдерам. Сначала это был Джон Войт, артист замечательный, но, прямо скажем, не голливудская личность, по правилам Голливуда он не живет. У него был контракт с «Коламбией».

Менахем Голан и Йорам Глобус тоже были аутсайдерами империи грез. Их дуэт вспоминаю сейчас даже с некоторым чувством ностальгии. Это были мощные пробивные парни. Начали с фильмов в Израиле, потом основали крутую американскую компанию, делавшую восемь–десять фильмов в год. На родине их сильно не любили, в Америке называли «бед ньюс джюс» – «евреи, приносящие плохие новости». В те времена, когда я с ними познакомился, они стремительно росли, набирали мощь, приобрели сеть кинотеатров в Лондоне, собирались даже покупать студию.

В профессиональном кругу к ним относились пренебрежительно, называли шлокмайстерами – делателями дряни. Они действительно гнали поток коммерческой макулатуры, фильмов серии «Б». Скажем, если имел успех «Отряд» Оливера Стоуна, шесть «Оскаров» и боксофис, они немедленно запускали «Командир отряда»; если имел успех «Терминатор», они тут же делали «Экстерминатор». Все как в фильмах-оригиналах, кроме качества – оно было ниже критики. Если случалось какое-то нашумевшее событие, они тут же хватались за этот документальный сюжет. Обходятся такие картины недорого, совсем не обязательно выходить с ними на американский рынок. В Америке – двести миллионов зрителей, в мире – два миллиарда. Продажа куда-нибудь в Латинскую Америку или в Африку все окупит.

Но при всем том о Голане–Глобусе можно сказать много доброго. Они принимали решения быстро, и решения эти нередко были очень стоящие. Делали они не только дрянь. Они дали возможность снять первую американскую картину Барбэ Шредеру, который сейчас заметная величина в Голливуде. Правда, запуск его они долго мурыжили – права купили, а картину делать не торопились. После семи месяцев ожидания Барбэ сказал:

– Не хотите запускать картину – верните права.

– Нет, нет, еще подождите.

– Ждать не буду. Завтра я приду к вам с журналистом, на ваших глазах отрежу себе палец и брошу его вам в лицо.

Шредер – швейцарский немец. Со свойственной немцам пунктуальностью он явился, принес скальпель, новокаин, шприц, разложил инструменты на салфетке в приемной у Голана. Фотограф с аппаратом был тут же. Барбэ посмотрел на часы: без четверти час.

– Через пятнадцать минут, ровно в час, – сказал он, – я сделаю себе новокаиновую блокаду, потом буду резать палец.

– Что происходит?! –закричал Менахем секретарше.– Почему они здесь? Что они делают?!

Картину пришлось запустить.

Менахем любил громкие скандалы, эффекты на публику. Из-за этого со многими он поругался. Они договорились с Дастином Хоффманом, что тот будет у них сниматься, – условие при этом было одно:

– Ни один человек в мире не должен знать об этом, пока я не начну у вас сниматься.

Что и было зафиксировано в контракте. Но Менахем со свойственным ему нетерпением в следующем же номере журнала «Голливуд репортер» поместил огромную собственную фотографию и огромную фотографию Хоффмана с подписью: «Добро пожаловать в семью «Кэннон». Контракт тут же рухнул. Подобных случаев была масса. Менахем просто в силу своей натуры, а по знаку Зодиака он Лев, не в состоянии сдерживать свои эмоциональные порывы.

Голан и Глобус дали снять фильм Ивану Пассеру, дали возможность дебютировать в режиссуре классику американской литературы Норману Майлеру – экранизировать свой роман «Крутые ребята носят только черное». Это был его первый и единственый фильм.

Немало нынешних голливудских звезд начинало у них свое восхождение. Шэрон Стоун впервые появилась на экране в картинах «Кэннона», снималась тогда за копейки, никто не интересовался, есть ли у нее какие-нибудь актерские способности – видели в ней просто красивую шиксу (шикса – еврейское слово, в Голливуде им называют содержанок, почему-то, как правило, крашеных блондинок). Менахем, как и большинство голливудских продюсеров его возраста, блондинок обожал. Забавно было видеть его где-нибудь на фестивале. Рядом с ним сидела его очаровательная очкастая жена с четырьмя их дочерями. А где-то там в кулуарах ходила на высоких каблуках очередная грудастая блондинка, которой он обещал роль в своем очередном фильме. Феллиниевский образ!

В «Кэнноне» снималась Кэтрин Хепберн, Фэй Данавэй, Роджер Мур, Брук Шилдс; Чак Норрис в пяти картинах, Сталлоне снялся в «Хэндрестлинге», картине вопиюще бесхудожественной. Кассаветис для них снял картину.

Широко известна история про контракт Менахема с Годаром на постановку «Короля Лира». Контракт был написан на бумажной салфетке, и не на пустяковую сумму – миллион долларов. Миллион Годар взял, картину так и не снял. Какие-то съемки были, снимался

Вуди Аллен, еще какие-то звезды, но до конца и близко не дошло.

Менахем запускал проекты быстро, легко, решительно, у меня с ним никаких проблем не было. Я снимал, как хотел. Платили они мне немного, но взамен давали редкую в Голливуде свободу. Менахем любил кино: деньги он тоже любил, но кино, в отличие от многих иных в Голливуде, любил не меньше. «Кэннон» была компания веселая, бойкая, ее хозяева больше походили на израильских герилл, ребят с автоматами, чем на серьезных деловых людей. У них был захватывающе воинственный дух. Их не любили в Голливуде, в Европе – Париже, Лондоне. В них видели выскочек.

Сколько злых слов было написано про мои картины только потому (убежден в том), что они сделаны в «Кэнноне». Сними я их в любой другой компании, такого бы не было.

Я чувствовал неприязненность отношения к ним. Помню, когда вышел «Поезд-беглец» и получил три номинации на «Оскара», Менахем сказал:

– Вот увидишь, «Оскары» будут наши. Джон Войт точно получит.

– Поспорим, что не получит. – Я был уверен, и именно из-за того, что он снялся в «Кэнноне», у каких-то нуворишей, проходимцев из Израиля.

– Спорим на тысячу долларов. Ты эту тысячу отдашь мне однодолларовыми купюрами, я ими оклею стену за собой в кабинете, буду всем говорить, что это Кончаловский мне проиграл. Мы «Оскара» получим.

«Оскара» мы не получили, тысячу долларов он мне так и не отдал. Когда эта книга выйдет из печати, пошлю ему экземпляр. Пусть вспомнит.

Когда Менахем приехал в первый раз смотреть материал «Возлюбленных Марии», ровно через пять минут он сказал:

– Это фантастика.

Он был в восторге, больше никогда не вмешивался в то, что я делаю. У меня с ним были отношения любви-ненависти, но мое кино он очень любил. Каждый раз, когда я монтировал картину, он заявлял:

– Всё. Картина смонтирована.

– Менахем, это только первая прикидка.

– Спорим на тысячу долларов: максимум того, что отсюда можно вырезать, – десять минут.

– Отсюда надо вырезать сорок минут, а может, и час.

– Ты с ума сошел! У тебя ничего не получится.

Это был единственный известный мне в Голливуде случай отношений между продюсером и режиссером, когда режиссер хотел резать, а продюсер – доставлять. Однажды ночью он позвонил мне:

– Андрей, ты вырезал эту сцену! Я тебя очень прошу, вставь ее назад, она очень хороша.

Редкие, редкие взаимоотношения...

Когда я готовился ставить «Дуэт для солиста», Голан дал мне карт-бланш на любые переделки сценария. Главную роль очень хотела сыграть Фэй Данавэй. Сценарий был написан ее мужем, очень модным лондонским фотографом. Мне сценарий не понравился. Фэй позвонила мне в Лондон, просила попробовать ее. Я рассказал ей, что собираюсь поменять в сценарии.

– Это меня не устраивает, – сказала она. – Я не буду сниматься.

Она была очень привержена психоанализу, а я собирался делать фильм совсем не о психоанализе.

Я отправился в Лос-Анджелес и встретился с Джули Эндрюс. Замечательная актриса, голливудская звезда, памятная всем по «Мери Поппинс» и «Звукам музыки». Много играла в картинах своего супруга Эванса, автора комедийного сериала о французском детективе Клузо с Питером Селлерсом.

Я сказал ей:

– Джули, одно условие. Никакого грима.

На секунду она застыла. Голливудской звезде, приближающейся к пятому десятку, предлагать такое не просто. Мейк-ап в Голливуде – вещь весьма уважаемая.

– Никакого грима, и я буду очень рад с вами работать. Прыгайте, как в горящую смолу.

Она, наконец, кивнула в знак согласия. Это убедило меня в ее готовности на все. Крайне важно, когда артист идет в работу, не ставя условий.

Опять позвонила Фэй. Сказала:

– Я передумала.

Было уже поздно. В эту картину она не попала, одна из самых интересных женщин и актрис американского кино.

Потом я с Фэй виделся в Лос-Анджелесе, когда она с Мики Рурком снималась в картине Барбэ Шредера про поэта Бродского, не Иосифа, а другого, американского битника. Меня просто завели туда посмотреть на съемки. У Мики Рурка, поднимающейся в ту пору звезды, все руки были в крови. Все несколько дублей он по-настоящему бил дверь. Можно было поставить дверь из специального пластика, все было бы хорошо и на экране ничего не заметно. Но он сказал:

– Буду бить по-настоящему.

Среди американских актеров достаточно распространена такая жертвенная система работы – кто больше себя изувечит, даже что-то вроде моды на это. Работают не на технике, а на безусловной реальности.

Мы сидели с Фэй, вели ничего не значащую беседу, старательно избегая больного вопроса – ее «отставки» от роли в моем фильме...

В 1985 году, после показа «Возлюбленных Марии» на фестивале в Венеции, мы с Голаном возвращались одним и тем же рейсом в Америку. Он летел в первом классе, я во втором, он увидел меня и переслал через стюардессу салфетку. На льняном полотне шариковой ручкой было написано: «Андрей, это предложение, от которого ты не сможешь отказаться». Это был контракт. Миллион долларов в год за одну картину поставленную и одну – спродюсированную. Я взял салфетку и пошел с ней между рядами кресел. На середине прохода остановился с застывшей идиотской улыбкой. Я понял: Это случилось. Дальше я уже летел на собственных крыльях.

Трудно объяснить, как чувствовал себя советский деятель культуры, недавний голливудский безработный, получив такое предложение. Передо мной открывалась карьера режиссера с миллионом долларов в год.

Пусть ненадолго, но я ощутил себя нормальным преуспевающим человеком Голливуда. Мне дали кабинет, секретаршу, место для парковки машины, выделили бюджет на разработку проектов. Шредер сделал мне тогда сценарий для американского варианта фильма Элио Петри «Следствие по делу гражданина вне подозрений». Я уже был своим в американской киноиндустрии, мог обедать в хорошем ресторане, завтракать со своей секретаршей, вести разговоры о сюжетах, которые нужны. Я как бы стал тем, кем хотел быть. Мой портрет появился на обложке журнала «Миллионер».

Радость моя была недолгой. Я понял, что, подписав контракт, ошибся. Он был эксклюзивный, права работать ни с кем другим не давал. Ни одна из главных компаний теперь не могла ко мне обратиться. Я видел, что есть интересные проекты, которые я мог бы осуществить, но они проходят мимо, потому что я связан. Мне хотелось иметь свободу выбора, а ее уже не было. Свобода творчества была, но выбора, с кем работать, – не было. В итоге я попросился «на свободу».

Менахем – человек темпераментный, это его и погубило. Он разорился. Сейчас он – раненый лев. Говорят, что он вынужден был заложить свою квартиру в Израиле. Отдал все, чтобы только снимать кино. Последняя его картина была в жанре «мягкой эротики». Снимал он ее в Минске, действие якобы происходило в Америке, орудовала какая-то мафия, было большое количество раздевавшихся на экране блондинок, кажется, одна из них – дочь Шукшина.

Кино его очень наивно. Снимает он не останавливаясь, снимать может где угодно – в Минске, в Пинске, в Голливуде – все равно. Не думаю, что как кинорежиссер он успешен, но продюсер замечательный. И вообще фигура неординарная. Мне он дорог, как дорого и само то время.

Получив свой первый контракт, пусть и нищенский, я уже мог снять свою первую квартиру в Лос-Анджелесе, маленькую, однокомнатную, но за свои, профессией заработанные деньги. Мог купить себе машину. Это было такое счастье! А ведь мне уже было сорок четыре!

Между партнерами Голаном и Глобусом отношения были сложные и непредсказуемые. Бывали времена, когда их водой не разольешь, бывало и иначе. Спрашиваешь у Менахема:

– Как Йорам?

– Какой Йорам? Не знаю такого.

Трагикомическая пара, почти из Шолом-Алейхема. Менахем по любому поводу лез в бутыль, кричал: «Спорим! На тысячу долларов!» Нежно люблю его и за необузданность нрава, и за лепту, которую он внес в независимое кино. Он человек уже ушедшего времени, 80-х, голливудского бума. Очень благодарен ему за то, что он дал мне возможность снять не самые худшие мои картины.

ЧТО В ГЛУБИНЕ?

«Возлюбленные Марии» в американском прокате провалились, на национальный экран картина не вышла. Ее показывали в нескольких кинотеатрах Нью-Йорка, Лос-Анджелеса, Чикаго; если судить по меркам советского фильма на американском экране, то она прошла даже успешно, была хорошая критика, были свои фаны и почитатели из того интеллигентского слоя, который любит кино европейское, но, по меркам фильма американского, ее просто не заметили. Это, конечно, было поражение.

А в Европе картина прошла с настоящим успехом. Есть разряд картин, которые постоянно идут в Париже, хотя бы на одном экране. Всегда можно посмотреть какую-то из картин Ренуара, Феллини, «Гражданина Кейна» Уэллса. «Возлюбленные Марии» на время попали в эту престижную компанию. Посмотришь газету – они всегда в кинопрограмме. А еще до того картина пять месяцев шла на Елисейских полях, собрала хорошую кассу, была представлена к «Сезару», хотя и не получила его – получил «Амадеус» Милоша Формана. И для Настасьи Кински роль Марии оказалась знаменательной.

Мне нравится эта картина. Я старался построить ее по законам музыкальной формы. В ней есть рифмы-образы. Каждый такой рифмующийся образ больше чем символ. Образы повторяются, создавая подобие рондо.

Руки. Крупные планы рук. Руки на кровати. На перекладине кровати. Руки нервные. Руки потные. Руки страстные. Руки в ужасе. Руки в кошмаре– когда ему снится крыса. Руки, вцепившиеся в перекладину кровати – когда у Марии оргазм в финале. Такими же повторами идет спинка стула, спина на кровати, крыса.

По набору образов «Возлюбленные Марии» – картина для меня минималистская. Я старался, чтобы ее образы были очень сдержаны, даже статичны. С точки зрения фабульной, зачем пять раз показывать один и тот же стул, зачем снова и снова показывать руки. Но этим, мне кажется, достигается музыкальное переплетение сюжетных линий, создаются рифмы. Я хотел сделать внешне очень простую, но внутренне достаточно сложную картину. Самое трудное, я думаю, говорить просто о сложном, понятно о непонятном. Пастернак имел полное право писать стихи, полные темного смысла. В его время это было естественно, нормально – во времена Пушкина такое было бы недопустимо, поэт должен был быть ясен. Но Пастернак, сам начинавший со стихов, очень неясных по смыслу, пришел в конце пути к великой простоте.

Не обязательно, чтобы истинное произведение искусства было шарадой. Зритель не должен ломать голову, что же такое имел в виду режиссер. Если режиссер хотел то-то и то-то сказать, а зритель этого не понял, ему очень удобно занять позицию непризнанного гения. Мол, зрители до меня не доросли. Вот дорастут, тогда поймут. Я всегда считал, что рассказываемое режиссером должно быть доступно, хотя вовсе не вульгаризировано или разжевано. Смысл вещи не должен лежать на поверхности, но все-таки глубина ее должна просвечивать. Чтобы понять, глубока ли вода, надо все-таки чувствовать дно. А если сплошная темень, остается лишь гадать – то ли глубоко, то ли мелко, то ли сто метров, то ли по колено. У великих – у Шекспира, у Куросавы – дно всегда чувствуется – нужно только напрячь зрение.

В «Возлюбленных Марии» до самого глубокого дна дойти мне все же не удалось. Вопросы «комплекса Мадонны», импотенции, любви плотской и любви духовной – все это в картине присутствует, но чтобы найти точный баланс всему этому, рассказать об этом так, чтобы удовлетворяло меня самого, нужен был бы несколько иной сценарий.

Из картины пришлось вырезать сорок процентов сценарного метража, все те куски, которые не получились совсем. А это прежде всего роль отца. Я видел его чудаковатым, странным, все время пьяным, земным, плотским, сумасшедше плотским. Это должен был быть террорист-бабник, врубелевский Пан с корявыми руками или Вечный дед из моей «Сибириады», сыгранный Кадочниковым, но только с угадываемой в нем могучей эротической потенцией. Она должна была сквозить в том, как он глядит на женщин. В сценарии он страшно свирепел, узнав, что Мария все еще девушка. Он бил сына и орал: «Что ж ты делаешь! Да я ее за три дня обрюхачу! А ты, дурак, не можешь! Я внуков хочу!» И начиналась драка, они в кровь били друг друга. В конце отец падал на колени, с расквашенной мордой, и говорил: «Нет, все-таки ты – мой сын». Ренессансный характер. Митчум этого не смог сыграть. Он играл американский характер, а у меня был написан славянский.

Работа с Митчумом была первой моей встречей с большой американской звездой на площадке. Личность он замечательная. Человек очень сдержанный и в словах, и в проявлениях. Ирландская порода. Когда кто-то его спрашивал: «Как вы живете?», он всегда отвечал: «Хуже». Это была его любимая шутка. Позже Ширли Мак-Лейн рассказывала мне, что, ухаживая за ней, Митчум характеризовал себя так: «Я поэт с топором в руке». Он на самом деле писал стихи.

Сначала я его очень боялся. Он был нелюдим. Пил, но никогда на людях – всегда в одиночестве или со своим ассистентом. Никто не смог бы догадаться, что он под градусом. Узнал я об этой его склонности на третий или четвертый день съемок, когда мне сказали, что он не может сниматься, поскольку упал и сломал ребро. Несколько дней он не мог появиться в кадре иначе как на крупном плане.

Своей актерской манерой он напоминал мне (увы, приходится писать «напоминал» – в прошлом году его не стало) Жана Габена. Та же сдержанность, та же внутренняя глубина. Мне удалось его раскочегарить на многое.

В одной из сцен я пытался добиться от него славянской страстности. После первого дубля сказал ему, что здесь хорошо было бы заплакать. Он повернулся ко мне и спросил:

– Вот здесь слеза. Ты видел? Хватит.

И показал мне на угол левого глаза.

Действительно, посмотрев потом материал на большом экране, я увидел в углу глаза слезинку. Слезы были у него в голосе, а не на щеках.

Очень тронул меня один эпизод, рассказанный Настасьей Кински. Митчум с ней почти не общался – вообще ни с кем не общался, мало с кем разговаривал, всегда сидел особняком. Один, как лев. Но однажды постучался к ней в гримерную. Она открыла дверь – он протянул ей маленького слоника из слоновой кости.

– Вам от меня на память.

Это было выражением абсолютной любви. Старый человек вручил свой подарок и больше никогда не пытался ни заговорить, ни как-то иначе выразить свое отношение. Поэтому сцена, когда он целует ее, получилась такой сенсуальной. В ней великая сдержанность, высокий актерский класс.

В последний съемочный день он сидел за столом, пил со своим ассистентом, а вся группа – по соседству за большим столом. Я подсел к нему.

– Слушай меня, Андрей, – сказал он, – я уверен, что мы еще будем видеться. Ты здесь задержишься.

Тогда он еще не видел ни кадра из снятого материала. Да и картину он увидел только спустя два года. Я приехал с фильмом к нему в Санта-Барбару, он посмотрел, сказал мне много хороших слов...

Но роль отца в картине поначалу я представлял совсем иной. Мне казалось, что это мог бы сыграть Берт Ланкастер и все мои беды из-за его не вовремя случившейся операции на сердце. Теперь я понимаю, что и Ланкастер бы не сыграл. Просто потому, что этот характер не свойствен англо-саксонскому поведению. Ну не исключаю, еще мог бы быть подобного типа пьяница-ирландец, хотя тоже живущий не в Америке. Если бы я снял все так, как было задумано, с этой пьяной свирепостью, с битьем в кровь друг друга, все, все пришлось бы вырезать. Получилось бы так же нелогично, как картина Кустурицы из американской жизни. Он снял американских актеров, но заставил их вести себя как югославы – плакать, падать на колени, бить друг другу морды, целоваться взасос... Получается странное зрелище. Американцы так себя не ведут. Если это про американцев, то про сумасшедших. А будь его героями югославы, все было бы нормально. Так они и должны себя вести. Нельзя втискивать поведение одной нации в ментальность другой. Возникает очень серьезный перекос, зритель недоумевает...

Неполучившуюся линию я из картины выбросил и сумел сделать это почти незаметно. Но один шовчик остался – в так называемой сцене ожидания: она моет посуду, он играет мячиком о стенку. Эта пауза понадобилась из-за того, что вылетело подряд сразу несколько сцен. И все-таки, думаю, картина удалась в монтаже, потому что по структуре она очень медленная, в очень плавном меланхолическом ритме, даже элегическом, так сказать, элегия с эмоциональными взрывами. Замедленности ритма зритель не ощущает, потому что сама картина короткая.

Критика признала «Возлюбленных Марии» самым русским фильмом, когда-либо снятым в Америке. Правда, и это признали не сразу. Первая большая статья обо мне в «Американ Синема» (это теоретический киножурнал, довольно неплохой, издаваемый «Американ филм инститьют») появилась уже после «Поезда-беглеца», хотя написана была сразу после «Возлюбленных Марии». Просто лежала в редакции. Сочли, что я не заслуживаю внимания. И только после второго фильма добавили о нем несколько строк и поставили в номер.

Помню слова, сказанные мне Форманом в Нью-Йорке (наконец-то я привез туда банки не с икрой, а с кинолентой):

– Не думал, что у тебя здесь что-то получится. Думал, ты так и уедешь...

КУРОСАВА, ФУДЗИЯМА, СУШИ

1983 год. Мне позвонил Том Лади. В это время он уже работал у Копполы, был продюсером по специальным проектам.

– Копполе позвонил Куросава, – сказал Том. – Просит найти американского режиссера на сценарий «Поезд-беглец». Фрэнсис думает предложить его тебе.

У меня перехватило дыхание.

– Сейчас он тебе позвонит.

Коппола позвонил.

– Андрей, вот есть такой сценарий. Не хочешь ли поставить?

В Америке у Куросавы было два близких ему человека – Коппола и Лукас, они помогли ему довести до экрана «Кагемусю» («Тень воина»), сами профинансировали завершение съемок, без их участия фильма просто бы не было. После этого у Куросавы с Копполой сложились доверительные отношения.

Я прочитал сценарий, он произвел замечательное впечатление. Надо было ехать на встречу с великим художником.

Забавно, что в Японию я летел через Москву. В моем родном «серпастом-молоткастом» визы на въезд в СССР не было. Я сидел в шереметьевском ресторане для транзитных пассажиров как иностранец и думал, всегда ли со страхом буду входить на эту территорию, бояться, не схватят ли, не упекут ли в каталажку. Мне удалось найти телефон, спросил, можно ли позвонить. Иностранцам звонить не полагалось. Мне разрешили. Я позвонил маме.

– Мамочка, я лечу в Токио.

– Ты в Москве?

– Да.

– Боже мой! – В ее голосе послышались слезы.

Я просидел два часа в аэропорту, выпил рюмку водки. Бред собачий! Почему я не мог провести эти два часа с мамой, с кем-то из друзей? Почему у себя, в Москве, я иностранец?

Или в России – все политика? Желание просто жить, как считаешь нужным, нормально дышать, думать, как хочешь думать, поступать, как велит душа, – все политика? Что это за законы? Прилетел в Токио. Два дня готовили мою встречу с Куросавой. Две компании, владевшие этим сценарием, говорили: «Куросава-сан вас примет завтра», спрашивали, что я по поводу сценария думаю. Я высказывал свои восторги. Потом, уже узнав поближе японцев, понял, что они выведывали, нет ли у меня каких-то особых претензий.

С Куросавой мы встречались еще в Москве. Я монтировал «Романс о влюбленных», он – «Дерсу Узала». Помню его длинную фигуру в курилке напротив туалета, от которого несло как из зоопарка. Ручки в туалете всегда были сломаны, дверь надо было открывать ногой, внутри – обколотый кафель, ржавые писсуары – как правило, не работающие. На диванчиках болтали-курили девочки-монтажницы, и он молча, сосредоточенно курил рядом, высокий, худой, гений. Курил он много, у него, видно, были какие-то свои проблемы; я смотрел него с восхищением и почтением. Куросава вообще на меня и по сей день производит оглушительное впечатление. Это один из немногих режиссеров, обладающих истинным чувством трагического.

На третий день меня повезли к Куросаве. Дорога оказалась долгой. Наконец, за поворотом открылась величественная Фудзияма. Мы остановились у японского дома из красного тикового дерева с огромными стеклами. В этот вечер в доме у него собрались люди его окружения. Я не знал тогда, что к Куросаве в Японии относятся с чувством абсолютного благоговения, обожествления. Конечно, я его очень любил, но наглости во мне тоже было достаточно.

Разговаривать с ним, как тогда, сегодня бы не смог. Возраста прибавилось, а самоуверенности убавилось.

Мы сели. Он стал мне объяснять очень подробно сценарий. Он и в фильмах своих все любит очень подробно объяснять, чтобы зритель всегда понимал все, что происходит.

Все слушали с почтением. Я чувствовал, что в воздухе витала атмосфера обожания. Все ждали: как Куросава отнесется к русскому человеку из Америки? Но разговаривали мы очень хорошо. Он стал рисовать мне план поезда, как локомотивы соединены между собой, хотя это все давно мне было ясно – все же в сценарии написано. В его картинах, кстати, очень часто рисуется план. Самураи рисуют на песке: здесь наши, здесь – противник. Зрителю дается полная рекогносцировка. Удивительная способность не оставлять ни малейшей неясности. Вот так же он рисовал и мне. Жаль, я не сохранил эту бумажку.

Потом был обед. Куросава сам делал суши, японское блюдо из сырой рыбы. К тому времени мы чуть-чуть уже выпили.

Разговор зашел о политике, Куросава высказал свои симпатии к Ленину, сказал, что он великий человек. Я не удержался от возражений.

– Вот вы так о Ленине судите, потому что сами в его стране не жили. Вы бы там сначала пожили...

Возникла тяжелая пауза. Все затихли. Кроме нас, слышен был только переводчик. Японцы сидели смертельно бледные. Куросава побагровел. Стал говорить очень сердито. К тому времени мы уже усидели бутылку, не меньше, и потому я так же сердито объяснял ему, что такое советская власть... Наверное, у Куросавы Ленин навсегда стал олицетворением исторической силы, способной разрушить в его стране то, что он хотел бы разрушить, – японский милитаризм, японскую государственную иерархическую машину с трехсотлетней традицией. Я ведь не знал, что Куросава однажды был арестован за то, что, напившись, кидал камни в полицейский участок. Ему тогда уже было за шестьдесят.

Сидеть с Куросавой у подножия Фудзиямы и есть суши – это похоже на строчку из стихотворения Шпаликова. Куросава, Фудзияма, суши – в этом что-то даже из иронического набора. У меня сохранилась фотография, тогда снятая.

Куросава согласился, чтобы кино снимал я. Но потом, когда я приехал уже с картиной, отказался меня увидеть. Возможно, воспринял меня как человека, поддавшегося американской империалистической идеологии.

После этого свидания японцы со мной вежливо кланялись, но смотрели с опаской. Странно! Я лишь потом вспомнил, что во время встречи все молчали: разговаривали только двое – он и я.

Куросава – мой любимейший режиссер. Когда что-то не получается, не ясно, как снимать, смотрю Куросаву. Достаточно двух-трех его картин, чтобы пришло понимание, как решать эту сцену, этот образ. Шекспир, шекспировский художник – по силе, по ясности, по мужеству взгляда на мир.

УАЙЛЬДЕР

Билли Уайльдер появился в моей жизни тогда, когда моя звезда стала восходить в Голливуде. Восходила она недолго, но тем не менее такой момент был.

Восхождение началось после «Поезда-беглеца». Этот фильм был событием, хоть сам я этого события не почувствовал. Если бы лента делалась в какой-то другой кинокомпании, а не в «Кэнноне» Голана–Глобуса, звезда моя поднялась бы гораздо выше. Они совершенно не умели коммерчески прокатывать картины, «Поезд-беглец» в американском прокате был убит, как и все, что я для них снял.

Помню, Йорам сказал мне с очень гордым видом, многозначительно подмигнув:

– Мы такой кинотеатр взяли в Нью-Йорке для проката твоего «Поезда-беглеца»! Называется «Литл Карнеги», прямо в «Карнеги-холле».

Вскоре после этого раздался звонок. Звонил Милош Форман:

– Андронку! Только что посмотрел твою картину. Слушай, какая она замечательная! Как она мне нравится! Я тебя поздравляю! Но почему ее показывают в таком хреновом кинотеатре?

– Почему в хреновом?

– Там идут только индийские фильмы, и ходят туда только индийцы. Никто другой в этот кинотеатр не ходит.

Тем не менее три номинации на «Оскара» за «Поезд-беглец» (для Джона Войта, Эрика Робертса и режиссера-монтажера Генри Ричардсона) – это был уже серьезный успех. Голливуд начал воспринимать меня. А Билли Уайльдер, как я позднее понял, всегда имел обыкновение обращать внимание на новые имена. Я был таким новым именем, а Уайльдер как человек Голливуда (он в нем жизнь прожил, знает все его законы) стал появляться в разных местах со мной, пригласил к себе домой.

Живет он в большой квартире, дом свой продал, стены увешаны прекрасной живописью – Балтус, Ренуар. В основном я молчал, рассказать мне ему было нечего, говорил, как правило, он, и говорил так интересно, что я только успевал раскрывать рот. Рассказывал о Германии, о том, как вернулся в нее в 1945 году, речь его была полна замечательных острот.

Голливудское правило элементарно и просто: когда у вас успех – у вас много друзей, нет успеха – нет друзей. Билли никогда не пытался жить вопреки этому правилу. В моей жизни он появился ровно настолько, насколько мне сопутствовал успех.

В режиссерской гильдии был обед в честь советской делегации. Это как раз было время перемен, в Союзе кинематографистов сменилось руководство. Горбачев взял новый внешнеполитический курс, делегация нового секретариата – Элем Климов, Рустам Ибрагимбеков, Ролан Быков, Виктор Демин, Эльдар Шенгелая – приехала завязывать новые связи с Америкой. По случайности поселили их в той самой гостинице, где уже полгода жил я. Я был очень рад встрече с друзьями, но...

Был обед в честь делегации у Нормана Джуисона, он пригласил и меня. Утром в день обеда вдруг звонит:

– Андрей, ты знаешь, я очень сожалею, но мне сейчас позвонили от Климова и сказали, что, если будет Кончаловский, делегация не приедет. Как на это реагировать?

– Не знаю.

Честно говоря, я был потрясен.

– Но у вас там не будет стычек, прямых столкновений?

– Не думаю, что такое может случиться.

– Ну ты как, приедешь?

– Конечно, приеду.

– Ну вы сами тогда разберетесь.

Я приехал на этот обед, подошел к Элему, спросил, правда ли это. Он сделал удивленные глаза:

– Ты что! Мне такое и в голову прийти не могло.

Думаю, что причиной более чем прохладного отношения Климова ко мне была давняя, кем-то подпущенная клевета. В 1979 году я был членом жюри Западноберлинского фестиваля, на котором от СССР было «Восхождение» Ларисы Шепитько. Я бился за эту картину буквально как лев. В жюри тогда был Райнер Вернер Фассбиндер, сидел всегда под кайфом, ему почему-то понравилась другая картина, сентиментальная, пошловатая, не то минского, не то киевского производства. Он на полном серьезе доказывал, что приз надо дать ей и ни за что «Восхождению». Как я был горд, что Шепитько все-таки получила «Серебряного медведя»! Но Климову сказали, что я картину топил, чего, естественно, он простить мне не мог. Роковое заблуждение! Кому-то было нужно, чтобы мы были в ссоре. Художники, в особенности большие художники, всегда ревнивы к славе и успехам своих коллег, а если еще эту ревность подогреть! В своих отношениях и с Тарковским, и с иными товарищами по ремеслу я не раз мог почувствовать, что некоторые люди очень хотят нас стравить...

Интересно, а почему мои российские коллеги так охотно верят, что их товарищ, волею судеб оказавшийся в жюри, топил их картину? В любой другой стране в этом, по меньшей мере, усомнились бы – в России верят с полной готовностью. Не потому ли, что сами бы именно так и поступили.

Впрочем, возможно, были и примеры, заставляющие так думать. Говорили, например, что Бондарчук на Каннском фестивале топил «Ностальгию» Тарковского. Не уверен в этом, но даже если и так, надо отдать Бондарчуку должное: человек он был прямой, в глаза не стеснялся говорить то же, что за глаза. «Твои картины, – говорил он Тарковскому, – формализм, не русские». Мог и я голосовать против, но к «Восхождению» это отношения не имеет. Его я оцениваю очень высоко, это одна из лучших наших картин. Голосовал я против только того, что мне не нравилось, – против «Взлета» Саввы Кулиша с Евтушенко в роли Циолковского. Это было на Московском кинофестивале, я был в жюри с Томом Лади, Ежи Кавалеровичем, председательствовал Ростоцкий.

Меня вызвал Ермаш. Сказал:

– Надо, чтобы наша картина получила премию.

– Картина мне не нравится, – сказал я.

– Но ты понимаешь, что надо?

Я промолчал. Когда начали голосовать, мы с Томом Лади дружно «Взлет» завалили (после чего Евтушенко перестал со мной разговаривать, правда, на время), а первую премию дали «Кинолюбителю» Кислевского. Мы были горды, вечером шли по коридорам «России», встретили Кислевского. Он посмотрел на нас дикими глазами:

– Что вы сделали!

– Мы дали тебе приз!

– Зачем! Кто вас просил! Я же с ним не могу вернуться в Польшу. Стыдно! Меня же до сих пор считали приличным человеком, а теперь я привезу премию Московского фестиваля! На меня всех собак повесят!

Мы действительно испортили ему жизнь. Варшавские интеллектуалы смотрели на него с сожалением. Премия от москалей, от коммунистов!.. Зато он легче смог получить в той же Польше новую постановку.

...После обеда у Джуисона был прием советской делегации в режиссерской гильдии, я пришел на него с Билли Уайльдером. Привез его, он сам машину не водил. В это время как раз я уже закончил «Дуэт для солиста». Вспоминаю показ первого монтажного варианта Уайльдеру. Он посмотрел, сказал:

– Тебе надо вырезать вот это, это слишком длинно, это непонятно, это слишком художественно, это надо сократить...

Он насоветовал мне массу поправок, причем достаточно раздраженным тоном. Раздражение, думаю, шло от того, что я не оправдывал его надежд. Он ждал, что после «Поезда-беглеца» я буду делать крепкое коммерческое кино. А я снял камерную, интимную ленту.

– Билли, а не очень ли тогда будет коротко? – спросил я, выслушав все его советы.

– Мой дорогой друг, – вздохнул Уайльдер, – в мире есть только две слишком короткие вещи. Ваша жизнь и ваш пенис. Все остальное слишком длинно.

Это был наш последний разговор. Больше он мне не звонил. Очевидно, моя звезда в Голливуде стала закатываться...

ЧАСТЬ ЧЕТВЕРТАЯ

ФИНАЛЬНЫЙ СРЕЗ

обычайную важность предстоящего сообщения. На этот раз от имени «Уорнер бразерс» он предложил мне суперпостановку с суперзвездами и суперпродюсером. Первым моим естественным душевным движением было отказаться. «Что они, с ума сошли? Я и Сильвестр Сталлоне!»

– Подумай как следует, – сказал он. – Сталлоне совсем не такой простак, как ты и многие думают. Прочитай сценарий – потом поговорим.

Я находился тогда в санатории на юге Германии, чистился голоданием. Дня два пришлось ждать сценарий из Лос-Анджелеса, они прошли в колебаниях: стоит браться, не стоит браться? Постепенно идея обретала для меня смысл. Я никогда прежде не снимал в большой компании, ни в одной из тех, которых считают столпами Голливуда. Как вся эта система работает? Интересно было и встретиться со Сталлоне – не важно, буду делать с ним фильм или нет. Естественно, у меня было о нем какое-то мнение, я знал, что в работе он труден, его взаимоотношения с режиссерами всегда кончаются конфликтом, процессом создания фильма на деле руководит он, а не режиссер.

Пришел сценарий. Как я и ожидал, он оказался очень наивен. Обнадеживало, правда, то, что в нем хватало юмора: хоть за что-то можно зацепиться. Герои сценария – Танго и Кэш, оба полисмены, оба в своей профессии звезды, лучшие профессионалы в Лос-Анджелесе. Естественно, друг друга они ревнуют, хоть сами никогда не встречались – у каждого свой район, далекий от другого. Плохие люди из мафии решают избавиться от них, но не просто убить (тогда бы и фильма не было), а, что называется, подвести под статью, приписать им преступление, осудить, упрятать за решетку, а там и убить. План провокации уже разработан, а герои еще и не подозревают, что скоро окажутся в одной камере. Все происходит, как задумано, их обвиняют в убийстве, они попадают в тюрьму, там их пытаются убить, они бегут, за ними гонится полиция, и пока она их не настигла, они должны успеть снять с себя клеймо преступников, размотать узел провокации, покончить с негодями-мафиози. Задачи показались мне не слишком увлекательными, но интересно было попробовать себя в том, чего не делал раньше.

Я тешил себя надеждой, что смогу привнести в фильм стиль, элегантность, профессиональное качество, и прежде всего – в сценарий. Финал мне показался бессмысленным. Да, это обычно для гангстерских лент, по традиции разрешающихся прямым физическим столкновением плохих и хороших, смачной дракой, набором предсказуемых ходов, но можно же найти что-то более интересное, напряженное, позволяющее говорить о фильме, пусть с натяжкой, в категориях искусства.

Вскоре мне позвонил президент киноконцерна «Уорнер бразерс» – Марк Кентон:

– Мы хотим, чтобы ты ставил, я давно твой поклонник.

– А почему вы хотите именно меня?

– Потому что, – ответил он, – у тебя есть чувство стиля, элегантность, оригинальное видение. Я очень люблю твои картины.

Я еще не видел Кентона в глаза, ничего не знал о нем, но его легкость в общении, располагающая манера говорить и слушать, обещали в дальнейшем взаимопонимание между нанимателями и «творческой личностью». Кентон сказал, что продюсер хочет со мной встретиться. Я еще не знал, о ком именно идет речь, но сказал:

– Хорошо. Пусть приезжает.

Через день-другой вновь звонок: «Нет, это невозможно». Мне прерывать курс лечения тоже нельзя: я предложил встретиться на полпути – в Нью-Йорке. Прошло еще два дня. Кентон сказал, что продюсер прилететь не может, он занят, мы хотим, чтобы прилетел ты.

Я уже закончил лечение, мог прилететь, но предупредил, что со Сталлоне работать буду лишь при условии, что в мою работу он вмешиваться не будет.

– Что ты! Он не будет вмешиваться совсем! Это не

его картина, не он ее продюсирует. Будет другой, очень сильный продюсер – Джон Питерс. Сталлоне здесь только артист.

Это меня более устраивало, я полетел на встречу с Кентоном. Времени было мало, через два дня мне надо было быть в Париже, возобновлять в «Одеоне» «Чайку», репетировать, вводить новых исполнителей.

...Не замечали ли вы, что мужчины, обладающие исключительной, не по наследству полученной властью, как правило, невысокого роста. Не карлики, конечно, но ниже среднего. Наполеон, Сталин, Ленин... Эта мысль вновь пришла ко мне после знакомства со многими влиятельнейшими людьми Голливуда. К примеру, Майк Овиц, бывший президент компании «Си-эй-эй», представлявший таких звезд, как Майкл Джексон, Том Круз, Сталлоне, Спилберг, Мадонна. Или знаменитый агент Свифт Лазар. Оба они, мягко говоря, не баскетбольного роста. Не могу забыть, как в одной из компаний меня вообще встретил вице-президент-лилипут: словно я на мгновение вошел в фильм Чаплина. Когда он встал с кресла, чтобы меня приветствовать, он сначала исчез вообще, а спустя секунду вышел из-за своего массивного стола.

Может быть, все-таки есть какая-то связь между ростом мужчины и его амбициями на обретение власти? Энергетический напор у таких людей, как видно, гораздо больше. В юные годы на пляже или на спортплощадке завоевать сердца прекрасного пола им трудновато. Надо брать другим. Чем? Умом, эрудицией, ослепительной карьерой. Недаром Киссинджер, который тоже не Аполлон (что не мешало, впрочем, его успехам у женщин), говорил: «Власть– самый серьезный афродизиак», то есть средство, возбуждающее эротическое чувство. Все-таки есть правда в том, что мужчина, облеченный властью, сексуально привлекателен. Власть – ключ к успеху у женщин.

Марк Кентон оказался из той же категории мужчин во власти (не подумайте, что, кроме небольшого роста, есть еще что-то, роднящее его с Иосифом Сталиным).

– Я управляю этой компанией, – сказал он при встрече. – Если что надо, звони прямо мне. Я за все отвечаю. Я сделаю так, чтобы тебе хорошо работалось. Мы сделаем коммерческую картину. Сталлоне будет как ангел. Мы не дадим ему слова сказать. И ему, и продюсеру. Он забавный парень, хоть и немножко сумасшедший. Ты с ним сегодня встретишься.

Потом мне показали студию. По ее территории меня возил начальник производства. Подъехали к автостоянке – очень красноречивое для любой студии место. На местах парковки написано, чья машина должна здесь стоять. Достаточно прогуляться вдоль рядов имен, чтобы многое узнать о студии. Вот место для машины Шварценеггера, вот– для Сталлоне, вот – для Мерфи, вот – для Рона Сильвера.

Пока мы разъезжали, я вспомнил, что на этой студии уже был несколько раз. Здесь у четвертых ворот в деревянном домике дачного типа размещалась компания Джона Войта, который и пригласил меня в Америку. Компания называлась «Калибан» – Войт любил Шекспира. Сидя в его офисе, я думал: «Господи, неужели когда-нибудь буду снимать здесь?»

С тех пор прошло восемь лет...

Меня вызвал продюсер. На территории «Уорнер бразерс» располагаются разные корпуса и разные продюсеры. У каждого – отдельный офис: для крупной студии и крупного продюсера предпочтительнее, чтобы офис был на студийной территории. «Губер–Питерс», куда я направлялся, имели эксклюзивный договор, работали только с «Уорнер бразерс».

Для тех, кто не бывал в офисах бизнесменов индустриально развитых стран, наверное, неожиданностью, как и для меня, будет узнать, что очень часто они обставлены как богатые старые квартиры. Антикварная мебель, дорогие картины – все это создает очень уютную обстановку. К примеру, студия «Юниверсл» славилась тем, что все ее этажи были уставлены старой английской мебелью. Даже секретарша сидела за старым английским столом в антикварном кресле. Я поначалу был шокирован: уж ей-то зачем такая дорогая мебель? Мне объяснили, что у основателя компании было хобби – покупать старую мебель. Он покупал ее столько, что девать было некуда – целый дом не мог вместить. Он стал ставить мебель на студии, чем убивал сразу двух зайцев – вкладывал деньги в антиквариат и сдавал этот антиквариат в аренду собственной же компании. Его наследники получают очень серьезные суммы за прокат дедушкиных приобретений.

Та же богатая комфортная обстановка встретила меня в компании Губера–Питерса. Я вошел в приемную – толстые зеленые ковры, зеленые стены, все коридоры увешаны плакатами фильмов, сделанных фирмой, – ленты Барбры Стрейзанд, «Гориллы в тумане», «Танец-вспышка», «Вокруг звезды», «Человек дождя», – пока доходишь до кабинета, узнаешь, с кем предстоит разговаривать.

Накануне этой встречи одна знакомая предупредила меня:

– Питерс, конечно, человек тяжелый. Но работать тебе с ним будет хорошо. Интересно. Он будет взрываться, колобродить, сходить с ума. Но ты же парень умный...

Я не понял, что она имела в виду. Скорее всего, что в любой ситуации я сумею выжить...

В момент, когда я вошел, Питерс, с густой копной каштановых волос, в шортах и застиранной маечке, говорил по телефону. Я сел, стал осматриваться. В углу, в натуральную величину, стоял пластмассовый Бэтмен – в плаще и маске. Компания готовилась к выпуску первой из серии картин с этим героем – картина стала сенсацией. На полках стояли фотографии: Барбра Стрейзанд и Питерс, молодой, с бородой и шевелюрой, он вместе с президентом, вместе с английской королевой (фото с того самого знаменитого приема, где Стрейзанд спросила у королевы: «Зачем вы надели перчатки?»).

Тогда я еще ничего о Питерсе не знал. Позднее узнал его биографию. Думаю, что в нем есть доля индейско-мексиканских кровей (отсюда его темперамент и манера общения), вырос он на улице, образование получил тоже на улице, потом стал парикмахером, потом модным парикмахером, открыл маленький салончик, потом стал очень модным парикмахером, делал уже прически звездам, познакомился таким образом с Барброй Стрейзанд. Поскольку человек он обаятельный, рискну предположить, что какие-то из его состоятельных клиенток обрели в нем не только парикмахера.

Задолго до этой встречи я видел картину «Шампунь» (Уоррен Битти снялся в ней сразу же следом за «Бонни и Клайд») с героем-парикмахером, на которого женщины налетают, как стервятники, и ни одной из них он не в состоянии отказать. Тогда я не знал, что прототипом героя этой легкой веселой комедии был Питерс.

Не лишне напомнить о влиятельности клана парикмахеров и гримеров в мире Голливуда. Любая звезда отделена от мира и от всего на свете армией секретарей, агентов, менеджеров – слава и деньги не позволяют жить иначе. Гримеры и парикмахеры нередко становятся личными гримерами и парикмахерами звезды, ее интимными друзьями, поверенными ее секретов. Публика может, допустим, восхищаться густой копной волос звезды, но парикмахер-то знает, что у любимца публики лысина и только его, парикмахера, усилиями и мастерством создается столь привлекательный для влюбленных поклонниц облик.

От парикмахера действительно очень многое зависит. Прежде всего – настроение звезды. Но не только. Если, к примеру, вы начинающий сценарист и написали выдающийся, на ваш взгляд, сценарий с ролью, за которую звезда непременно должна схватиться, какие у вас возможности познакомить ее со своим творением? Обратиться к агенту звезды. Он может пообещать, но все равно нет гарантии, что сценарий дойдет по адресу. Единственный путь сделать то же, минуя агента, – или личный повар, или близкий друг – парикмахер. В Голливуде есть даже термин «кинематограф парикмахеров» – так говорят о фильмах, сделанных в обход установленных каналов...

Едва положив трубку, Питерс сразу заговорил о том, как он любит мое кино, какая будет грандиозная картина, как замечательно нам будет работаться.

– Есть ряд проблем, – наконец, мне удалось вставить слово. – Непонятно, каким должен быть фильм по жанру – комиксом или жестокой приключенческой картиной.

– И тем, и другим, – ответил он без секундной паузы. – Будет абсолютно новый жанр. Ты посмотришь «Бэтмена» – я его сейчас заканчиваю. Потрясающий суперхит, успех гарантирован! Посмотришь – поймешь, какой жанр нужен. Должно быть весело, интересно – для четырнадцатилетних подростков.

– Надо менять финал, – сказал я.

– Не волнуйся, все сделаем. Начинай работать. Мы допишем. Это же мой сценарий.

– То есть? – удивился я

– Я его пишу. Сценарист только записывает мои идеи. Что я ему говорю, то он и пишет.

Я был озадачен. В голове не укладывалось, что сценарист, имя которого стоит на титульном листе, занят лишь тем, что аккуратно записывает идеи, которые продюсер ему накидывает. Действительно, положение сценариста на голливудских больших картинах напоминает положение портного, шьющего по фигуре заказчика. Что закажут, то и исполнит. Если исполнит не очень хорошо, или не добавит своего, или добавит, но слишком много, или добавит не то, что хотелось продюсеру, ему заплатят и возьмут другого. Никого из сценаристов такое положение не смущает. Все полагающееся по контракту они получают. Сценариста приглашают не как автора, не как индивидуальность, а как мастера, литературного закройщика. То, что он делал в прежних своих успешных работах, надо теперь повторить применительно к новому сюжету и ситуациям. Только очень немногие звезды кинодраматургии имеют право не соглашаться. Но на то они и звезды. То, что делает звезда, подвергать сомнению не принято.

– Контролировать картину буду я, – сказал Питерс.– Опирайся на меня. Сталлоне мы не дадим пикнуть. Он будет актером, и не больше. Сценарий доделаем. Все твои опасения – ерунда. Я точно так же работал на «Бэтмене», все было прекрасно. Мы с тобой придумаем такое, чего в жизни никто не видел. Да, еще: нужны хорошие девочки... – Посреди монолога он неожиданно согнул руку и пристально стал изучать вздувшийся бицепс. – Мы будем их пробовать. Я тебе дам двести девочек. Двести! Отбирать их, конечно, буду лично я, но потом ты будешь проверять их всех. Нам не нужно никаких звезд. У нас здесь две звезды – Сталлоне и Керт Рассел или Дон Джонсон, один из них. Остальные – не звезды. Я хочу найти и сделать новую звезду. Я это сделаю... – Здесь Питерс снова прервался, чтобы полюбоваться бицепсом, теперь уже левой руки, и произнес фразу, которую, клянусь, не ожидал от него услышать: – Учти, «Уорнер бразерс» – это я. И не думай о деньгах. Деньги есть. На все. Не хватит, добавлю свои. Сколько там? Семь–десять миллионов? Не проблема. Добавлю.

Как так? Ведь «Уорнер» имеет своих президентов! А что же Кентон?

По напору и энергии Питерс производил впечатление хулигана-переростка. Я не сразу понял, что его манера общения в том и состоит, чтобы не дать собеседнику заговорить. Сперва он закладывает в вас всю необходимую, с его точки зрения, информацию. Если это встречается с энтузиазмом, он слушает рассеянно, но с удовольствием. Если вызывает сомнения и возражения, он их все отвергает с порога. Он обаятелен, особенно с женщинами. Никогда не смущается. На губах всегда играющая улыбка, но во всем – абсолютная нетерпимость.

Меня уже предупредили, что Джон может менять свою

точку зрения – нужно не уставать капать в одно место. С любой мыслью ему надо свыкнуться, но неизменная реакция на все, не от него исходящее, – отвергнуть.

Питерс, как выяснилось, фигура легендарная. Лет за двенадцать до нашей встречи, когда Де Лаурентис сделал «Кинг-Конга», а он – «Звезда родилась» с Барброй Стрейзанд, они сильно повздорили, не знаю точно, по каким мотивам. Оба фильма претендовали на большую кассу, были блокбастерами. Блокбастер – это то, что бьет по голове, и суммы действительно впереди маячили такие, что могла «поехать крыша». Рассказывают, что оба фильма шли ноздря в ноздрю, и на каком-то банкете, кажется по поводу оскаровской церемонии, Де Лаурентис сказал Питерсу: «А все-таки моя обезьяна заработала больше», на что тот ответил: «Зато моя мартышка (в виду имелась Барбра Стрейзанд) умеет петь». Это к характеристике стиля юмора моего продюсера.

Позже я выяснил, что это Питерс способствовал продвижению Кентона на место президента «Уорнер бразерс», а когда-то тот был всего лишь секретарем, носил бумажки. Для Питерса, по сути, нет и не было никаких авторитетов, особенно в момент, когда я его встретил. Он уже был продюсером-звездой. По временам со вздохом ронял фразы типа: «Господи, что делать с деньгами! Просто не знаешь, куда их девать!» Поза, конечно, но не всякий может себе такую позу позволить.

Вскоре после нашей встречи должна была состояться церемония вручения «Оскаров». Его «Человек дождя» был в числе претендентов.

– Ну ладно, – говорил он, скучая, – получим мы тричетыре «Оскара», ну соберет еще картина миллионов пятьдесят...

Еще! Миллионов пятьдесят!..

Разговор о бокс-офисе, о том, сколько картина собирает, в Голливуде одна из главных тем любого обеда, банкета, приема, коктейля, дня рождения, чуть ли не поминок. В принципе все разговоры вертятся вокруг этого, особенно вокруг сборов в первый уик-энд. Он определяет будущую кассу. Если во второй уик-энд картина собрала столько же, это уже невероятно, если собирает больше – сенсация. Если немного теряет – терпимо. Если теряет много – дело дрянь. У специалистов есть разработанная система графиков, предсказывающих линию прокатного успеха фильма. Кинематографисты говорят в основном об этом, их профессия в том и состоит, чтобы заставить зрителя пойти в кино.

Я медленно заряжался, настраивался. Это вообще мне свойственно: начиная работать, заставляю себя влюбиться в материал, иначе просто не способен снимать. Я почувствовал, что можно сделать что-то интересное, стал думать о комических поворотах в характерах, придумывать новый конец. Питерс на все отвечал:

– Не волнуйся. Все будет, как надо. Делай конец, какой хочешь. У нас будет классный фильм.

Я сказал, что хотел бы поработать со сценаристом, для этого ему надо прилететь ко мне в Париж.

– Зачем? Ты не волнуйся! Все будет отлично!

Но я не представлял себе иного способа работы: режиссер должен пройти весь сценарий вместе с автором, подогнать его под себя, по сути, сделать свой вариант.

– Ну хорошо. Мы тебе его пришлем.

Естественно, я еще не знал, что ничего поменять в сценарии не удастся, если я не сумею убедить в этом Питерса. Мне-то думалось, что раз он меня выбрал из четырех тысяч голливудских режиссеров, то, стало быть, мне доверяет и я сам буду переписывать сценарий, а потом его ставить. Иного просто не представлял.

Мы немного поговорили еще о кандидатах на вторую роль, о Доне Джонсоне, о Керте Расселе.

– Слетай к Сталлоне, понравься ему. Вам вместе работать, – сказал на прощание Питерс.

В тот же вечер мне уже звонили:

– Ты что, делаешь картину со Сталлоне?

– Не знаю еще.

– Ну что ж! Интере-е-есно, что из этого получится. Желаю дойти до конца...

Наутро я полетел в Нью-Йорк.

Мало кто знает, что звезды летают на частных самолетах, о чем специально оговаривается в контрактах: «Транспортировка некоммерческими авиалиниями». У каждой крупной компании, в том числе и у «Уорнер бразерс», есть для этого свои самолеты. Сталлоне может по дороге на съемку залететь куда-нибудь в Европу, повидаться с друзьями. Или Николсон – слетать на уик-энд в Париж.

Крупнейшие звезды в контрактах ставят условие: «Только частный самолет». Если у компании своего самолета нет, она его арендует. Скажем, Вуппи Голдберг, снимавшаяся у меня в «Гомере и Эдди», летала только на частных самолетах. Мотивировала это тем, что коммерческими рейсами летать опасно: там, мол, уставшие пилоты, их непомерно эксплуатируют, а на частных самолетах пилоты всегда в форме.

А уже самый верхний эшелон летает в самолетах собственных. К примеру, Коппола незадолго до того, как разорился, приобрел самолет. У Траволты – целая коллекция самолетов, штук пять или шесть, есть и реактивный. Он сам их водит...

Я как-то встретился с Джеком Николсоном у общих друзей накануне начала его съемок в «Бэтмене» и спросил:

– Зачем ты снимаешься?

– Питерс неплохой парень, – ответил он со своей сногсшибательной улыбкой, прищурив хитроватые глаза, – и потом, о-очень хорошие деньги!

Хорошие деньги обернулись для него шестьюдесятью миллионами долларов – шесть миллионов за роль плюс процент с каждого заработанного фильмом доллара. Только Николсон мог вытребовать себе такие уникальные условия. Правда, это было десять лет назад. Теперь ставки утроились.

Лишь постепенно, очень не сразу доходило до моего сознания, что дело в Голливуде решает не реальная цена вашей творческой личности, а принадлежность к номенклатуре – ваши связи, с кем вы общаетесь, играете в теннис, в гольф, соблюдаете ли принятые *клубом* правила. Вкратце они таковы: ни с кем никогда не ругайся; никого публично не критикуй; имей высоких покровителей; не выноси сор из избы; как бы неприглядна ни была изнанка того или иного происшествия в голливудском мире – о ней пусть знают лишь члены клуба. Голливуд – это привилегированный клуб, попасть в который крайне непросто. Но если уж ты в нем – в нем и останешься. Это номенклатура. Когда я ехал в Голливуд, думал, что еду на свободный рынок торговать своим товаром – своими художественными идеями. Как прав был Эйзенштейн в своем письме к Штрауху, когда говорил о необходимости завоевывать плацдарм для своей гениальности! Самому ему в Америке его завоевать не удалось...

Итак, я летел в Нью-Йорк – на встречу со Сталлоне. Летел самолетом авиакомпании «Эм-джи-эм» – есть такая компания для голливудской элиты. В обитом бархатом салоне самолета, с баром, роялем, зеркалами, где могло бы разместиться две сотни пассажиров, стояло штук сорок вращающихся кресел, каждое со столиком; хвост самолета разделен на отдельные кабинки – можно уединиться, закрыться, есть, спать, проводить время с любимой женщиной, читать, смотреть телевизор (их в каждой кабинке два), заказать, чтобы вам сделали маникюр, педикюр. На аэродром вы приезжаете к отдельному входу, нет необходимости идти через огромный аэровокзал, машина доставляет вас практически прямо к трапу. На борту самолета красуется огромный лев – марка «Метро-Голдвин-Майер». Ваши чемоданы тут же подхватывают, под ногами – ковер, в салоне – живые пальмы, пассажиры друг друга, как правило, знают в лицо. Все принадлежат к единой номенклатуре, хоть и не к верхнему ее эшелону. Верхний – летает в частных самолетах.

В Нью-Йорке меня встретил огромный лимузин, отвез в самую дорогую, в староанглийском стиле гостиницу.

Я позвонил Сталлоне, мне на классическом бостонском языке сказали, что его нет дома. В американских богатых домах издавна было принято брать мажордома-англичанина и няню-англичанку. Иметь лакея с аристократическим английским произношением – хороший тон. Это традиция «старых денег», первых поселенцев Нью-Йорка, Бостона, Нью-Джерси. А сейчас в Голливуде модно, когда по телефону президента компании или продюсера отвечает молодой голос с оксфордским акцентом. В секретари берут выпускников Оксбриджа (так в полушутку называют тех, кто учился в Оксфорде или Кембридже) – молодые англичане едут в Голливуд делать свою карьеру. Я своего сына тоже послал в Оксбридж, думал, отучится – поедет в Голливуд. Но времена изменились: он поехал в Москву, стал делать себе карьеру в России – в рекламном бизнесе...

– Слай ждет вас завтра в одиннадцать, – ответил оксбриджский голос.

Слай – прозвище Сталлоне, дословно – «смышленый».

На следующее утро я приехал к Сталлоне. Он встретил меня в номере гостиницы, высокий, загорелый, мощный. Румяное лицо, тренированное тело, мускулы, бицепсы. Мы познакомились, поговорили о картине. Ему понравилось все, что я о ней говорил. Он снимался в этот момент в фильме «Взаперти». В номере было много живописи – вдоль стен и на стенах висели и стояли полотна. Тут же лежали и книги по искусству – обитатель апартаментов собиранием картин занимался всерьез.

Секретарь подал чай.

Вошел какой-то человек, настороженно посмотрел на меня, отрекомендовался лучшим другом Сталлоне. Они ушли в соседнюю комнату. Я слышал заданный приглушенным шепотом вопрос: «Кто это?» Слай что-то ответил, после чего вошедший вернулся, глядя на меня уже совсем по-иному. Подобного рода люди все время окружают звезд, живут в тени их славы. Сталлоне, как я позднее убедился, не забывает друзей молодости, заботится о них. Иные из них снимаются в тех же картинах, что и он, другие работают дублерами или, как их называют в Голливуде, «стэнд ин» – двойниками.

«Двойник» и «дублер» – это две разные профессии. На двойнике ставят свет, фокус, репетируют панораму, он послушно исполняет все, что попросит оператор или режиссер, заменяя собой отсутствующую звезду. Их подбирают того же роста, с тем же оттенком кожи, цветом волос, той же комплекции. Если понадобится лечь в лужу, он ляжет и будет лежать столько, сколько потребуется. Артисты приходят на площадку тогда, когда все готово и отрепетировано на двойниках: им говорят, куда идти, где остановиться, где сесть, где лечь. Даже исполнитель второстепенной роли по голливудским законам имеет право на двойника. У них есть свой профсоюз, они прилично зарабатывают – минимум семьдесят долларов в день. Хороший способ помочь другу – устроить ему такую работу.

Двойник заменяет актера до съемки, но в момент съемки его в кадре нет. Дублер, напротив, заменяет актера в кадре. Бывает, у актрисы не очень красивые ноги или руки или не очень хорошая фигура. Бывает, она не хочет раздеваться догола, участвовать в постельной сцене. В «Хорошенькой девушке», фильме, после которого Джулия Робертс стала звездой, в сцене, где героиня играет на рояле, ее заменяла дублерша, в «Танце-вспышке» дублерша заменяла героиню в танцевальных эпизодах... У мужчин, как правило, дублеры – это люди, способные выполнить рискованный трюк.

...Мы пошли со Сталлоне в маленькое кафе, где весь угол был увешан портретами звезд, в том числе и портретом его самого с дарственной надписью хозяину. Все вокруг нас шептались, узнавали Сталлоне мгновенно. В кафе он был свой человек.

Сталлоне произвел на меня впечатление разумного, здорового во всех смыслах человека – и физически, и нравственно. Я чувствовал, что он хочет мне понравиться. Думаю, сыграла свою роль и недобрая слава о его взаимоотношениях с режиссерами. Не раз он их попросту выгонял. Были картины, на которых сменяли друг друга три режиссера. Зная это, я опасался, что и у нас не обойдется без конфликта – как меня ни убеждали, что вмешиваться он не будет.

Мы поговорили о картине, потом рассказывали друг другу всякие смешные истории, потом перешли на женщин. Он с горечью говорил о своем глубоком разочаровании в них. Его можно понять: последний развод с Бриджит Нильсен стоил ему шестнадцать миллионов. Чтобы их заработать, ему надо вкалывать полтора года, сняться в трех картинах, заработать двадцать четыре миллиона – тогда за вычетом налогов останутся установленные по суду алименты.

– Больше не женюсь, – говорил Сталлоне. – Буду мстить женщинам сексуальным образом.

В этом слышалась почти мальчишеская обида.

Сталлоне страстный игрок в поло. Это опасная игра – разновидность хоккея верхом на лошадях. Игра богатых людей. У него дома в Калифорнии около гаража стоит механический тренировочный конь. Он вскидывается, подскакивает, бросает сидящего на нем игрока во все стороны.

Но это я увидел позднее, когда побывал дома у Сталлоне, в Беверли-Хиллс. Это самый центр Лос-Анджелеса, уникального мегаполиса, посреди которого тянется полоса холмов, поросших кустарником – длиной километров двадцать, шириной – пять. Здесь живут все голливудские звезды, но здесь же по ночам слышен вой шакалов, а из-за какой-нибудь свалки неожиданно может выйти олень. Земля в этом районе безумно дорогая.

Мы стояли на террасе, с нее виден был холм, поросший лесом, за ним – еще холм и еще холм. «Это все мое», – пояснил Сталлоне, показывая мне протянувшийся на полтора-два километра парк. Владея таким участком, можно уже не делать ничего всю оставшуюся жизнь – просто продавать по кусочку землю.

Сталлоне очень следит за своей физической формой, не пьет, курит сигары, знает, что можно есть, что нельзя, информирован о протеинах, глутаминах, свободных радикалах, умеренно ест – таким я узнал его в тот вечер. Мы друг другу понравились.

Мне позвонил мой агент:

– Сталлоне от тебя в восторге. Ты первый режиссер, с которым он хотел бы работать.

Это обнадеживало.

На данном этапе главной целью моих нанимателей было проверить, понравлюсь ли я двум суперзвездам киноиндустрии – продюсеру и актеру. Я понравился.

Теперь я уже мог лететь в Европу работать над спектаклем. Когда я сказал Кентону, что занят в театре и не сразу могу начать подготовительный период, он страшно расстроился. Начинать съемки надо было через два месяца. Главное условие – картина должна выйти на экран к Рождеству, а точнее – 22 декабря 1989 года

Лишь много позже я узнал, почему этот срок был так важен. Забегая вперед, скажу, что фильм 22 декабря вышел, получил пренебрежительные рецензии, долгое время держал второе место по сборам в США. (Картина стоила 30 миллионов, перерасход по ней составил 20 миллионов, в рекламу было вложено как минимум еще 15. Чтобы это окупить в прокате, нужно было собрать 130 миллионов.)

У Сталлоне был контракт с «Уорнер бразерс» на три фильма. За каждый ему причиталось 8 миллионов. В момент нашей встречи он уже завершал съемки во втором и уже имел контракт с «Каролко» на двенадцать миллионов за фильм. Отношения с «Уорнер бразерс» были для него пройденным этапом – просто надо было отработать старый контракт, ставший кабальным. Снявшись в моей картине, он мог погасить все долги, а затем начинать новую жизнь участием в «Рокки-5» – съемки были назначены на конец года. Нам он выделял два месяца: июль–август, иного времени у него не было. Снимаясь у меня, он и закрывал контракт, и заполнял свободное окно. Мы были связаны сроками, им поставленными.

Картина была очень выгодна и Питерсу, мастеру больших коммерческих проектов. По прокатным прогнозам все главные удары на зрительском рынке должны были произойти летом, рождественский же рынок оставался оголенным. Если нет других ударных картин, зритель пойдет на эту. Свободное пространство нельзя было упустить. Любой ценой фильм должен быть готов к этому сроку. Этот фактор в итоге стал решающим, каких бы вопросов ни касалось дело. Никого не волновало, что сценария, по сути, нет. Снимать! Все равно снимать! Сколько бы это ни стоило, все равно был резон кидать деньги в эту авантюру – лишь бы не стопорилось производство. Наличие таких фигур, как Сталлоне, Питерс, плюс экзотический режиссер Кончаловский позволяло поверить в картину даже при отсутствии сценария.

Мы запустились в подготовительный период. Я надеялся получить сценарий не к началу съемок, а раньше. Поэтому и настаивал на приезде драматурга в Париж. Рэнди Фелдман приехал, аккуратный молодой человек, написавший к тому времени несколько сценариев: «Танго и Кэш» был первым, запускавшимся в производство.

В ответ на все предложенные мной идеи он сразу предупредил:

– У меня инструкция все выслушать и ничего не писать.

– Почему?

– Питерс не хочет сюрпризов.

Да, Питерс не соврал, сказав, что драматург – это просто рука, им нанятая. Его дело записывать и обеспечивать мотивировками все, что взбредет в продюсерскую голову. А идей у него, как я вскоре убедился, было без счета, все в одну картину втиснуться никак не могли – хотя бы по параметрам чисто стилистическим. Питерс намеревался вставить и умирающую мать героя, и линию его любовных отношений (для чего и надо было найти новую звезду), ему мерещился невероятный бой в финале и пролетающий сквозь стеклянную стену мотоциклист.

Все было очень сумбурно. Я надеялся, что сумею поставить вопрос о мотивировках и настоять на своей правоте. Первые опасения возникли, когда стало ясно, что сценарист приехал просто выполнить долг вежливости. Тем не менее мы немного поработали, кое-что оговорили, он записал все мои предложения – в итоге ни одно из них в сценарий не вошло.

Фелдман был человеком смышленым, профессиональным. Во многом он со мной соглашался, но я понимал, что писать он будет не то, что говорю я, а то, что скажет продюсер; кроме того, я все время чувствовал, что он чего-то недоговаривает. Позднее оказалось, что действительно пишет он то, что ему говорит Питерс, но потом должен все переписать с учетом предложений Сталлоне, а затем переписать еще раз в соответствии с новыми идеями, возникшими в необузданной фантазии Питерса.

Независимость определяется успехом. Чем более успешные работы стоят за вами, тем независимей вы в своих решениях. А в случае суперуспеха студия позволяет вам не зависеть даже от нее. В принципе она готова и на полный карт-бланш. Вместо сценария запускайтесь под две странички замысла. Свобода? Нет, просто не студия контролирует вас, а вы сами себя. Успех означает, что вы знаете, на что сегодня спрос, что идет на рынке, за что платят деньги. Надо уметь угадывать, что зритель хочет от вас слышать, и это ему говорить. За этот особый нюх вам и платят.

Сталлоне – человек, вполне отдающий себе отчет, кто он есть. Нравится вам то или нет, но он национальный американский герой, миф 80-х, и сознание этого, безусловно, наложило на него отпечаток. Он политик. Он бизнесмен. Но он еще и художник.

Когда я сказал, что не хотел бы ни разу в картине видеть его обнаженным, у него радостно вспыхнули глаза– ведь все 80-е годы прошли под знаком его торса. Я предложил ему играть другой характер, и это удивительно совпало с тем, что ему самому хотелось. Он понимал, что его прежний образ себя изжил – нельзя уже больше варьировать Рэмбо. Публика перенасытилась его имиджем – пора меняться. Да и возраст уже не тот. Обретение нового амплуа началось с появления на обложке «Эсквайра» его фотографии в простых очках с металлической оправой, аккуратно подстриженного – бывший Рэмбо стал бизнесменом.

И у меня было то же желание – сменить его имидж, сделать его героя не суперхипповым, а, напротив, очень консервативным, одеть в костюм-тройку, в жилетку. Я представлял себе его человеком преуспевающим, играющим на бирже. Наши стремления совпали. Именно после этого мой агент позвонил и сказал: «Сталлоне от тебя без ума».

Мы побеседовали еще о том, кто должен играть второго полицейского. Он сказал, что с Кертом Расселом хорошо себя чувствует. Я понял, что решающее слово во всех вопросах принадлежит Сталлоне. В целом его стратегия с моими предложениями совпала.

К моему возвращению в Лос-Анджелес начало сценария было уже переделано. Я снова встретился с Джоном Питерсом. Он снова сказал, что волноваться мне нечего. Сценарист лишь записывает его мысли, так что я могу рассчитывать на шедевр. Рассказывая сцены будущего фильма, он фонтанировал образами – драматургии в них по-прежнему было мало. Если я говорил, что мне это не очень нравится, он тут же агрессивно меня пресекал:

– Это негативная критика. Не нравится – предлагай взамен свое. Критикуй позитивно.

Верно меня предупредили, что никакие новые идеи сразу он не воспринимает. Ему надо их сначала переварить, и тогда, возможно, кое с чем он согласится.

Питерс был очень занят. Был день накануне «Оскара», а

«Человек дождя» шел на «Оскара». Попутно он то и дело связывался с Лондоном по поводу «Бэтмена», с которым возникли какие-то проблемы: Принс (есть такой известный певец) записал какую-то пластинку, вокруг нее разразился скандал, так что Питерс то и дело отвлекался. Каждый раз, возвращаясь к предмету нашего разговора, он извергал новую идею, иногда блистательную, но всегда без малейшей связи с тем, что сам же до этого говорил.

Зашла речь о съемочной группе. «Я дам тебе лучшего оператора, – говорил Питерс по поводу каждого. – Я дам тебе лучшего художника-постановщика». Когда я назвал художника по костюмам, с которым хотел бы работать, он перебил: «Все в порядке. Не волнуйся. Я дам тебе лучшего». Я понял, что будет не тот, кого хочется мне, а тот, который работает со Сталлоне из картины в картину. Он как бы прилагался к нему автоматически.

Позвонил Сталлоне, сказал, что хотел бы взять оператора, только что делавшего с ним картину. Я видел ее, снята она была неплохо. Но для идей, меня занимавших, лучше подходил другой, а кроме того, мной еще владела иллюзия, что слово режиссера решающее. Я сказал, что предпочел бы Барри Сонненфельда, снявшего несколько картин братьев Коэн, ныне весьма известных голливудских режиссеров. Объяснил, почему нужен именно Сонненфельд. Я был полон энергии и азарта работы. «Выбрасываю белый флаг», – согласился Сталлоне.

Художник-постановщик Майкл Рива только что закончил работу над блокбастером «Смертельное оружие» с Мелом Гибсоном в главной роли. Художником по костюмам стал Берни Поллак, брат Сиднея Поллака.

Я сумел настоять на своем монтажере – Генри Ричардсоне, с которым делал «Поезд-беглец», «Дуэт для солиста», «Гомера и Эдди». Группа складывалась. Сценария по-прежнему не было. Он писался. Поэтому бюджет картине был дан по существовавшему варианту. Я по-прежнему ждал другой сценарий. Мне все время говорили, что он пишется, все будет в порядке, через две недели новый вариант ляжет на стол. Эти «две недели» продолжались до конца съемок.

Меня все время мучили сомнения, какой новый жанр имел в виду мой продюсер: то ли это жесткая драма, то ли комикс типа «Бэтмена», где мотивировки не играют серьезной роли. Если это сказка, то в ней надо принимать все на веру. Ничего похожего я прежде не снимал, понимал, что будет невероятно трудно, но надо принять какое-то решение и его держаться – это риск, без него не обойтись.

Срок начала съемок приближался неумолимо – сценария по-прежнему не было. Начальники цехов по реквизиту, специальных эффектов (а там их должно было быть великое множество) – все были не просто в недоумении– в истерике. Правда, хоть первые сорок страниц у нас были.

Пока до съемок оставался месяц, мы неизменно слышали: «Сценарий будет послезавтра». Проходило три дня, и Кентон говорил: «Надоело. Хватит. Сценарий должен быть послезавтра. Все». Он звонил драматургу, требовал сценарий, на что тот спокойно отвечал: «Ничего не могу поделать. Питерс каждый день дает новые идеи».

Мы уже выбрали натуру, надо было строить декорацию, но по-прежнему было всего сорок-пятьдесят страниц сценария. Я понял, что пора вовлекать в наши проблемы Сталлоне. К тому времени он кончил сниматься, уже монтировал картину. Мы собрались – первый раз пришли все: Сталлоне, Керт Рассел, Марк Кентон, Джон Питерс. Начал Джон, долго не давал никому слова сказать, но было ясно, что все мы здесь, чтобы услышать Сталлоне. Он был очень мягок, сделал какие-то замечания, все в очень позитивной форме. Никто никого не ругал – разговаривали как на Политбюро, Сталлоне вообще умеет быть большим дипломатом.

Затем мы стали встречаться у него в монтажной – Керт, сценарист, я, директор картины. Проходили фильм поэпизодно. Пошли новые идеи, исходившие от Сталлоне и Рассела, они также не имели ничего общего со сценарием.

Монтажная Сталлоне скорее напоминала картинную галерею. Спроектирована она наподобие бункера, свет идет через потолок, на стенах замечательные полотна, стоят скульптуры, просторный зал, а где-то в глубине сама монтажная. Большой стол, на нем накрыт завтрак. Мы работаем.

Собирались через день, Сталлоне много импровизировал с Расселом, придумывал сцены, сценарист их записывал, перепечатывал, привозил текст. Практически каждую сцену Сталлоне переписывал сам.

Дошло до подготовки сцены побега из тюрьмы: она по-прежнему не была написана. Я был более или менее спокоен, американская тюрьма мне была неплохо знакома по работе над «Поездом-беглецом». Нетрудно было представить, что тут можно сделать. Собрались все – художник-постановщик, продюсер, директор картины, я. Питерс начал фантазировать. «Я хочу, чтобы побег был такой, какого никто никогда не видел. Я хочу, чтобы они пролезли в подземелье и там бы стояли гигантские...»

Он задумался на секунду, явно не представляя, что сейчас скажет. В этот момент он напомнил мне Хлестакова. «Гигантские турбины, – после недолгого молчания выпалил он. – Такие же гигантские, как в самолете. И они через эти турбины должны пролезть». Мы переглянулись с художником: откуда там могли взяться турбины?

Мы собирались и без продюсера, решая различные изобразительные задачи. Мы – это художник-постановщик Майкл Рива, художник по раскадровкам Никита Кнац, блистательный визуалист, хотя имя его никому не известно. Русский по происхождению, он воевал в спецвойсках во Вьетнаме, был контрразведчиком, вернулся весь в шрамах. Прежде работал со Спилбергом. Он как бы режиссер, который продает свои идеи другим режиссерам. Скажем, нужно придумать, как герои бегут из тюрьмы. Придумать что-то такое, чего в кино прежде не было. В этом и состоит его профессия.

Все эти талантливые люди, по сути, работали и за сценариста, и за режиссера. Нужно было придать видимость логики исходившему из продюсера фонтану идей. Кое-как это удалось, хотя мотивировки были чрезвычайно слабы. Правда, потом, увидев все на экране, я убедился, что смотрится на одном дыхании. Да и многие суперблокбастеры, если их проанализировать, никакой проверки не выдержат, логики в них нет – одна лишь цепь трюков, но ошеломляют они так, что обо всем забываешь.

Отработав продюсерские «идеи», можно было идти дальше, придумывать свое. Никита предложил:

– А что, если они вырвутся из тюрьмы по проводам высокого напряжения?

Первая общая реакция – что за чушь? Откуда в тюрьме высокое напряжение? Как можно по ним бежать? Но затем... А почему нет? Стали прорабатывать идею. Получилось. Никита принес первые эскизы. Затем в дело вступил художник-раскадровщик, нарисовал, как выглядит тюрьма, как проходит рядом с ней высоковольтная линия, как провода уходят за стену. Потом мы сюда же присочинили грозу, проливной дождь, на высоте пятого этажа герой должен был разбежаться и, пролетев четыре метра, схватиться за провода, наклонно идущие, перекинуть через них ремень и скатиться за тюремную стену. Мы долго думали, какие еще эффекты можно здесь придумать.

Драматургия подобных лент практически вся строится на трюках. Все эти раскадровки сохранились. По ним можно проследить, как рождался действительный сценарий фильма. Мне приносили несметное количество идей – я отсеивал, выбирал понравившееся. Такова практика дорогого голливудского кино. В нем работает много талантливых людей, они получают деньги за идеи, которые приносят. Деньги немалые, но идеи того стоят.

Побег из тюрьмы выстроился в итоге так. Герои спускаются вниз, под пол, проходят через какие-то подземные коридоры, их преследуют собаки (собак хотел Сталлоне). Темно, полно крыс (крысы перекочевали из моего «Поезда-беглеца»), герои наталкиваются на турбины (их хотел Питерс), одна из которых работает, другая – неподвижна. Когда они пытаются пролезть через неработающую турбину, та приходит во вращение (непонятно почему, но это никого не интересует), они не могут шевельнуться, но все-таки умудряются через нее пробраться, вылезают на крышу, с нее – на другую, оттуда скатываются по высоковольтному проводу (изобретение Никиты Кнаца) через стену, ограждающую тюрьму...

В подготовительном периоде, естественно, готовится и реквизит. На блокбастере требования к нему особые. Все предметы, которыми пользуется в кадре Сталлоне, должны быть тщательнейше отобраны: строго определенные фирмы, строго определенные марки. Ничто не имеет права быть случайным. Сталлоне должны окружать только вещи, с производителями которых у него контракт. Зритель должен знать, что Сталлоне всегда пьет, допустим, кока-колу, такое-то пиво, виски такого-то сорта. Если в ванной героя стоит флакон одеколона, то тоже далеко не любой марки. Фирмы платят за это. Платят не только самому Сталлоне, но и съемочной группе. Скажем, если герой едет на мотоцикле, то «Хонда» может заплатить десять тысяч долларов – только за то, чтобы он проехал на «хонде». Эти десять тысяч войдут в бюджет картины. Можно снять картину целиком на деньги фирм, через нее рекламирующих свои товары.

Я, конечно, слыхал обо всем этом, но до «Танго и Кэша» не мог и представить, какой гигантский рекламно-пропагандистский аппарат стоит за каждой большой дорогой картиной. Общеизвестно, к примеру, что «Мужчина и женщина» Лелуша сняты как реклама фордовского «мустанга». Но там речь лишь о машине главного героя, которая как бы часть его самого, его жизнь, его профессия, а здесь то же значение у любого предмета.

Право снимать тот или иной объект реквизита должно

быть удостоверено. Иногда фирма требует, чтобы за это право ей заплатили. Иногда готова платить сама. Но в любом случае должно быть ее согласие. В противном случае на предмете не должна быть видна марка фирмы. Если герой, допустим, берет бутылку, то его рука должна перекрывать этикетку. Без разрешения не может быть использован ни один объект с идентифицируемым регистрационным номером. Даже заголовок газеты не может быть использован в кадре без ее на то согласия. Есть целый штат людей, специально следящих за этим. Хотите снять, допустим, газету «Лос-Анджелес таймс» – платите ей за это. Или придумывайте несуществующую газету «Лос-Анджелес кроникл» с таким же шрифтом, как «Лос-Анджелес таймс» – тут уже платить никому не надо.

Реквизитор обязан пройти «клиренс» – утверждение каждого названия. Он получает у менеджера Сталлоне огромный список всех марок, какими можно пользоваться,– какие духи, какие сигареты, какое оружие. Скажем, у Сталлоне договор с «Брейтлингом» носить только часы этой фирмы, очень дорогая марка, цена – 20 000 долларов.

Предметы, в окружении которых Сталлоне предстает в кадре, останутся в подсознании зрителя, особенно молодого; когда встанет вопрос о покупке, он сам, не отдавая себе отчета, предпочтет эту марку. Реклама на уровне подсознания – большой и серьезный бизнес...

Другой большой бизнес, сопутствующий супербоевикам – «мерчандайзинг», выпуск товаров для продажи и одновременно для рекламы фильма. Продажа игрушек от картин Спилберга, Лукаса приносит больше, чем сами картины. Кукла «ЕТ», кукла «Бэтмен», майки с «Бэтменом», жевательные резинки с динозаврами – все это серьезная индустрия. Блокбастеры, такие как «Звездные войны», «Хук», «Парк Юрского периода», «Лев-король», приносят в среднем полмиллиарда долларов прибыли, а игрушки по ним – и два, и три, и более миллиардов. Поэтому уже в сценарии должна быть заложена возможность выпуска разных сувениров, «гаджетс» (брелоков) – каких-нибудь взрывающихся сигар, ножей, втыкающихся, когда их бросают, висящих на шнурке очков и всяких прочих придумок. Питерс требовал от нас: «Дайте как можно больше игрушек. Вооружите полицейских всякими любопытными приспособлениями. Придумайте мне игрушки...»

Я пишу все это и думаю: а при чем здесь искусство кино – то самое искусство Бергмана и Ренуара, Куросавы и Бюнюэля? Грустные вопросы... Но про это позже.

Как-то в воскресенье Питерс пригласил меня пообедать на свою яхту. Мы ушли в океан. Были друзья продюсера – Барбра Стрейзанд, очень известный кинематографический агент Су Менгерс. Су и Барбра делали педикюр. Питерс излагал мне свое кредо:

– Я возьму тебе самого лучшего режиссера второй группы, он работал у меня на «Бэтмене», снимал параллельно все трюковые съемки. По сути, снимать буду я, он сделает то, что я ему скажу. Я беру всех лучших людей и руковожу ими, как дирижер в оркестре.

Так. Питерс собирается еще и снимать... Я начал понимать, что он манипулирует всеми, в том числе и мной. Действительно, чтобы снять такую картину, да еще к декабрю, нужно было проделать гигантский объем работы, и потому появился режиссер параллельной группы – Питер Мак-Доналд, четкий в работе профессионал, работавший на «Бэтмене». По идее, он должен был работать под моим руководством, снимать какие-то сцены, которые сам я снять не успеваю. Но, как очень скоро выяснилось, все обстояло иначе. Еще не начались съемки, а я уже чувствовал, что ничего хорошего в эту часть работы привнести не смогу. Единственное, чего я от себя мог требовать, – оставаться честным и искренним перед самим собой.

Приближался первый день съемок – по-прежнему не было половины сценария. Имевшийся финал меня начисто не устраивал. Я предложил свой– Питерс его не принял. Позвонил мне:

– Будем снимать по прежнему варианту.

Ему втемяшился в голову мотоцикл, пробивающий стеклянную стену. Замотивировать, конечно, можно все, но должен же быть хоть какой-то смысл. Я сказал, что это снимать не буду.

– Будешь, – сказал он.

– Не буду.

– Тогда, может быть, тебе лучше уйти?

– Увольняйте.

Питерс – человек вспыльчивый, но отходчивый. Мы помирились. Начались съемки. Сценарий по-прежнему был не готов примерно на сорок процентов. Подобной ситуации в моей практике не было.

Мы придумали финал в стиле лент джеймсбондовской серии. Два бронированных автомобиля (в одном – «злодеи», в другом – «наши») ведут бой в трюме гигантского транспортного самолета (к примеру, нашего «Антея», переговоры о фрахтовке которого уже велись), кругами летающего над Лос-Анджелесом. Из развороченной бронированной машины сыплются деньги, на трассах столпотворение, движение стало, все собирают доллары.

Машина «злодеев» пытается выпихнуть из самолета «нашу» машину, но тут герой Сталлоне сам дает задний ход, заставляя «злодейскую» бронемашину разогнаться, и она, не встретив сопротивления удара, вылетает из чрева самолета. Две машины вместе идут колом вниз, только «наша» оборудована парашютом, открывающимся с помощью взрывного устройства. «Злодеи» разбиваются, а «наши» садятся прямехонько на автостраду, где их уже встречает полисмен: «Вы нарушили правила дорожного движения. Ваши права, пожалуйста...»

Питерс сказал: «Этого не будет». Я сказал: «Будет». Я еще не понимал, что все равно будет так, как он скажет. Он стал ругаться, кричать, что не даст мне работать в этом городе.

– Увольняй меня, – сказал я.

Через двадцать минут он позвонил:

– Хорошо, мы сделаем твой самолет, но сделаем все вместе – и то, что я хочу, и то, что ты хочешь.

Это был всего лишь тактический ход. Обещанную сцену я так и не получил, но на какое-то время успокоился, тем более и без того в сценарии надо было дописывать много другого. Но главным пунктом наших противоречий по-прежнему оставался финал. Мне хотелось насытить его не только головокружительными трюками и супермощью голливудской техники, но и юмором, неожиданностью поворотов. Наше видение не совпадало.

После разговора меня трясло. Съемки еще не начались, а он уже орет на меня, как на мальчика: «Я знаю, что я делаю!» Но и я знаю, что делаю. Он привык орать на всех, а я не привык, чтобы на меня орали. Последний раз на меня орал Баскаков, замминистра кинематографии в 1969 году. Хватит! Хочу следовать своим концепциям, плохим или хорошим, но своим.

Мы собрали в группе самых квалифицированных специалистов. Должно было готовиться великое множество спецэффектов: полеты через пространство, прыжки, выстрелы, взрывы, взрывы внутри тела, один из героев должен был держать за ноги человека, готового сорваться вниз с крыши, должно было использоваться разное оружие – его надо было придумать, сделать. Нужно было подготовить специальный полицейский автомобиль, вооруженный до зубов, способный творить черт знает что. Сценария не было.

Руководитель параллельной группы Питер Мак-Доналд, приглашенный делать трюковые съемки, вначале полагал, что управится со всем за пару недель. Но уже через четыре дня после встречи со мной и Питерсом он сказал:

– Кажется, мне придется просидеть здесь полтора-два месяца.

– Почему? – спросил я.

– Питерс хочет, чтобы я снимал под его руководством.

Тут я вспомнил слова Питерса: «Я возьму вторую

группу, ты будешь снимать актерские сцены, а я все остальное». Да, это была совсем не проходная реплика.

Он на самом деле руководил, снимал, переснимал, делал все, что хотел, в параллельной группе. В нем, как видно, живет нереализованное желание быть режиссером. Но времени на это у него не было – настолько он вместе со своим партнером Питером Губером был занят другими делами (какими – и я, и руководители «Уорнер бразерс» спустя недолгое время узнали). Наша картина была для него лишь одним из попутных занятий – они готовили миллиардную сделку, и что для него был десяток-другой миллионов!

– У нас будет перерасход.

– Неважно, заплачу из своих.

А перерасход еще до начала съемок уже был около пяти миллионов. Меня охватывал холодок от ощущения надвигающейся беды – весь бюджет моих «Возлюбленных Марии» был два миллиона восемьсот тысяч.

Спорить с Питерсом было бесполезно. Я выслушивал все, что он говорил, а затем делал так, как умею. Стало ясно, что свою линию я смогу проводить только через каких-то влиятельных для него людей. Прежде всего – через Сталлоне. Он так же, как и я, был недоволен финалом. Наши мнения во многом совпадали.

Питерс, продюсер-суперзвезда, продукт Голливуда, имеет исключительный нюх, как с кем разговаривать. Единственный, перед кем он тушевался, был Сталлоне, хотя и ему умел «запудрить мозги». Вел длинные разговоры о девочках, о лошадях, об архитектуре, о том, что посадил у себя на даче лес, – о чем угодно. Для остальных он был абсолютным тираном. С избранными беседовал запанибрата, со всеми прочими – в форме приказов. Достаточно ему было сказать: «Ты здесь больше не работаешь», и человек действительно уже не работал...

Во время первых наших встреч Сталлоне был очень уставший, что, впрочем, не мешало ему находиться в идеальной форме. Вид свежий, хотя спал всего три часа. Сидел с монтажером, монтировал картину, где только что снялся и где был также продюсером. (Продюсер имеет право на окончательный перемонтаж, Сталлоне смонтировал картину отлично.) Он был слегка раздражен, но никак не проявлял это в деле. Немаловажное умение, тем более когда работа сводит людей столь разных культур!

Мы проходили эпизод за эпизодом сценария, но никак не могли дойти до конца: то и дело приходилось возвращаться к началу и перелопачивать все заново. Оставалось две недели до начала съемок, все уже должно было быть готово, но конца по-прежнему не было видно. Я уже воспринимал происходящее с остраненностью спящего: надо снимать, а сценария нет. Хотелось проснуться, убедиться, что я в Голливуде и что в Голливуде такого не может быть.

И все-таки студия была полна решимости начинать съемки, даже без сценария. Каждые два дня Марк Кентон говорил: «Я за все отвечаю. Все под моим контролем». Правда, когда появлялся Питерс, подобные заявления кончались. Наверное, когда они оставались вдвоем, происходил примерно такой разговор:

– Джон, в конце концов, где сценарий?

– Да не волнуйся ты, все будет в порядке!

– Мы же не можем готовить съемки, все ждут сценарий.

– Передай Терри Семеллу (это шеф Кентона, реальный хозяин «Уорнер бразерс»), чтобы не беспокоился. Вы же знаете, что я все сделаю. Только что вышел мой «Бэтмен», он уже собрал сто миллионов.

Магические слова! С такими в Голливуде не спорят.

В картине одна женская роль. Для нее нужна была молодая секс-бомба, неизвестная, интересная, похожая на Сталлоне, поскольку должна играть его сестру. Сначала Питерс говорил: «Я хочу неизвестную актрису», и мы искали молодую актрису, пригодную для такого амплуа. Через месяц, с привычной своей хлестаковской легкостью, он сказал: «Что вы так плохо работаете! Мне нужна звезда». Видимо, он уже кого-то имел в виду.

Джон Питерс сдержал свое обещание. Все юные красавицы Лос-Анджелеса, высокие и не очень высокие, стройные и не самые стройные, блондинки, брюнетки, шатенки, натуральные и крашеные, были выстроены в ряд для проб. Самым трудным для меня было выбрать из них ту, в которой зритель узнал бы сестру Сталлоне. Нужен был ясно выраженный латинский тип. Всех отобранных мной – по способностям, по владению профессией – затем должен был смотреть продюсер.

Среди пробовавшихся подходящих было немного. Одной из них была дочь Джейн Мэнсфилд, звезды 60-х, актриса некрасивая, но очень обаятельная, с длинными ногами и руками, с живой подвижной пластикой. Еще пришла красивая девушка с карими глазами и родинкой на губе. Особо выразительной она мне не показалась. Через два года я снова увидел это лицо – теперь уже на обложках всех журналов мира. Это была Синди Кроуфорд.

Была еще одна – звезда, модель, блондинка, голубоглазая, то ли шведка, то ли немка – про себя я назвал ее «Евой Браун». На роль она заведомо не подходила, но я должен был показать и ее. (Питерс еще до меня смотрел фотографии и говорил, кого будет смотреть: он был чрезвычайно озабочен, чтобы я, не дай Бог, не сделал проб сам, без его разрешения.) И была одна, казавшаяся мне кандидатурой идеальной.

Когда я привел блондинку в кабинет к Питерсу, он первым делом выбежал из-за стола, секунду посмотрел, сказал: «Сядьте сюда», развернул ее лицо.

– Вас нужно постричь, – сказал он. – Значит, так. Я вас буду стричь сам. Вот здесь надо немного убрать, вот здесь...

Абсолютно профессионально он стал рассказывать, что и как будет делать с ее прической. Я понял: «Дело дрянь». В нем заработал инстинкт парикмахера. Он положил на нее глаз, включил свой коронный номер обольщения. «Я вас хочу постричь» означало «Я не прочь с вами переспать».

Я понял, он всерьез собирается ее снимать.

– Тебе не кажется, – спросил я, – что она непохожа на сестру Сталлоне? Блондинка, с арийскими чертами лица. А он черноволосый, смуглый, итальянец.

– Ничего страшного, – ответил Питерс, – мы напишем сцену... – тут он на секунду задумался по-хлестаковски, – и скажем в ней, что Сталлоне – приемный сын в семье, а отец – немец.

Переубедить Питерса было невозможно. Мне надо было переубеждать его в стольком, что вопрос об исполнительнице на этом фоне казался делом третьестепенным. Я махнул рукой, тем более что актриса она была неплохая.

Питерс лично репетировал с блондинкой, лично переделывал ее сцены, давал указания сценаристу. Сценарист в очередной раз переписывал сцены, вводил моменты, ничего общего не имевшие ни с сюжетом, ни с местом героини в фильме. Наконец, терпение его лопнуло, он взвыл: «Зачем эта сцена нужна? Она просто вульгарна». Этого оказалось достаточно, чтобы его тут же уволили. На его место был срочно нанят Джеффри Боум, сценарист самого успешного на тот момент в Голливуде фильма – «Смертельное оружие – II».

Тем временем начались съемки. Мне было интересно следить за появлением новых лиц у себя на площадке.

– Кто этот мальчик?

– О, это сын Айснера.

(Про встречу с Айснером в начале моей голливудской карьеры я уже вспоминал: к этому времени он стал президентом могущественнейшей империи «Диснейленд».)

– Как он сюда попал?

– Попросили, чтобы он немного поработал в вашей группе.

– А это кто?

– Это друг Сталлоне.

– А это кто?

– Это племянник Сталлоне.

– А это кто?

– Это его телохранитель.

Люди такого рода появлялись в группе совершенно неожиданно, образуя в ней своего рода субкультуру. На съемке одного эпизода, где Сталлоне предстояло столкнуться со здоровенным бейсбольным игроком, появился, наконец, продюсер и сказал, что здесь непременно должен быть применен определенный боевой прием. Мало того что исполнителя роли бейсболиста утвердили помимо моей воли и он совершенно для нее не подходил (как актер он был вполне хорош, но тут требовалось отрицательное обаяние, а у него было положительное), но и прием для человека такого крупного сложения не мог выглядеть хорошо. Питерса пытались переубедить все – я, Сталлоне, постановщик боя, китаец, знаток каратэ, специально выписанный из Лондона ставить эту борьбу. Все говорили, что прием здесь неуместен. Питерс не слушал никого. Сняли. Посмотрели на экране. Сцена не работает. Возможности переснимать уже не было. Весь эпизод пошел в корзину. Иначе не могло и быть: я снимал и актера и всю сцену наперекор себе. Выполнял то, что хотел продюсер.

Отношения режиссера с актерами, особенно если это звезды, всегда непросты. Актеру может хотеться, чтобы его снимали только с нижней точки – тогда он будет казаться повыше ростом. Или только в правый профиль – левый ему кажется менее фотогеничным. Не обошлось без трений и здесь. В итоге мне позвонил Марк Кентон, а потом на площадку прибежал Питерс:

– Снимай, как считаешь нужным. Одна просьба: не спорь с ними. Добавляй все, что им хочется. Хочется крупный план – пусть будет крупный план.

Продолжительность съемок из-за этого выросла процентов на сорок: я снимал все, что просили звезды, хотя знал, что эти кадры никогда не поставлю в картину.

Первые пять-семь дней Сталлоне на съемках был шелковый. Но каждый день внимательно смотрел материал. Потом стал делать замечания оператору. Глаз у него очень профессиональный. Еще только входя в павильон, он уже сразу видит, где – свет, где – камера и где – он сам. Осмотрев в очередной раз декорацию, Сталлоне сказал:

– Не нравится мне, как оператор снимает. На экране у меня получается не лицо, а жопа. И потом, почему камера стоит там? Я же сказал, что камера должна быть всегда справа от меня. Свет поставьте сюда, камеру поставьте сюда и вниз.

– А зачем вниз? – спросил я.

– Потому что тогда я кажусь выше, – ответил он, не взглянув на меня.

Я понял, что спорить бесполезно, потому что он действительно знает, чего хочет. Через десять дней после начала работы оператора Сонненфельда попросили убраться. Он не был очень расстроен, хотя, может быть, не показывал вида. Сейчас он преуспевающий режиссер, снял «Семейство Адамсов» и суперхит «Люди в черном». Нюх у него есть, без нюха в Голливуде делать нечего...

Время шло. Финальных сцен не было по-прежнему. Позади был уже месяц съемок. Мы уже дважды обсуждали финал, два раза высказали свои предложения, дважды заявили о своем несогласии с предложениями Питерса – в ответ слышали: «Да, да, очень интересно. Это будет обязательно учтено», но дело с места не сдвигалось.

Джеффри Боум, вновь приглашенный сценарист, очень известный, очень уважаемый, очень дорогой, начав работать над фильмом, после десяти дней хождения челноком между Сталлоне, говорившим одно, и Питерсом, говорившим другое, сказал:

– Хватит. Больше с вами дела не имею, иначе просто сойду с ума. Ни с кем разговаривать больше не буду, ничьих советов слушать не буду, через неделю сдам вам финал и больше в нем ни точки не исправлю. Подойдет – не подойдет, писать ничего больше не буду.

У меня уже не было времени думать о финале: каждый день надо было снимать сцены, очень слабо написанные, вызывавшие раздражение и у меня, и у Сталлоне, и у Рассела. Наконец, произошло нечто, вообще ни в какие ворота не лезущее.

Приезжаем на площадку – выясняется, что еще нет страниц сценария, которые сегодня надо снимать. То есть примерно известно, что должно происходить, но текста нет. Ждем. Приходят страницы, я их читаю, убеждаюсь, что, как нетрудно было предвидеть, они никуда не годятся. Сталлоне подтверждает: «Я в этом сниматься не буду». Садится, начинает сам переписывать сцену.

Сто пятьдесят человек загорают на крыше отеля. Жара, духотища, группа скучает, ест мороженое. Привозят завтрак, потом – обед.

Сталлоне пишет. Приезжает один из вице-президентов компании, ему донесли, что работа стоит. Ужас! В трубу летят такие деньги! И это Голливуд?

– Почему не снимаете?

– Нет сцены.

– Как нет сцены! Где она?

– Ее пишет Сталлоне.

– А-а-а...

Вице-президент постоял, помаячил на площадке, походил вокруг фургона Сталлоне и тихо-тихо, не простившись ни с кем, исчез. Происходило нечто неподконтрольное, нерегулируемое... Сон продолжался. Это во сне я сижу на крыше, вижу внизу Даунтаун, Лос-Анджелес, переговариваюсь с бывалыми голливудскими ветеранами – им все это тоже снится, в своей реальной голливудской жизни ни с чем подобным они не сталкивались.

Наконец, Сталлоне окончил сцену. Она стала безусловно лучше. Начали репетировать, но день уже прошел.

Американцы умеют работать очень производительно. Заставить их работать непроизводительно может только нечто особо выдающееся. Здесь мы как раз и имели дело с особо выдающимся продюсером. Для его личной стратегии полтораста тысяч (цена съемочного дня) или восемьсот тысяч (она же с учетом гонораров), выброшенные на ветер, значения не имели. То, что они имеют значение для кого-то другого, для «Уорнер бразерс» хотя бы, его не беспокоило. Успех «Бэтмена» сделал его неприкасаемым, непререкаемым. При малейшем возражении он поднимал крик:

– Я знаю, как снимать блокбастер!

Актерам положено приходить на площадку подготовленными. Но здесь возможности готовиться у них не было, часто они вообще не знали, что предстоит играть. Актерские импровизации – дело творческое, дающее иногда и очень интересные результаты, если, конечно, не принимать в расчет цену этих импровизаций.

Пришло время снимать героиню. Я сделал пробы и «Евы Браун», и нравившейся мне Тэрри Хатчер, но компания сказала: «Не надо! Ну что тебе? Снимай блондинку, она же хорошая! Нам она тоже больше нравится». Спорить с Питерсом по какому-либо поводу им не хотелось. Ни его вкус, ни вера в его здравый смысл сомнению не подлежали.

За неделю до съемок продюсер вдруг сказал:

– У меня новая идея по поводу актрисы!

– Да? – сказал я с надеждой.

Неужели он надумал вернуться к Тэрри Хатчер? Она похожа на Сталлоне, красива, чувственна.

– Я вам ее покажу. Пробу буду снимать сам.

Потом мы увидели пробу, снятую под руководством Питерса каким-то режиссером на побегушках. По сути, это была не проба – ведь проба снимается затем, чтобы убедиться в таланте актрисы, – а смонтированный в стиле клипа номер. Ни лица, ни игры – одни ноги. И главное, я в глаза не видел эту актрису. Собственно, это и не была актриса – была манекенщица, шведка. То ли у Питерса не получился с «Евой Браун» роман, то ли по какой иной причине, но он перекочевал к другой. Увидев ее, мы просто ахнули. Она не умела ни танцевать, ни петь, ни играть. Просто красивая девушка, с длинными ногами, поддавшись чарам которых Питерс решил, что сделает ее героиней. «Пробы» были сняты очень старательно – с игрой света, включающимися прожекторами, вентиляторами, развевающими платье и волосы, все было смонтировано под музыку, представлено в виде эффектного клипа, который должен был «продать» ее нам, убедить, что лучше нее никого не найти. Кончился ролик, зажегся свет. Я посмотрел на Сталлоне. Он вытащил сигару, повернулся к секретарю: «Соедините меня с Питерсом...»

Если бы Сталлоне не сказал ему, что все это чепуха, пришлось бы ее снимать. Но пока «Ева Браун» была спасена тем, что соперница оказалась еще хуже. Та хотя бы была профессиональна.

Месяц репетировалась сцена. В нее входил сложный танцевальный номер, поэтому готовиться надо было тщательно. Я ожидал, что буду участвовать в репетициях – меня даже не пригласили. Выяснилось, что «Ева Браун» не очень способна к танцам. Поэтому номер строился так, чтобы скрыть это, подменяя в какие-то моменты актрису дублершей. Питерс сказал: «Не волнуйся. Я же сделал «Флэшданс» («Танец-вспышка», известный фильм-хит про девочку-танцовщицу, где точно так же играла одна, а танцевала за нее другая).

Актриса пришла на съемку. Отрепетировали сцену. Мне было уже все равно – лишь бы побыстрее пройти это испытание, оказаться по ту сторону туннеля. Но, посмотрев материал первого дня съемок, мы поняли, что ни в какие ворота он не лезет. Актриса «не тянет».

Сталлоне в это время снимал с параллельной группой автомобильные проезды. Позвонили ему. Он приехал, посмотрел, зажег сигару, сказал: «Дайте мне телефон». Принесли телефон. Он позвонил Питерсу, сказал, что блондинка никакая не актриса (всех слов в ее адрес пересказывать не буду) и снимать ее нельзя. Я сказал:

– Слай, ты же помнишь, какая хорошенькая была та, которая у нас пробовалась первой. И очень на тебя похожая.

– Конечно, она лучше.

В конце первого съемочного дня Тэрри Хатчер, ту самую, которую два с половиной месяца назад мне было велено забыть, потому что снимать ее ни за что не будут, надо было за полтора часа разыскать и к завтрашнему дню доставить на площадку. А она, как выяснилось, не получив роли, улетела горевать в Южную Африку к своему другу, который там в это время снимался. Этой же ночью ее, ничего не понимающую, вернули и без единой репетиции наутро поставили перед камерой. А ведь «Ева Браун» репетировала месяц! Я уже был в работе над другим эпизодом, этот должен был снимать режиссер из параллельной группы, так что я даже не видел, что там на площадке происходит. И все равно внутренне ликовал. Я утвердил ту актрису, которую хотел, правда, способом уникальным. Она осталась в картине. Сыграла, впрочем, достаточно неважно. Будь у меня возможность поработать с ней, а тем более снимать ее самому, не сомневаюсь, результат был бы иным. Во всяком случае сейчас она стала звездой, снялась в популярном сериале «Супермен», вышла замуж за исполнителя главной в нем роли.

К тому моменту мои отношения с Питерсом были уже достаточно напряжены. Добавилось и новое испытание – я ведь привел с собой своего монтажера, Генри Ричардсона. Питерс сказал:

– Мы тебе дадим еще одного монтажера, он будет работать с материалом параллельной группы. Ты не беспокойся, я там буду монтировать все сам.

Я не обратил на эти слова серьезного внимания.

Действительно, появился монтажер, работавший как бы для параллельной группы. Внешне он оказывал мне все знаки уважения и субординации, но в действительности все делавшееся на его столе шло помимо моего контроля. Увидев в смонтированном виде сцену погони, снятую параллельной группой, я пришел в ужас.

– Монтаж утвержден продюсером, – сказали мне.

– Не годится, – сказал я.

Естественно, ему об этом тут же донесли. Я перемонтировал все по-своему. Мой монтаж был категорически отвергнут. Между мной и Питерсом назревал скандал. Он приказал перемонтировать все, как хотелось ему. Но в уставе гильдии режиссеров записано, что продюсер может сесть за монтажный стол только после того, как режиссер сдал свой вариант. Только тогда он имеет право переделать все, как ему хочется. До тех же пор, пока режиссер не окончит свой монтаж, продюсер не имеет права находиться в монтажной.

Об этом я вспомнил, когда на площадке появился представитель гильдии. Такие люди в какой-то момент появляются на съемках любого фильма, появляются бесшумно и как бы вообще незримо, расспрашивают членов группы, как идут дела, соблюдаются ли правила гильдии, доволен ли режиссер своими отношениями со студией, нет ли каких нарушений. Уже в момент своего появления представитель гильдии знал, что нарушается очень многое.

– А почему продюсер сидит в монтажной? – спросил он у меня.

– Но он же имеет право...

– Нет, никакого права он не имеет. Больше того, вы не имеете права его туда пускать. Если, конечно, вы не хотите, чтобы мы вас оштрафовали.

Я понял, что в руках у меня очень серьезный, абсолютно законный козырь.

К тому времени параллельная группа достигла ста десяти человек. Питерс появлялся все с новыми идеями, его фантазия била ключом, так что ребятам из параллельной группы приходилось работать больше нас, они уже требовали на свои съемки звезд, актеров. Мне позвонил адвокат гильдии и сказал, что пошло уже очень существенное нарушение правил – звезды не должны участвовать в съемках параллельной группы, гильдия будет привлекать «Уорнер бразерс» к суду. Назревал серьезнейший конфликт: из-за нарушений закона, которые позволял себе парикмахер Барбры Стрейзанд, картина могла быть остановлена и уж выпуск ее в декабре точно бы не состоялся. Помешать разрастанию конфликта я не мог, ситуация была вне моего контроля, она перешла в область взаимоотношений гильдии с корпорацией «Уорнер бразерс».

Первой ласточкой необратимости конфликта стало отстранение моего монтажера. Естественно, ему выплатили полную сумму по контракту, но больше уже он на картине не работал. В американской системе любого человека, которого вы привели, могут без разговоров убрать, и вы бессильны что-либо поделать. Продюсер решает все.

У студии нет времени на эксперименты – так было мне сказано по поводу отстранения Ричардсона. Я понимал, что дело в другом. Просто он был мне предан. У нас была единая позиция в том, что касалось монтажа картины. Он бы, конечно, следовал моим, а не Питерса, указаниям.

После окончания съемок режиссер имеет право на двенадцать недель монтажа. Съемки кончались в конце сентября. Прибавьте сюда двенадцать недель, и получится конец декабря: только тогда продюсер получил бы легальное право войти в монтажную, а фильм уже должен быть на экране. Я, естественно, делал все, чтобы уложиться в эти сроки, но мной по-прежнему руководило глупое желание или утвердить себя как режиссера, добивающегося реализации своих идей, или уйти с картины

Пришел новый монтажер, он стал монтировать фильм без меня. Я к тому времени думал: «Ну что ж. Что мог, я сделал. Хорошо бы как-нибудь из этой ситуации выскользнуть». Уже было снято 70 процентов материала, плюс к этому еще материал параллельной группы.

Вот уж не представлял себе, что буду так бесстыдно филонить на съемках супербоевика! Никогда, даже в свои мосфильмовские времена, даже на съемках в Сибири, я не бездельничал столько, сколько здесь, почитывая газе ты, ожидая, пока загримируют звезд, пока будет написана сцена, пока написанное привезут, пока подготовят вновь изобретенную сцену. Здесь бездельничать было гораздо комфортнее, чем в России, у меня был свой трейлер, по сути маленькая квартирка на колесах. Я в нем посиживал в ожидании то приезда Сталлоне, то подвоза только что написанных страниц, то репетиции какого-то трюка. Перерасход в двадцать миллионов по картине объясняется исключительно отсутствием сценария, а из-за этого неподготовленностью. Продюсер был уверен в силе своей фантазии, а производству нужен еще и расчет.

Мотивы того, что произошло в дальнейшем, как я представляю, таковы. Руководители «Уорнер бразерс» понимали, что аналитики с Уолл-стрит, пристально следящие за делами компании, наверняка заинтересуются, откуда такой перерасход, запросят совет директоров, тот, в свою очередь, потребует отчета: что происходит, почему так затягиваются съемки, так непроизводительно работает группа? И тут все факты будут не в пользу Питерса. А значит, у него возможны серьезные осложнения в отношениях с банками.

Руководители «Уорнер бразерс» не подозревали, что Питерс уже их предал. Они хотели его защитить, им нужен был козел отпущения. Козлом был выбран я. Мне предложили уйти. С торжественными лицами они пришли ко мне в трейлер. Почувствовав момент развязки, я тоже сделал торжественное и постное лицо.

– Извини, Андрей, но так получается, что корабль больше нас. Ты должен уйти. Пойми нас, – сказали они.

– Да, я понимаю, – сказал я, стараясь не выдать своей радости.

– Конечно, мы выполним все, что записано в контракте. Твоя фамилия останется в титрах. Заплатим тебе все, что положено. У нас нет и не будет к тебе никаких претензий. Но так надо.

Надо было, чтобы полетела чья-то голова. Пусть моя, я не возражал. У меня оставались четыре свободных месяца с сохранением всей зарплаты и суточных, я мог ехать куда угодно, делать что угодно. В тот же день я отметил это событие дома в компании друзей, выпив хорошей текилы.

Сталлоне, узнав, что я ухожу, пришел ко мне в трейлер. Он уже все знал, ему объяснили, что он не должен вмешиваться, что в таком ходе событий заинтересованы самые высокие голливудские инстанции. Он тоже сделал постное серьезное лицо. Мы обнялись.

Спустя ровно две с половиной недели мир кинобизнеса вздрогнул от обвального известия: «Сони» за полтора миллиарда купила «Коламбию», Губер и Питерс стали ее президентами. Каждому за президентство было положено пять миллионов годовой зарплаты. Еще двести миллионов они получили за свою компанию, которую тоже продали «Сони». Для «Уорнер бразерс» это был удар ниже пояса: у них был эксклюзивный договор с Губером и Питерсом на «Бэтмена» и пятьдесят других проектов. Проекты, естественно, остались собственностью корпорации, но Губер и Питерс уходили. Был суд, «Уорнеры» привлекли их за нарушение контракта. По судебному иску «Сони» заплатила за Губера и Питерса четыреста восемьдесят миллионов неустойки. По Голливуду пошла шутка: «Продажа Губера и Питерса японцам – наш американский реванш за Пирл-Харбор».

Через три недели после моего ухода Губер и Питерс были уволены, им отныне запрещалось появляться на площадке «Танго и Кэш».

А работа над картиной кипела вовсю, не останавливаясь ни на день. На следующее же после моего ухода утро на площадке был новый режиссер, продолживший с ходу съемки уже отрепетированных мной точек. Это был Альберт Магноли, снявший до этого рок-н-ролловую картину «Пурпурный дождь» с участием Принса, коммерческим директором-менеджером которого он одновременно и был. Его стиль заметно отличается от моего: по картине сразу же видно, где кончил снимать я и где начал он. Думаю, видно это не мне одному: вся логика сценария в этот момент ломается, по сути, начинается новый фильм.

Что касается меня, то я поехал в Сан-Себастьян, получать Гран-при за «Гомера и Эдди». В составе жюри был Отар Иоселиани. За кулисами мы выпили водки, что вызвало во мне душевный подъем и прилив вдохновения. Когда меня вызвали на сцену, я увидел Бетт Дэвис, которая должна была мне вручить «Золотую раковину», и стал перед ней на колени. Та сослепу подумала, что я просто упал, и отпрыгнула. Потом поняла, что я стою перед ней на коленях. Я-то, конечно, был пьян, но на ногах вполне мог держаться, а на колени упал просто от пьяного вдохновения и давней своей любви к великой актрисе.

На следующий день она прислала мне письмо – наверное, это было последнее письмо в ее жизни. Бережно его храню. Письмо очень краткое: «Ура, мы (т. е. американцы. – *А. К.*) снова выиграли! Надеюсь увидеть вас в Голливуде». И подпись – Б. Д. – на карточке с золотым обрезом. Она очень любила мужчин, терпеть не могла особ своего пола. Через пять дней там же, в Сан-Себастьяне, она умерла от инфаркта.

Получив «Золотую раковину», я погулял по Европе, заехал домой в Москву, вел переговоры о новой картине, а «Танго и Кэш» увидел, уже вернувшись в Америку.

С Питерсом спустя недолгое время я встретился. Мы столкнулись в холле «Коламбии». Я остановился и протянул в его сторону руку с указующим пальцем. Он посмотрел на меня с испугом. Вряд ли он подумал, что я собираюсь его бить – он малый крепкий, спортсмен, всегда готов дать сдачи, но, видимо, решил, что сейчас я буду его обвинять в чем-то. Он сделал очаровательную улыбку и сказал:

– А что? А что? Картина уже заработала сто двадцать миллионов.

Имелось в виду: «Я был прав, никаких проблем!» Он как бы передо мной оправдывался. А я просто хотел сказать: «Джон, я тебя очень люблю! Ты, конечно, сукин сын, но симпатичный».

Критики недоумевали, зачем я за эту картину взялся. Рецензии были разносные. Спорить тут бессмысленно. Режиссер должен вести разговор и со зрителями и с критиками через экран.

Сейчас, вспоминая об этой работе, я думаю, каким исключительным техническим уровнем располагает Голливуд. Столько было на картине возможностей, оставшихся совершенно не использованными! Гигантскую декорацию подполья тюрьмы мы сняли едва ли на тридцать процентов – у нас физически не было времени работать в ней дольше. Но она была построена – Питерсу так захотелось. Такого масштабного, эпического выбрасывания денег на ветер я не видел никогда в жизни. Даже в СССР. Увы, работа в неподготовленной ситуации обходится втрое дороже.

Как я отношусь сегодня к Питерсу? С изумлением. Не представлял себе, что в Голливуде возможен и такой стиль производства. Ожидал всякого, но полагал, что способность американцев к самоорганизации так велика, что ничего непродуманного быть не может. Тут, впрочем, было продумано самое главное – картина должна выйти к 22 декабря. Стратегия была очень грамотной, но ее реализация... Самого Питерса дураком я не считал никогда. У него мегаломания, он нетерпим к чужому мнению, но он знает, чего хочет. Другое дело, что параллельно с фильмом у него было множество попутных занятий.

Не знаю, как строятся его отношения с компаньоном, Губером, которого я вообще в глаза не видел. Думаю, именно он в их фирме – главный генератор идей. Уверен, это он придумал комбинацию с «Сони». Питерс занят в основном творческой частью. У него молодой дух. Ему сейчас немного больше сорока. Он заявил, что через десять лет будет хозяином своего «Диснейленда», своей большой кинокомпании, – не сомневаюсь, добьется.

Со мной Питерсу не повезло. Ему не нужны люди со своими идеями, своим пониманием кино – нужны исполнители. Все творческое, что в них есть, должно использоваться на оправдание, на мотивирование его идей, иногда безумных, иногда блестящих. И те и другие рассчитаны на уровень четырнадцатилетних. Для них он делает свои картины. Остальная часть человечества ему малоинтересна. Ему бы лучше работать с режиссером молодым, не склонным самостоятельно думать, сомневаться, мучиться, а если и фантазирующим, то в русле идей продюсера. Тогда и фильм снимался бы без проблем и мучений.

Я не первый режиссер, которого убирали с картины, случалось такое и с Бобом Рэйфелсоном, и с другими. Сейчас, наконец, хозяева Голливуда поняли, кто должен снимать блокбастеры. Снимать их должны молодые люди, абсолютно никогда не работавшие в кино, но набившие руку на рекламе. Они рвутся попасть в кино. Голливуд знает: они профессиональны, не будут спорить, у них нет своего видения, индивидуального и профессионального, они будут точно, ни в чем не переча, выполнять желания продюсера, поставленные им задачи. Они – в полном смысле наемные работники. Профессионализм, исполнительность, послушание – ничего другого от них требуется. Чем больше бюджет, тем послушнее должен быть режиссер.

А вообще-то картина прошла с большим успехом. Собрала хороший «бокс-офис» и еще продолжает собирать. Наверное, чтобы избежать в дальнейшем подобного, лучше самому быть продюсером своих картин. Но становиться на этот путь не собираюсь – не могу, да и не хочу. Дело продюсера – деньги. Мое дело – кино.

Что до «Коламбии», то японцы скоро поняли, что американский реванш за Пирл-Харбор и в самом деле вполне реален. Губер и Питерс стали слишком хорошо жить. Построили гимнастический зал для продюсеров, отделали студию мрамором, поставили вертолетную площадку, ну а картины стали снимать исключительно с бюджетом порядка 80 миллионов. У них снимались Барбра Стрейзанд, Уоррен Битти; Спилберг снял у них «Хук». Короче, японцы почувствовали, что ребята умеют широко тратиться, а потому, не дожидаясь банкротства, их уволили – уволили, правда, как принято говорить в Голливуде, с огромными золотыми парашютами. То есть им выплачена неустойка в Бог знает сколько десятков миллионов, лишь бы самолет летел дальше без них. Предусмотрительность американских контрактов вообще не может не восхищать. У Арманда Хаммера был контракт с его же фирмой, по которому он имел «золотой гроб», то есть в случае своей смерти он (естественно, не он, а семья) получал десять миллионов долларов.

Сейчас «Коламбию» контролирует японский представитель.

Питерс – это часть голливудского мифа, такая же непременная, как секс, скандальная хроника. Недавно в Голливуде дали три года тюрьмы одной мадам, содержавшей публичный дом. В ее черной книжечке значились имена очень знаменитых клиентов – она все грозилась опубликовать список. Шок был полный. Ничего не поделаешь – и это часть Голливуда, «тинселтауна», города блесток, фабрики грез. И мне здесь выпало прожить отрезок времени, больше похожий на сон, чем на реальность.

БРАНДО

– Кастелянец, сукин сын! Ты где?..

Вернувшись домой, я включил автоответчик и услышал вот это. Конечно же, этот голос нельзя было не узнать. Марлон Брандо. Дня за два до этого я позвонил ему и оставил сообщение, что я снова в Лос-Анджелесе.

– ...Ну давай, созвонимся с тобой. Хочу тебя видеть.

Не ждал, что он мне позвонит. Брандо – человек непредсказуемый, живет, как дикий кот, по своим непредсказуемым кошачьим законам. Как можно предсказать поведение рыси, тигра, пантеры? Брандо таков же.

Я тут же отзвонил ему.

– Это Кончаловский.

– Кто?

– Кончаловский.

– Кастелянец.

– Нет, Кончаловский.

– Андрей Кастелянец.

Я понял, что бессмысленно переубеждать его в чем-либо.

– Да-да, Кастелянец. Вы звонили мне.

– Давайте встретимся.

Мы договорились, и вскоре вечером я поехал по уже знакомому адресу на Малхолланд-драйв, Беверли-Хиллс, к воротам, отмеченным на «стармэп», карте Лос-Анджелеса для «фанов», «сыров» да и просто туристов, желающих знать адреса своих кумиров. Адрес был мне знаком, потому что за этими воротами я уже однажды жил. За ними – дома сразу двух великих американских артистов – Марлона Брандо и Джека Николсона. У них как бы один общий большой участок. Доверенное лицо Джека Николсона и его экономка гречанка Елена Калейнотис была моя хорошая знакомая. У нас ее видели в показанном на одном из давних московских кинофестивалей фильме «Пять легких пьес», где, судя по всему, она и познакомилась с Джеком. Там она играла женщину с ребенком, которую герой Николсона подбирает по дороге; они вместе едут на Аляску. Женщина совершенно помешана на экологии, ей кажется, что всюду загаженный воздух, – она хочет жить на Аляске.

В 1982 году я по просьбе Джона Войта переделывал ее сценарий. Как-то мы с Еленой сидели, обсуждая поправки, и вдруг услышали: где-то мяукает кошка. Котов у нее не было. Заглянули на кухню – никого нет. Вернулись в комнату – опять мяуканье. Снова пошли искать кошку. Я присел, заглянул под стол... и обалдел. Под столом сидел Марлон Брандо.

Когда ему было скучно, он бродил по своему участку, заглядывал к Елене, она ему готовила.

Из-под стола, играя апельсином, вылез Марлон. Елена нас познакомила, я не мог оторвать от него глаз. Я ведь только приехал в Голливуд, еще толком никого не знал – и вдруг Брандо!

Он посидел, поиграл апельсином, сказал какие-то незначащие фразы, глядя сквозь нас. Потом ушел, видимо решив, что сейчас он некстати.

Прошло пять дней. Я сидел с компанией в ресторане. Вдруг входит Марлон. «О! Марлон! Здорово!» Я встаю, иду к нему, все так, будто дело происходит в Москве, в ресторане Дома кино. Он посмотрел на меня, словно увидел первый раз в жизни, облил холодным отторжением. Я сник. Да, это другая страна...

В ту пору я не раз вот с точно такой же домкиношной развязностью подходил к столам великих кинематографического мира, заводил разговоры, рассказывал о своих проектах.

В таком же наглом и пьяном состоянии подошел к Джону Хьюстону. Он сидел с кислородным баллоном, изо рта у него торчали трубочки. Почему не подойти? Мы с Еленой писали для него роль, самоуверенно говоря друг другу: «Предложим Джону, он сыграет!» Основой наших надежд было то, что Елена была хранительницей очага Николсона, а он жил с дочерью Хьюстона Анжеликой. Не тут-то было! Хьюстон оказался отменно вежлив: «Ну если вам нужен человек, все время сидящий с кислородным баллоном, то пожалуйста».

В тот же период моей голливудской жизни, когда я носился колбасой по студиям в ожидании постановки, которая вот-вот свалится на меня, а пока преподавал в университете Пепердайн и торговал икрой, в ресторане «Мамезон» («Мой дом»), где собиралась кинематографическая элита, я увидел Орсона Уэллса. У Уэллса был свой любимый столик – каждый входящий в зал сразу же упирался в него глазами. На столе у него всегда стояла бутылка лучшего вина...

Ничтоже сумняшеся, я подсел к великому художнику и выпалил:

– Господин Уэллс, я русский режиссер...

– А, вы русский!..

О, эта наша милая российская развязность, наше желание быть запанибрата с любым, особенно с тем, кто выше нас, достойнее нас! В России Ростропович – Славка, Вишневская – Галя. Сесть за стол неприглашенным и обидеться, если тебя вежливо попросят, – это в наших привычках. Вежливость и приличия тут же кончаются. Зазнался! Ноздревская вальяжность в любой момент готова взорваться ноздревским же хамством. Вот так для меня, мальчишки, Бондарчук, уже в ту пору народный артист и ленинский лауреат, был Сережа. Хотя какой он мне был Сережа! Он уже тогда был сед. А для сегодняшних молодых коллег-режиссеров и неоперившихся журналистов я вдруг Андрон.

Нигде в мире такое не принято – принято уважать «прайваси», частное существование человека. Я ни о чем таком не подозревал, мое поведение казалось мне нормальным. Я говорил какую-то ерунду, Уэллс мило отвечал.

Я рассказал ему, как Бондарчук возмущался, что на съемках «Ватерлоо» Орсон не хотел доверить себя гримерам и гримировался сам – по роли ему требовался гумозный нос, он сам его себе лепил, из-за чего часто нос в одном кадре был искривлен влево, а в следующем – вправо.

Уэллс кивал головой. Я спросил его о творческих планах.

– Видите, – сказал он, – я сижу в углу как рождественская елка – нарядный и никому не нужный.

Великий кинематографист не мог найти денег ни на один свой проект...

Что толкало меня к Хьюстону, к Уэллсу, к Брандо? Любопытство? Надежда на какую-то поддержку? Ну, может быть, и это, но в самой малой степени. Если покопаться в себе, там на дне сознания найдем ответ – тщеславие. Я иду через ресторан, пусть все смотрят, к самому Марлону Брандо! И это все тоже пишу ради тщеславия. О звездах люди рассказывают друг другу потому, что сами тоже хотят быть звездами. Описывая, как общался со звездой, пытаешься как бы дотянуться до нее. С этим был там-то, а с этим – там-то. Не пишу же я о лифтере, о шофере. Пишу о Брандо. Что ж поделаешь, грешу тщеславием. Пусть все знают, мы с ним вась-вась.

Тогда в ресторане Брандо облил меня презрением, посадил на место. Мгновенно протрезвев, я стушевался. Больше я его не видел.

Прошло много лет, если точно, то девять. Брандо пережил тяжелую семейную драму, его сын убил ухажера сестры (то ли сводной, то ли родной, точно не знаю) Шайенн. Брандо нужны были деньги. Я как раз написал «Королевскую дорогу». Елена Калейнотис позвонила мне:

– Марлон думает сняться в твоей картине. Он прочитал сценарий, хочет с тобой увидеться.

Я понимал, что он запросит слишком большие деньги, каких у нас нет. Но шанс встретиться с великим Брандо был уникален. Тогда и состоялась наша первая встреча. Ту, когда он мяукал под столом, за встречу не считаю. Хотя его мяуканье не забуду никогда.

Я ехал к Марлону говорить о «Королевской дороге». Ясно было, что ни о чем мы не договоримся. Помимо всего, я знал, что он не учит текста. Снимаясь у Копполы, он вообще не заглядывал в сценарий, импровизировал на площадке.

Я подъехал к воротам. Сколько фанатов часами простаивали у них, ожидая выхода обожаемых идолов! Рассказывают, будто одна дама так доняла Брандо, что он снял штаны, повернулся к ней задом и издал оглушительный звук. Это достигло желаемого эффекта: дама больше не возникала.

Я нажал на кнопку, где-то мое лицо засветилось на экране телевизора, я сказал, что еду к Брандо, ворота автоматически открылись. Я поехал по аллее, дорога направо вела к Николсону, налево – к Брандо. Подъехал ко вторым воротам, увитым плющом. Ворота открылись, я поднялся наверх, там стоял дом – не замок, не дворец, а просто деревянный в американском духе дом, плоский, одноэтажный, с большими стеклянными стенами. С вершины горы, на которой он стоял, как с птичьего полета, был виден Лос-Анджелес, залитый огнями.

Марлон, огромный тяжелый человек, встретил меня у входа, в халате, провел внутрь. Мы сели в гостиной на диваны у камина, как видно, излюбленное, насиженное место хозяина. Рядом стоял телефон, к которому он никогда не подходит – постоянно включен автоответчик.

Жаль, что не записал наш разговор сразу по следам этой встречи. Сейчас восстанавливать его уже труднее.

Я приехал в семь. Он сказал:

– Ничего, если мы не будем обедать? Будем есть фрукты и орешки.

Вообще-то я был голоден и надеялся на обед. Но что делать!

– Замечательно!

Мы пили воду, ели апельсины, грызли фисташки. Заговорили о России, он задавал мне массу вопросов, я на них отвечал, как студент. Рядом с ним я чувствовал себя очень маленьким. Не часто встречаешься с таким человеком.

Он ел орешки точно так же, как ел их в «Апокалипсисе сегодня», шелушил во рту, играл губами шелухой, медленно тянул слова.

– Знаешь, – сказал он, – я вообще-то умею гипнотизировать. Вот я нач-ну те-бя сей-час гип-но-ти-зи-ровать. Я бу-ду смо-треть те-бе в гла-за...

Он говорил все медленней, медленней, медленней... Прерывал фразу на середине. Взгляд его остановился. Я почувствовал немение конечностей. Встрепенулся, пытаясь стряхнуть с себя оцепенение. А может, это был самогипноз? Брандо абсолютно владел ситуацией, владел разговором. Чувствовалось, что в любой ситуации он –

хозяин положения. И это при том, что я человек, которого трудно сбить в разговоре или заставить смутиться.

– Ты знаешь, ты очень одинокий человек, – сказал он, глядя на меня.

– Откуда ты это знаешь?

– Ты вообще прячешь себя. Прячешь. Не хочешь показывать свою суть. И вообще смотришь на мир вот так...

Он закрыл лицо ладонями, открыв лишь небольшую щелочку между средним и указательным пальцами.

– ...И вот столько ты показываешь себя другим. Остальное все – улыбка. – Он убрал от лица ладони. – Я тоже такой. Вот, разговариваешь с женщиной, она несет какую-то ахинею, ты улыбаешься, говоришь ей: «У вас очень красивая шляпа!» А что она говорит, ты же все равно не слушаешь. Чушь и глупость. Просто улыбаешься и смотришь на нее. Вот так ты смотришь на мир...

Он опять закрыл лицо ладонями, оставив лишь небольшую щелочку между ними!..

Мы просидели до ночи. Говорили о многом – о буддизме, о положении в мире. Об Америке он говорил с горечью. Америка – конченая страна, ничего не понявшая в истории человечества. Потом он спросил, почему я хочу делать этот фильм. Я стал объяснять, говорил о роли, которую он мог бы сыграть.

– Да, интересно... – протянул он. – Но ты знаешь, я не могу уехать на три месяца. Я должен навещать свою дочь, она в психиатрической клинике. Я должен навещать своего сына, он в тюрьме. Я должен навещать их каждую неделю, я не могу уехать.

Зачем он тогда меня пригласил? Ради чего мы просидели шесть часов? Разговор о картине был достаточно короткий. Роль ему очень подходила, она как бы для него и была написана. Где-то в полвторого ночи он вышел проводить меня к машине. У меня было ощущение, что я беседовал с одним из самых великих людей в мире. Думаю, так на самом деле и обстоит.

Взяв меня за плечи, он посмотрел мне в глаза, как крестный отец.

– Знаешь, – сказал он, глядя мне в глаза. – Очень мало людей, с которыми я могу разговаривать. Сегодня я почувствовал, что нашел настоящего друга.

Это было настолько неожиданно, что я готов был упасть перед ним и целовать его ноги. Это был естественный порыв: меня потрясли и весь шестичасовой разговор, и эта последняя фраза. Он написал мне свой телефон. До сих пор храню этот автограф.

Через два дня я позвонил. Услышал голос в автоответчике. Сам Марлон больше мне не звонил. Ни разу. А я в Лос-Анджелесе был еще год.

Я многое понял. Точно так же, как тогда, после первого нашего, начавшегося под столом знакомства, он меня отшил в ресторане, так и сейчас, посмотрев мне в глаза, тут же преспокойно забыл. Я для него больше не существовал.

Прошло без малого пять лет. Я приехал в Голливуд и на всякий случай ему позвонил. Просто так. И вдруг звонок:

– Кастелянец, сукин сын! Ты где?

Снова въезжаю в те же ворота. Снова встречает меня Марлон. Снова мы проходим через те же комнаты, те же стеклянные двери, мимо тех же двух огромных могучих лоснящихся императорских собак, очень похожих на хозяина, таких же толстых, так же внимательно на меня смотрящих.

Мы прошли к тому же камину, сели на те же продавленные диваны, нам принесли воды, те же орешки. На этот раз я знал, что будет обед.

Накануне он спросил:

– Ты что ешь?

– Все, кроме мяса.

– Я ем странные вещи. Одни овощи, орешки.

Мы сели, стали разговаривать. Он выходил, приходил. Вроде все как прежде. Вроде в доме ничего не изменилось.

Нет, изменилось очень многое. Был процесс над его сыном. Два месяца назад его дочь покончила с собой. Шайенн.

Разговор начался издалека и о разных вещах. Еще когда мы говорили по телефону, он спросил:

– Ты что здесь делаешь? Что с этим твоим чудным сценарием?

– Каким?

– Ну этим. Который ты хотел снимать во Вьетнаме.

– Я готовлю его.

– Когда будешь снимать?

– Еще не знаю.

– Между прочим, у меня есть идея фильма, который ты можешь снять.

«Ну! – подумал я. – Марлон предлагает картину!»

Так что, идя к нему, я уже знал: будем говорить о картине.

...Марлон ушел провожать кого-то, потом вернулся. Протянул мне маленький цветок на сухой веточке.

– Понюхай!

У цветка был очень терпкий запах.

– Вот так пахнет на Таити.

Брандо – владелец одного из таитянских островов, а это был один из таитянских цветков, которые он разводил у себя здесь, в Лос-Анджелесе.

Одна собака улеглась у его ног, другая – рядом с ним на диване, легла почти прямо на него – две огромные ленивые собаки.

Стали говорит о жизни, о делах. Опять он сказал, что Америка идет мимо, американцы не поняли своего исторического пути. У них нет культуры, нет традиции. Мы заговорили об этой цивилизации, о телевидении, о масс-медиа.

– Это журналисты убили ее. – Я понял, что он говорит о дочери. – Эта смерть сидит во мне. Я чувствую себя смертельно раненным. Кинжал сидит у меня в сердце. Не могу вырвать его.

Он приложил, словно бы сжатые вокруг торчащей из раны рукояти кинжала, руки к сердцу, мне показалось, что на глазах у него появились слезы.

– Он в сердце у меня, и навсегда. Я должен учиться жить с этой болью. Хочу сделать картину, – сказал он. – Я обещал. Знаешь, есть гора. Она называется Гора пота. На этой горе собираются вожди индейских племен. Туда очень немногих приглашают, только самых избранных. Я имел честь быть. На этой горе произносят только великие обещания и великие фразы. Это святая гора. На ней я обещал вождям шайеннов, что сниму картину о том, как американцы уничтожили их племя. Это может быть прекрасная картина, там четыре замечательных характера. Думаю, стоит взять этих двух мальчиков – Брэда Питта и Джонни Деппа. И еще там хорошая роль для Роберта Редфорда. Вот мы вчетвером и снимемся. Как ты на это смотришь?

Боже мой! Брэд Питт и Джонни Депп – две самые большие молодые звезды в американском кино! Предложение снимать картину с четырьмя звездами такого масштаба, конечно же, ослепительно! Но... Я думал недолго:

– Нет, не могу. О зверствах американцев над индейскими племенами не должен рассказывать неамериканский режиссер.

– А-а... ну да, понимаю... – Он кивнул.

Дальнейший разговор на эту тему он замял. Ясно же, что любой режиссер на такое предложение должен был кинуться, не раздумывая. Такая тема! Такие актеры! Картина с Брандо!

Но у меня было свое мнение, и я его сразу высказал. Картина не будет защищена. Приехал какой-то иностранец делать картину о злодействах американцев!

Заговорили о другом.

– Тебе надо сниматься в большой роли. Ты же великие роли можешь играть!

– Я не хочу играть. Мне это неинтересно. Неинтересно играть. Неинтересна моя профессия. Я не художник. Я продавец. Я продаю свой товар – свое ремесло.

– Но ты же можешь выбирать роли!

– Неправда.

– Всегда есть выбор. Делать или не делать.

– О! Это наивно! У человека нет выбора. Он живет согласно предназначенному ему пути. Он поступает так, как поступает.

– Прости меня, я все же думаю, что человек тем и отличается от животных, что выбирает.

– Вот ты знаешь, я сижу в уборной и вижу муравья. Муравей ползет, – Марлон, не отрывая взгляда от пальца, медленно прочертил в воздухе, как ползет муравей, – он ползет справа налево, потом слева направо, потом поворачивает налево, – я слежу за его взглядом, за его пальцем, – потом останавливается, потом поворачивает направо, ползет направо. Потом он поворачивает наверх, ползет вверх, потом опять поворачивает налево, потом направо, потом вниз, потом налево, потом вверх. И так он пересекает собственный путь, может быть, сорок раз. Я смотрю на него и думаю: почему он так поступает, есть ли какая-то закономерность в этом?

– Есть. У муравья есть выбор. Он останавливается и выбирает.

– Ерунда. У него нет выбора. Он поступает так, как подсказывает инстинкт.

– Но даже инстинкт, подсказывающий то или это, предполагает возможность выбора.

Я подумал: ведь Марлон не просто так сидел в сортире и смотрел на муравья. Он думал, он запоминал то, о чем думает. Для него это не просто муравей, это образ. Образ бытия человека, его собственного бытия. Но что, его собственная жизнь только в том и заключается, чтобы сидеть в уборной, смотреть на муравья, или читать газету, или играть в игры с компьютером?

Мы пошли обедать. За столом сидели вдвоем.

Горничные, по-моему полинезийки, ушли. Собаки улеглись под столом. Мы продолжали разговор о выборе.

– Ты знаешь Успенского, философа?

– Нет.

– Как! Ты не знаешь Успенского?

– Нет, не знаю.

– Но это же знаменитый русский религиозный философ!

– Я знаю его учеников-теософов Блаватскую, Гурджиева.

– Как же это? Ты знаешь Блаватскую и не знаешь Успенского?

Мы поговорили еще. Я допил свой стакан вина. Он почти допил, еще немного оставалось на дне. Я взял бутылку и налил – ему и себе.

– Должен сделать тебе комплимент, – сказал он.

– За что?

– Я вот сижу и думаю. Кончаловский допил вино, а я еще нет. Если я сейчас возьму бутылку и налью ему вина, то он подумает, что я слишком заинтересован в нем, что я за ним ухаживаю. Если я не налью ему вина, то он подумает, что я плохо воспитан. Но если он так подумает, то я должен взять бутылку и налить ему. Но если я налью ему, то он подумает...

Он еще долго описывал весь ход происходившей в нем сейчас мысли. Мне подумалось, что и за мной он следит точно так же, как за муравьем, ползущим по стене сортира. Зачем он повернул направо, какой в этом смысл? Зачем пополз наверх? И вообще, чего этот человек от него хочет?

Заговорили о трагедии. Я случайно оговорился: вместо «сенсуальный» сказал «сексуальный».

– О! Сексуальный! Интересно!

– Да нет. Сенсуальный.

– А-ба-ба-ба-ба... Ты сказал «сексуальный». Чего улыбаешься?

Я улыбался, потому что мне было смешно.

– Видишь? Ты улыбаешься. О, какая у тебя хорошая улыбка! Улыбнись еще раз. Ха-ха-ха-ха!

Мне было даже неловко. Я чувствовал, что ему интересно меня поймать. Он вроде как поймал меня на какой-то мысли, которую я не хотел высказать.

Опять заговорили о выборе. Он взял нож и стал двигать его по столу.

– Вот я двигаю нож по столу. Вот он все ближе, ближе, ближе к краю. Вот он падает. Если мы сейчас соберем двадцать пять самых крупных ученых и они точно рассчитают, куда нож должен упасть, учитывая все – молекулы, мельчайшие атомы, скорости, угол наклона, гравитацию, то узнаем без малейшей ошибки, куда он упадет. Даже на какую высоту подпрыгнет. Есть ли у ножа выбор?

– Человек и нож – вещи разные.

– Поведение человека можно рассчитать с точно такой же точностью.

– Нельзя. В этом вся разница.

– Ты так думаешь? Ха-ха-ха...

– Конечно. Вот я сейчас сижу и думаю: поднять мне этот нож или нет? Если я его подниму, то вы будете думать, что я вежливый человек. Если не стану его поднимать, тебе придется нагибаться. А ты видишь какой толстый!

Он тут же поднял нож.

– Был у тебя выбор или нет, когда ты поднимал нож? Я же тебя заставил его поднять!

– Я забыл о нем.

– Врешь! Ты хотел, чтобы я его поднял.

Вот такой разговор длился полночи.

Мы друг друга ловили. Он говорил, потом думал, почему он это сказал. Он играл со мной, как откормленный сильный кот играет с мышью. А может, и не играл. Во всяком случае я чувствовал, что ему со мной очень интересно. Среди прочего, наверное, и потому, что был искренен с ним.

– Ты знаешь, почему я так много о себе говорю, – сказал я. – Я не знаю, увижу ли тебя еще раз. Мне хочется рассказать тебе о себе как можно больше. Чтобы ты знал, какой я. В принципе, мне кажется, что в своей жизни я много времени теряю напрасно. Не снимаю фильмов. Меня преследуют страхи.

– Знаешь, – ответил он, – я тоже боялся, что теряю время, пока не понял, что жизнь – это то, что сейчас, в данный момент. Все остальное – это не время. Время – это сейчас.

Он посмотрел на огромный букет цветов.

– Сказать тебе, сколько времени я провел с женщинами? Одна сидит передо мной, а другая звонит по телефону.

Он взял трубку и изобразил телефонный разговор.

– «Да, аллё, да, конечно», – затем, повернувшись к воображаемой партнерше: – Это звонит мой ассистент... «Да, да. Конечно! Да, безусловно, но вы знаете, я не могу точно вам сказать...» А она меня спрашивает, когда ей приходить... «Не могу точно вам сказать, сейчас у меня репетиция...» – Он договаривается с одной в присутствии другой о «репетиции», врет одной, врет другой... – Удивительная вещь! У меня была одна женщина, японка, и вот она ко мне пристала: «Скажи, была у тебя другая женщина в воскресенье? Ну скажи! Я не могу жить так! Скажи правду. Я прощу, я все приму. Я просто хочу знать». Я решил ей честно сказать: «Да. Была. В воскресенье была другая женщина». А в руках она держала ключи с бамбуковой палкой на конце. Как она врезала мне этой палкой! Как начала меня бить! Я же не могу бить женщину. А она кидается на меня. Я выскочил на улицу раздетый. Она за мной. Я – в машину. Она – бить машину. Я завел мотор, поехал. Еду ночью по улице, идет дождь, Лос-Анджелес, я голый. Куда ехать? Смотрю на себя и говорю себе: «Марлон, тебе пятьдесят лет. Не пора кончать с этой хреновиной? Тебе не совестно?» А Марлон мне отвечает: «Да, пора. Но не совестно. Не хочется». Я поехал к своему приятелю. Два часа ночи. Он мне открыл дверь. Я стою голый. Выглянула его жена. Телефона в машине у меня тогда не было. Я голый просто абсолютно. Он дал мне кальсоны, рубашку, я поехал к другому приятелю. Переночевал. Утром приехал домой. Знаешь, сколько раз подобное со мной случалось! Прошло еще десять лет, и я поймал себя на том, что сижу в кустах, в пижаме, вон там, за домом. Спрятался. Ко мне приехала женщина, а у меня в доме еще одна, и знаю, что сейчас будет чудовищный скандал. Просто вынырнул из дома, пусть они сами между собой разбираются. Сижу в камышах, в пижаме, из окна дома доносится звук битого стекла, громкие крики – идет битва. Сижу, смотрю на небо и говорю себе: «Марлон, тебе шестьдесят лет. Тебе не стыдно? Не пора ли кончать?» А Марлон мне отвечает: «Нет, не пора...» Я тоже боюсь, что я теряю время. И все равно я его теряю...

Я боялся упустить каждое его слово

Когда мы обедали, стол стоял около огромной стеклянной стены, сквозь которую был виден весь Лос-Анджелес. А в стекле отражался стол, мы за столом, – получалось, что мы сидим как бы над городом.

– Смотри, какая красота! Как красиво! – сказал я. – Ну чем не спецэффект!

Он засмеялся.

Кухня в его доме отделена от столовой аквариумом с рыбками. Я смотрел на этих освещенных рыбок, на могучий профиль этого человека.

– Как странно, – сказал Брандо, – мы же думали, что ты агент КГБ, рассуждали об этом, ведь ты же не был диссидентом. Приехал непонятно как. Родители у тебя известные люди в Советском Союзе.

Я рассказал ему вкратце, как было на самом деле.

– Да... Как все-таки нас изуродовала американская пропаганда! Вся эта антисоветчина! Мы ведь ничего не знали о России. Вот сейчас только показали по телевидению фильм о войне в Сталинграде. Какое самопожертвование было у людей! Какой же великий русский солдат! Думаешь, американцы бы выдержали это? Они бы бросили этот город к чертовой матери!..

– Ты не прав. Ты не знаешь, как американцы вели бы себя, как бы они воевали, если бы война шла на территории США.

– Все равно вы великие герои. Вот смотри: как мы воевали во Вьетнаме?! Сколько человек мы потеряли?! А сколько вьетнамцев легло за свою родину! Американский солдат так воевать не может.

– А не кажется ли тебе, что цена жизни у вас, у американцев, высокая? Цена жизни американского гражданина намного выше, чем русского, к сожалению. Вот этого вы никак не поймете: цена жизни в России такая же, как во Вьетнаме или где-то в Восточной Азии. Русские проявили великое самопожертвование. Но, к несчастью, дело все в том, что ими еще и жертвовали. Сталин не считал человеческих душ. Американцы щадят своих солдат. Сталин не щадил. На каждого убитого немца не меньше пяти убитых русских солдат.

– Да... Цена жизни, интересно... – Он взял орех, расколол его и добавил: – А вообще самая высокая цена жизни у евреев. Вот евреи – народ, который на самом деле ценит каждого своего человека... Да, может быть, ты и прав. Но все равно, мы ведь так мало знаем о России.

По-прежнему лежали две огромные, похожие на него собаки.

Внезапно раздался громкий звук испускаемых ветров. Непонятно было, кто это сделал – то ли какая-то из собак, то ли сам хозяин. Сам лично он никак не отреагировал на запах.

Мы сидели на диванах.

– Дай-ка сюда твою ногу, – сказал он.

– Как? В ботинке?

– Да, в ботинке.

Нагибин в фильме «Гомер и Эдди», сложил руки как аббат.
Гигантское, замечательное чувство юмора было
у этого человека

На даче Копполы. Коппола и Альберт Джонсон, директор Сан-Франциского кинофестиваля, импровизируют дуэт. Коппола обожает итальянскую оперу

← Это Вива в фильме Аньес Варда «Львиная любовь» – про любовь втроем. Я с Вивой познакомился позже

«Андрею, моему другу и товарищу по кино». Фрэнсис Коппола. Замечательный человек. Классик. Сейчас все, что зарабатывает, вкладывает в виноделие. Двадцать миллионов долларов вложил в вино и в музей семьи Копполы в Нью-Баумери. Потрясающее вино, магазин вина, своих сувениров, кафе «Манарелла», все привезено из Парижа, итальянские столики под зонтиками. Сажает к себе на колени туристок, дарит всем автографы. Вход – за деньги. Все идут смотреть на «риал естейт». Очень красиво. Просто фантастика

«Моему драгоценному, счастливого Рождества, любви и еще большей любви. Всегда люблю тебя. Ширли».
Шел мягкий снег, мы вышли на улицу.
Мы жили тогда в Рино, единственном месте в Штатах, где я нашел черную смородину. На ней мы настояли водку

Снимаю мое первое всамделишное
американское кино

С Робертом Митчумом, классиком американского кино. Когда его спрашивали: «Как дела?», он всегда отвечал: «Хуже». Чтобы дальше не продолжать

Что можно чувствовать, кроме робости и восторга,
когда находишься рядом с классиком

На съемках «Дуэта для солиста»

Думайте, что хотите

← С курочкой Рябой в роли курочки Рябы
на съемках «Курочки Рябы»

Бывший Моцарт в чекистской шинели.
С Томом Хольцем на съемках «Ближнего круга»

Я положил ногу на журнальный столик. Он взял мою ногу, стал сильно мять ботинок.

– Ботинок интересный, – сказал он, разглядывая подошву. – Какая же у него национальность? – Он повернул мою ногу. – Нет, ботинок не итальянский. Подошва сделана хорошо. Крепкая подошва.

– Может, тебе снять его?

– Ладно. Давай снимай.

Я снял ботинок.

– Шнурки интересные. Да, надо подумать... Это ботинок не французский. Внутрь я смотреть не буду – там надписи.

Он понюхал ботинок. «Что он делает со мной?» – подумал я. Ботинки у меня, слава Богу, не воняют, но ноги тем не менее есть ноги.

– Ладно, скажу, – не выдержал я. – Эти ботинки сделаны итальянскими сапожниками, живущими в Париже. На заказ.

– Ты смотри, пожалуйста. Мы шьем себе ботинки на заказ.

– Да. Шьем. Раз в пять, десять лет.

– Понимаю. Но я, Кастелянец, не могу себе позволить такой обувной «роллс-ройс».

Сначала я не понимал, почему он называет меня Кастелянцем. Потом вспомнил. В 50-е годы в США был популярен оркестр Андрея Кастелянца, игравший симфоджаз, по-нынешнему, попсу. У всех американцев, которым сегодня пятьдесят–шестьдесят, имя Кастелянца на языке. Уж, во всяком случае, оно им привычней, чем Кончаловский.

Я посмотрел на часы и вздрогнул: прошло полжизни. Уехал я от него часа в два. Был уверен, что он мне больше не позвонит. И я не позвоню ему тоже.

На следующий день мне подумалось: «Что же я за идиот? Отказался от такой картины! Марлон Брандо! Роберт Редфорд! Брэд Питт! Джонни Депп! Необходимо объясниться». Сел писать ему письмо. Вообще-то письма я пишу редко. Но тут, чувствовал, это необходимо. Я написал, почему отказываюсь от этой картины, почему считаю ее концепцию ошибочной.

Он позвонил через три дня.

– Кастелянец, ты ничего не понял.

– Как не понял?

– Я прочитал твое письмо. Ты ничего не понял. Я не собираюсь снимать антиамериканской картины. Что, ты думаешь, я собираюсь будить совесть в американском народе? И совесть, и чувство вины? Полная ерунда! Не хочу я ничего будить. Не может кино ничего разбудить. Я просто хочу сделать картину, которую пятнадцать лет назад обещал индейским вождям. Я сказал тебе, что я гуманист. А ты говоришь, что никакой я не гуманист, потому что не верю в это. Да, я никакой не гуманист...

Он стал разбирать мое письмо, опроверг все, что я там написал, разнес меня по косточкам.

– Знаешь, что я думаю? – сказал он. – Ты очень хороший энтертэйнер (в русском языке нет точного эквивалента этому слову; энтертэйнер – развлекатель, шут, человек шоу-бизнеса). Ты хорошо умеешь развлекать людей, вешать им лапшу на уши...

В конце письма я действительно написал: «Ты назвал меня трепачом. Но если ты не трепач, то это самая большая недооценка века. Ты не меньшее трепло, чем я».

– ...Ты очень забавный человек. Нам было бы хорошо сидеть на террасе, ты в шляпе и я в шляпе, коротать старость, рассуждать о закономерностях мира, о свободе и выборе, о дзен-буддизме...

– Хорошая вообще-то идея. Но у меня семья и дети...

– Конечно, я понимаю. Кстати, где ты живешь?

– Недалеко от тебя, на Беверли-Хиллс. Каждый день бегаю мимо твоего дома.

– Нет, я не про это. Где ты живешь?

– У продюсера, у своего знакомого француза.

– А почему не в отеле? Экономишь?

– Экономлю.

– Ха-ха-ха... – Он засмеялся весело-весело.

– Ты что смеешься?

– Как замечательно ты ответил! Даже не думал ни секунды. Просто сказал, как есть на деле. Другие в такой же ситуации сказали бы: «Знаешь, здесь очень хорошая вилла» или «Я в отеле не люблю», кто-то ответил бы, как ты, но перед этим поразмышлял бы, что выгоднее – соврать или сказать правду. Ты ответил сразу. Как замечательно! Это редкое качество – не стесняться, что у тебя мало денег.

Он заранее просчитал все мои возможные ответы.

– Ты меня извини, Марлон, но мне нужно идти. Меня ждут. Я позвоню тебе после шести.

Ему не понравилось, что я не в любой момент могу быть для него доступным.

– Хорошо. Позвони. Мне не хотелось бы тебя терять.

Я позвонил ему, но уже в одиннадцать. Он не подошел. Я оставил сообщение с извинениями, что звоню так поздно. Он не перезвонил. Через два дня я позвонил еще раз. Сказал, что это Андрей Кастелянец, который хотел говорить с Марлоном Брандауэром.

– Марлон Брандауэр, у меня есть с собой немного икры. Хотел бы услышать от вас, какую вы предпочитаете – черную или красную?

Мне хотелось заставить его сделать выбор и тем самым прищучить. Тогда бы я ему сказал: «Видишь, выбор все-таки существует!»

Через два дня позвонила его секретарша.

– Господин Кончаловский, мистер Брандо просил передать, что согласен принять икру.

Это было уже в день моего отъезда. Я отзвонил из Москвы, оставил сообщение: два дня икра ждать не могла – я ее съел.

МУЖЧИНЫ, ЖЕНЩИНЫ, ЛЮБОВЬ, СМЕРТЬ

Кто возьмется объяснить, что такое секс? Не перестаю удивляться этому феномену. Инстинкт продолжения рода есть у всех созданий Божьих, но не знаю иной породы, кроме человеческой, которая бы занималась сексом ради удовольствия. Впрочем, этологи говорят, что это лишь индивид думает о сексе как об удовольствии. Они это называют «поощрительное спаривание», великое достижение естественного отбора. Благодаря ему женская особь удерживает при себе мужскую, и они вместе могут растить свое потомство столько лет, сколько нужно для того, чтобы сформировался его мозг – ни такого мозга, ни такого долгого периода его формирования ни у кого в природе больше нет.

Что же до секса, то, возможно, существуют виды, занимающиеся им для удовольствия. Ведь существуют же, как оказалось, гомосексуальные отношения и у некоторых видов животных. У крыс, например. Интересно, доходит ли до них, что эти отношения, с точки зрения продолжения рода, бессмысленны? Или для них это не имеет ни малейшего значения – инстинкт действует вне сознания. Они продуцируют собственное удовольствие.

Мужчина в своих сексуальных проявлениях, как правило, достаточно утилитарен. Зов плоти гонит его на поиски приключений.

Вспоминаю свои молодые годы. Суббота. Весна, каникулы, родители на даче – ну просто рай! Замечательное чувство свободы, когда ты один, никаких обязанностей, только права. Уже с утра думаешь: «Сегодня закадрю какую-нибудь сногсшибательную чувиху». И представляешь себе ее во всей необычайной сногсшибательности – цвет глаз, волос, прическу, фигуру, платье, походку. Вот он, вожделенный идеал! К пяти часам уже начинаешь собираться, выходишь. Куда идешь? На «плешку», где гуляют девочки. Никак не решаешься подойти. Нет, все это не то, надо найти что-нибудь получше. Получше найти никак не получается. Потом смотришь: девочки с «плешки» уже все ушли. Ладно, можно пойти в «Националь», в Дом кино, в Дом литераторов. Высматриваешь там. Все не те! К тому же они все уже с мужиками, одиночек нет. В девять вечера берешься за телефонную книгу. Уже думаешь: «Ёлки-палки! Так и без свидания остаться можно!» А кто в это время сидит дома? Те, кто похуже, кого никто не пригласил, или уж слишком серьезные.

Перебираешь номера, прикидываешь: не позвонить ли этой? Нет, этой не надо! Это не то. А те, кто «то», тех уже дома нет. В пол-одиннадцатого, наконец, дозреваешь позвонить кому-то из тех, кому еще можно было бы позвонить в девять. Их уже тоже нет, а ты уже крепко под мухой. Но, как говорится, нет некрасивых женщин – бывает мало выпито. В итоге к часу ночи находишь счастье в постели с какой-то или одноногой, или без зубов, о которой наутро с ужасом думаешь: «Боже, откуда это здесь взялось!»

Вот она, траектория мужских вожделений: начинается гигантским замыслом, кончается жалким итогом. Я через этот достаточно примитивный процесс не раз проходил. У женщин подобного идиотизма нет, наверное, все-таки мужчина неизмеримо более примитивное существо. Гонишься, распаленный желанием, достигаешь цели и ровно через три минуты после того, как все произошло, думаешь: неужели нельзя придумать какой-нибудь переключатель, чтобы просто нажать кнопку – и она исчезла. А ведь она останется еще ночевать! Господи, что же делать? Мыкаешься. Спрашиваешь: «Может, тебя проводить?» Одно желание – поскорее избавиться.

Это свойство чисто мужское, у женщины все обстоит по-иному, она не хочет отделаться от партнера, отдается чувствам, у нее это процесс длительный. Мужчина свершает акт соития, потом закуривает, читает газету, засыпает. Я думаю, в нас живет древний атавизм: самец не может позволить себе расслабиться, он должен быть готов к бою немедленно после семяизвержения, он хранитель рода, должен караулить вход в пещеру – только на момент близости с самкой он может отложить свое копье. Род становится наиболее уязвимым тогда, когда его защитник находится в соитии с женщиной. Какие любопытные программы поведения оставили нам в наследство наши древние предки!

Интересно понаблюдать: сидит мужская компания, говорят, шутят, непринужденно себя ведут. Достаточно появиться одной женщине, как все кончается, песня испорчена. От непринужденности и следа не осталось. То же самое, если компания женская, хотя у мужчин это проявляется с много большей откровенностью. Мужская компания вообще напоминает мне братство орангутангов. Это, впрочем, более всего относится к обществам с не сильно развитым правосознанием.

Чем объясняется столь резкая смена поведенческого стереотипа? Брачными играми мужских и женских особей, наследием наших давних дочеловеческих предков, бесконечной божественной игрой полов. Очень интересно следить за этой вечной пьесой о любви-ненависти Адама и Евы.

Женщины постоянно присутствовали в моей жизни, были руководителями и организаторами всех моих побед. В том числе и побед над ними самими. Позволяют завоевать себя женщины, но завоевывать должен мужчина.

Маникюр, макияж, губная помада, яркая расцветка платья, высокие каблуки – это все достояние женщин. Говорят, впрочем, что кое-что из этого – и высокие каблуки, и губная помада – сначала появилось у мужчин, а потом было отнято у них и присвоено женщинами. Это естественно. Именно женщине это органически свойственно. И если вы видите мужчину с накрашенными губами, то понимаете, что и он хочет понравиться мужскому полу.

Если спросить женщину, зачем она красится, наряжается, украшает себя, ответ будет: «Мне так нравится» или «Чтобы хорошо себя чувствовать». Обман. В лучшем случае, самообман. Она это делает, чтобы нравиться мужчине. Примитивная мужская природа! Мужчинам это и вправду нравится.

По улице прошла женщина в красном платье, и мужчины тут же прервали разговор, смотрят ей вслед. Это в красном платье. А если в сереньком? Тогда степень интереса будет на много градусов ниже.

Что нам нравится в женщине? Более всего экстерьер. Разве это не бред? Весь стриптиз основан на этом психологическом механизме. Кстати, стриптиз бывает только женский. Или почти только женский. Если мужской и возможен, то разве что в обществе чистых феминисток, празднующих свое освобождение от гнета сильного пола. Мужчина воспринимает женщину визуально, женщина мужчину – эмоционально.

Что женщинам нравится в мужчинах? Богатство, оно дает власть. Власть, она дает богатство. Нравится ум. Все говорят: нравится верность. Не думаю. Женщине верность не так уж важна.

Женщина любит ушами, ее можно уговорить. Мужчину уговорить трудно – его можно увлечь только внешним видом. Бывают, конечно, и исключения, но общего закона они не опровергают.

Часто ли можно наблюдать, как девушка идет за мужчиной, чтобы с ним познакомиться, потому что он очень красивый? Ну, может, и найдется такая, но она должна быть либо уж очень эксцентрична, либо очень отчаянна. А сколько раз я шел за какой-нибудь случайно увиденной женщиной, чтобы с ней познакомиться! У меня это плохо получается – знакомиться на улице, но что-то просто толкает тебя идти следом, когда видишь манящий рельеф фигуры, особенно сзади. Она идет так красиво, Боже мой, как красиво! Наступает состояние обреченности. Думаешь: «Сейчас я подойду к ней, буду говорить какие-то глупые слова, она пошлет подальше, да еще зло пошлет». Масса бессмысленных, детских обрывков мыслей проносится в голове, пока шагаешь следом за ней, готовишься неловко сказать: «Извините, пожалуйста...» И вдруг она оборачивается, ты видишь вполне непривлекательный фасад, посредственное малоприятное лицо – и вместо всего приготовленного говоришь: «Извините, я ошибся». Говоришь с облегчением, как ни странно. Не с расстройством, что обманулся в своих донжуанских надеждах, а с облегчением – не надо дольше насиловать себя, ожидать, что сейчас тебя пошлют к черту.

Говорят, в каждом человеке живет Моцарт. Не знаю. Но в каждом мужчине, уж точно, живет Дон Жуан. Есть люди, стыдящиеся своего донжуанства, есть люди, бегущие своего донжуанства, есть люди, в нем купающиеся.

Конечно же, эти строки принадлежат Дон Жуану, всю жизнь обожавшему женщин и только на шестом десятке понявшему, что это внутренне присуще мужчине, ибо он рожден охотником. Есть, конечно, и однолюбы, готов даже поверить, что они и есть лучшие люди, но в каждом мужчине заложена программа охотника. При виде женщины он делает стойку, готовится бить влёт. Можно при этом быть пошляком, можно быть аристократом – суть едина. Вспомните, сколько великих преуспело в донжуанстве. Пушкин, Толстой, Пастернак... Может, это не такой уж грех? В любом случае – имманентное свойство мужчины.

Отношения мужчины и женщины – это игра, совсем не обязательно любовь. Кто-то из неглупых сказал: жизнь – та же опера, только то, что в жизни, немного больно. Игра двух полов – это чистая опера, это музыка.

Чем старше становишься, тем скучнее за собой наблюдать в момент ухаживания. Неужели и вправду нет ничего нового на земле? Ловишь себя на том, что с периодической регулярностью исполняешь те же достаточно ограниченные, имеющие вполне прагматическую цель ритуалы, читаешь те же стихи, продумываешь те же мысли, совершаешь те же поступки. И все-таки не скучно жить на этом свете, господа! Ритуалы ухаживаний напоминают мне езду на велосипеде. Не поездил пару-тройку лет – кажется, забыл, а потом сел, закрутил педали и – покатилось.

Однажды я записал на магнитофон разговор с женщиной, с которой у меня был роман лет тридцать с чем-то назад. Она рассказывала, как протекали наши отношения. Я уже почти все забыл, она мне напомнила. Причем рассказывала обо всем с полнейшим восторгом.

Она была в меня влюблена, я тоже влюблен, даже машину из-за нее разбил: целовался и въехал в столб. Она в деталях восстановила все, что между нами было: как мы познакомились, как я стал за ней ухаживать, как себя вел, какие поступки совершал. Мне было странно ее слушать, передо мной словно бы разворачивалась кинолента о совершенно постороннем мне человеке, и, что хуже всего, меня просто ужасала наглость, с которой этот человек себя вел. Это был не я, это был кто-то другой.

Ей невероятно нравилось все, что она вспоминала. Я же думал: «Неужели это был я? Неужели я был таким хамом, таким наглым, бесцеремонным, грубым, самоуверенным, бьющим на примитивный эффект, безапелляционным юнцом?»

– Неужели это правда? – спрашивал я у нее. А она продолжала петь свою волшебную песню как самую счастливую песнь своей жизни.

Не скажу, что у меня отменная память. Наверное, многое предстает в ней искаженным и затуманенным. Но тот Андрей, о котором так упоенно рассказывала она, молодой, двадцатипятилетний, убежденный в своей гениальности, ведущий себя так, будто все моря ему по колено, конечно же, это не я. Это какой-то другой, чужой, незнакомый мне человек. Если через десяток-другой лет все еще буду жив, мне, быть может, покажется очень странным то, что я делаю сейчас.

Человек вообще редко задумывается о том, что он делает и почему то или это делает так, а не иначе. Менее всего задумываемся мы о мотивах своих поступков. Только в последнее время я стал изредка смотреть на себя со стороны, стараться понять причины, почему я сейчас раздражен, почему глух к чужим словам.

Недавний сюжет. Два взрослых человека, убеленных сединами (один из них – я), припали к телефонным трубкам. Оба затаили дыхание, высунули языки. Мой приятель разговаривает с женщиной, я тут же, рядом, открыто подслушиваю. Он разыгрывает с ней любовную сцену, мы оба катаемся до коликов. Неужели нам по шестьдесят? Два идиота! Но удовольствие немыслимое. Спустя полчаса после этого спектакля мы идем обедать к нему домой, где нас ждет его милая жена, взрослые дети, мы ведем за столом интеллектуальный разговор о преимуществах христианства над иудаизмом, о философских аспектах архитектоники художественного произведения. Мы невыносимо серьезны, у нас постные глубокомысленные физиономии. Я смотрю на прелестное лицо его жены и думаю: «Боже, если б она только знала, чем только что занимались уважаемый ею кинорежиссер и обожаемый ею муж!»

Пока у мужчины есть иллюзия, что он мужчина, а у женщины, что она женщина, мир воспринимается с надеждой. Я говорю об иллюзии. Не важно, как обстоит в реальности. Для мужчины, если иллюзия жива, игра продолжается – игра, совсем не обязательно любовь.

Мужчина и женщина совершенно по-разному относятся к своей сексуальности. Женщина рассматривает ее исключительно с точки зрения производимого на мужчин впечатления. Для мужчины его сексуальность выражается гораздо более примитивным образом: может или не может. Женщина от природы лишена страха импотенции. Ей нет необходимости свою сексуальность доказывать. Мужчина же должен доказывать постоянно, причем не женщине, а себе самому. Старая шутка «Наконец-то стал импотентом – как гора с плеч», в сущности, очень верна.

Мужское либидо – синоним эрекции. Мужская эндокринная система производит тестостерон, а это не только то, что заставляет мужчин иметь повышенное или просто нормальное либидо, но и то, что, как выясняется, заставляет человека творить. Мне кажется, что творческая потенция и потенция сексуальная тесно связаны, хрестоматийное подтверждение чему – Болдинская осень Пушкина. Очень мудро сказал Альберто Моравиа: у художника может быть только один недостаток – импотенция. Мудро, хотя и небесспорно. Нормально действующая гормональная система мужчины – источник жизни, основа его хорошего самочувствия.

Несколько новых исследований из области генетики взбудоражили недавно научный мир. Мужчина, как оказалось, генетически не предрасположен к моногамии. Женщина – предрасположена, мужчина – нет.

Говорю обо всем этом потому, что хочу успеть, пока не помер, себя познать. Лишившийся свежести супружеский секс может быть очень серьезно обновлен походом мужчины на сторону. Это дает допинг его эндокринной системе, новый вкус его отношениям с женой. Недаром бытует мнение, что публичные дома всегда поддерживали семью, а не разрушали ее. Мужчина, в принципе, не обязательно связывает любовь с сексом. Молодые люди, кстати, нередко ошибочно принимают свое сексуальное влечение за любовь.

Интересно смотреть за мужчиной, ухаживающим за женщиной. Ну скажем, какая-то пара за соседним столом в ресторане. Мужчина оживлен. Предупредителен. Все время говорит что-то. Он встает, когда встает женщина. Он провожает ее до туалета.

А где-то поблизости – другая пара. Мужчина смотрит

в тарелку. С женщиной разговаривает не глядя. Она идет в туалет – он вряд ли посмотрит в ее сторону. В первом случае оживление и блестящие глаза мужчины говорят о том, что тестостерона в крови у него заметно прибавилось, а во втором случае эндокринная система у пары дремлет. Это со стороны видно.

Мне кажется, ошибочное признание влечения за любовь чревато для скоропалительных браков столь же скорыми разрушениями. Новизна сексуальных отношений быстро проходит (редкий случай, когда долго сохраняется), и, если нет ничего более глубокого, связывающего мужчину с женщиной, он скачет к другой. Говорит жене: «Я тебя больше не люблю». А на деле это «не хочу».

Женщина серьезнее мужчины, ответственнее его по самой своей природе: она носитель, источник жизни. В одной из картин Вуди Аллена есть примечательный монолог героя. Он говорит, что каждую эякуляцию у мужчины вылетает 25 миллионов сперматозоидов, а у женщины – одна яйцеклетка в месяц. Не отсюда ли уже разница в отношении к своим генам?

Посмотрите, как кобель пытается заниматься любовью с чем ни попадя – с забором, со стулом, с вашей ногой. Сучки ведут себя иначе, они кусаются, когда к ним пристают.

В женщине изначально заложена целомудренность. Предназначение мужчины эту целомудренность разрушить, он вообще по природе своей разрушитель. Есть такая писательница, социолог – Камилла Палья. Она известна во всем мире, особенно у себя в Америке, скандальными психофизиологическими и эстетическими исследованиями. Одна из ее книг называется «Сексуальная маска» В ней она рассуждает о природе мужского и женского. Она пишет, что мужчина – разрушитель, ибо он творит новые материальные формы, а для того, чтобы творить, сначала нужно разрушать. А женщина – созидатель жизни, поэтому ей не свойственно разрушительное начало. Мужчина разрушая преобразовывает природу, чтобы на ее месте построить цивилизацию. Если бы женщины правили миром, то человечество до сих пор жило бы в хижинах. Занималось размножением под сенью пальмовых листьев. Женщина умеет творить только жизнь.

В своих интересных, часто неожиданных постулатах Палья сравнивает половые органы мужчины и женщины. Влагалище, пишет она, само по себе бесформенно, в то время как фаллос – это уже вертикаль, архитектурная форма. Женщина – это дионисийский, хтонический мир, она бесформенна, как влагалище, мужчина – начало аполлоническое. Мужчина строит эстетику (строительство невозможно без разрушения), женщина – жизнь. В самой себе женщина несет источник жизни. Природа каждый раз плачет, когда этот источник, невостребованный, из нее исторгается. В мужчине ничего этого нет. Он по самому своему биологическому естеству легкомысленно ветрен. Для него достаточно, чтобы стояло.

Священник Александр Шмеман говорил, что Бог создал и дух и материю и материальное так же прекрасно, как и духовное. Материальные, чувственные радости, они тоже Божьи – важно лишь, чтобы дух не покидал человека, не оставлял его на произвол своего животного начала. Собственно, об этом мои «Возлюбленные Марии». Суть там в том, что животное ушло из человека, остался один ангел, но ангел бесплотен, ему не нужна жена. Женщину, вышедшую замуж за ангела, ничего хорошего не ждет.

Из чувственного накала сотворены не только великие произведения искусства, но и великие человеческие поступки. Они тоже произведения искусства, из них складываются человеческие биографии.

Сколько раз любил Пушкин? Кто сосчитает? Есть его донжуанский список, но он не скажет об этом. Мужчине совсем не обязательно быть романтически увлеченным, чтобы предаться чувственным удовольствиям. Для женщины романтическая сторона любви намного важнее. Мужчина может петь и танцевать в оперном спектакле жизни, не вовлекаясь в ее течение.

Толстой, уже умудренный опытом жизни, писал о том, как часто люди ошибочно отождествляют красоту с добром. Имелись в виду прежде всего, конечно, мужчины. В эпоху масс-медиа это может вести к сокрушительным последствиям. Форма в наш век становится все более могущественной, образ – важнее содержания. Привлекательная женщина может быть выбранной в парламент или даже стать президентом страны только из-за того, что красива. Никаких других необходимых для политика качеств при этом у нее может и не быть.

У меня много картин о любви. Практически все, что я снял, о любви. Если не о любви мужчины и женщины, то о любви к человеку.

«История Аси Клячиной» – о любви, «Романс о влюбленных» – просто антология любви, «Сибириада» – о любви чувственной, «Возлюбленные Марии» – о любви платонической, «Курочка Ряба» – о любви героев и моей любви к этим людям. Разве что «Поезд-беглец» – исключение из общего ряда.

Любовь может быть и абсолютно нечувственной, но все равно она связана с душевностью. Когда Андрей Тарковский стал приходить к выводу, что в картине не должно быть чувства, он сознательно поменял свою эстетику. Я помню его разговоры с Занусси о том, что в картине по-настоящему религиозной не должно быть чувства – должен быть дух. И в этом он совершенно прав: дух лишен пола, он не бывает мужским или женским, он надмирен, холоден, лишен температуры – душа же тепла. Духовность и душевность часто путают. Это вещи разные. Андрей стал сознательно вытравлять в своих картинах душевность – они стали духовные. Я же полагал, что главное в кино – начало чувственное, следовал в этом Бюнюэлю и Феллини.

В чувственных отношениях есть момент разрушения. Когда мы познакомились с Бернардо Бертолуччи, он пригласил меня на виллу, за город, собралась большая компания.

Мы вышли с Бернардо на балкон. Внизу на пляже резвились дети.

– Я сейчас пишу сценарий, – сказал Бернардо. – Это будет мой лучший сценарий! Что-то невероятное!

– О чем?

– О сексе. Ты знаешь, мне кажется, что секс – это убийство.

Действительно, в «Последнем танго в Париже» секс был показан как форма убийства мужчиной женщины. Но мужчина и сам убивает себя тем же. Секс и смерть – вещи взаимосвязанные, взаимозависимые.

Я не знаю в литературе описания лица мужчины в момент физической близости. Знаю описания лица женщины, которая отдается. Почему? Может быть, потому, что при соитии женщина не видит лица мужчины, глаза у нее закрыты, а если даже и открыты, она все равно не видит. Женщина любит не глазами. Она любит телом и более всего – ушами. А мужчина видит. Он любит глазами. Он смотрит на лицо женщины. Для него секс – это обладание, а в обладании есть разрушение. Бернардо говорил, что для него секс – это убийство и одновременно страх смерти.

Страх с детства живет в каждом из нас. Еще со времен алма-атинской эвакуации помню страшную картинку в книге – это был киргизский эпос «Манас». Изображала картинка волосатое чудовище с клыками и рогами. Я все время чувствовал, как она меня тянет к себе. Листаю книгу, точно знаю, где находится страшилище, еще страница – и увижу его. Сердце холодит от предощущения жути, но все равно что-то подталкивает перевернуть лист, коснуться жгущего ледяным холодом, бьющего в сердце ужаса. Знаю, что потом не смогу заснуть, но все равно желание испытать этот непереносимый страх сильнее меня...

Страх... Неприятное чувство. Ты оказываешься перед лицом чего-то, известного или неизвестного, что сильнее тебя. Ты ощущаешь свою малость, беззащитность, подвластность этой силе. Что ты рядом с ней? Что ты можешь? И все же, думаю, это великое чувство – страх. Оно заставляет человека напрягать все свои силы, фантазию, изворотливость, желание не поддаться, выстоять. Если не победить эту силу, то обмануть. Найти выход.

Страх ведь тоже могучий стимулятор творческой энергии. Подумать только, сколько прекрасных мифов он родил! Сколько великих поэтических образов! Мы не знаем, что там, за чертой смерти. Для человека, как я, сомневающегося, не имеющего непоколебимой религиозной убежденности, черта самая страшная. От нее никуда не уйти. Ее нельзя отменить. Нельзя о ней забыть. Но, может быть, можно попытаться преодолеть? Как? Энергией творчества. Это мы поместили за эту черту рай и ад, это мы создали великие ритуалы погребения, великие пирамиды, великие поэтические строки, великую живопись. Ад Данте, ад Босха, Страшный суд Микеланджело...

Знание человека о смерти, неминуемый страх смерти – одна из могучих движущих сил человечества. Оставить после себя что-то, что «прах переживет и тленья убежит». Хорошо бы на века, но и на десятилетие – тоже ничего. Что оставить? Посаженное дерево. Выкопанный колодец. Построенный дом. Сыновей. Дело, которое сыновья продолжат...

Когда уже где-то на шестом десятке страх смерти всерьез ожил во мне, я решил все же еще раз жениться и сделать еще детей. До этого я размышлял так: да, мне эта женщина очень нравится, но жениться-то зачем? Можно и так замечательно быть вместе. Страх смерти заставил взглянуть по-иному.

О ПОЛЬЗЕ ИНТЕЛЛЕКТУАЛЬНОГО ОНАНИЗМА

Те, кто видел незабвенный «Амаркорд» Феллини, помнят очень трогательный эпизод, где мальчишки, запершись в автомобиле и вызывая в памяти персональный объект сладострастия, истово возбуждают свою плоть, предаются мастурбации, говоря по-простому – дрочат. Для каждого из них источник чувственного наслаждения – особа женского пола. Не знаю, имел ли великий Федерико в своем замысле некую метафору, она напрашивается. По существу, эти мальчишки – художники, творцы, ибо творческий акт есть не что иное, как возбуждение фантазии посредством воображения. Фантазия художника может основываться и на чистом вымысле, и на реальности. Не знаю, насколько реальны были сексуальные фантазии тех феллиниевских мальчишек, но двое из них могут с гордостью причислить себя к реалистам – это факт. Они спорят, кто первый начал мастурбировать, воображая реально существующую Альдинду. Как бы ирреально и фантасмагорично ни было художественное творчество – природа его едина: основой для него является реальный мир, окружающий творца. А затем уже в своих фантазиях художник переделывает его, перепахивает, совокупляется с ним, испытывая реальное наслаждение, подобно мастурбирующим феллиниевским мальчишкам, – создает таким образом свой мир.

Что движет художником? Стремление переделать жизнь? Пылким юношеским сердцам очень часто мерещится роль мессии-пророка. Только немногие не теряют вместе с редеющими волосами ощущение своей исключительности, не приобретают вместе с сединами горький привкус тщетности своих попыток. И тем не менее художник продолжает творить, если, конечно, он не потерял своей потенции. Потенция – это потребность творить, создавать, выражать себя, даже осознавая тщету всех своих усилий, понимая, что зритель или читатель, даже просмотрев великий спектакль или фильм, прочитав великую книгу, посидит пяток минут с просветленным взглядом и завороженной улыбкой и тут же вернется из этого прекрасного далека на грешную землю – нырнет в промозглую сырость леденящей ночи, смешавшись с толпой равнодушных и чужих людей, и поедет дальше в вагоне действительности со всеми остановками и с мыслью, чтоб кто-нибудь не наступил на ногу или, не дай Бог, на полном ходу не выкинул из окна.

Но эти пять минут просветленного взгляда! Как хотелось бы, чтобы они продлились дольше, а может быть, и навсегда преобразили человека! Мне кажется, в подсознании каждого художника лежит желание создать зрителя по своему образу и подобию. Желание наглое и бесплодное, ибо создание человека – дело не человеческое, а Божье. Но вопреки тому, дабы не потерять своей искренности и гордыни, творец должен зажмурить глаза, игнорируя факт своей беспомощности. Не удивительно, что вместе со зрелостью к художнику приходит горечь. Помните, у Набокова: «...У него глаза были слишком добрые для писателя»?

«Красота спасет мир». Кто только и по каким только поводам не цитировал это из Достоевского! Увы, реальность заставляет разувериться в могуществе этого заклинания. Только зажмурив глаза, вычеркнув из памяти Варфоломеевскую ночь, костры инквизиции, дыбы, гильотины, не говоря уж о Хиросиме и Освенциме, можно продолжать повторять эти слова. Красота спасет мир? Полноте... Пока мир спасает страх человека перед самоуничтожением, перед голодом и холодом. Мгновения же красоты, доброты – редкие исключения, которые мы коллекционируем в своей памяти, укрепляя себя в зыбкой надежде на то, что в человека можно все-таки верить.

Черпая вдохновение из собственного бытия, интеллектуально мастурбируя, художник создает отражение реальности – свой «параллельный чувственный мир». Отражение это далеко не зеркально – чем самобытнее художник, тем более выгнуто и искажено зеркало его воображения.

Взаимоотношения художника и зрителя – вечная и больная тема. Как бы художник ни старался убедить себя и других, что творит «как птица небесная», ради самой чистоты самовыражения, где-то глубоко внутри у него всегда теплится надежда, что найдутся люди, которые услышат, проникнутся, поверят. Сколько бы ни клял он толпу, сколько бы ни говорил о том, что творит для себя, для избранных, для будущих поколений, в душе он, конечно же, хочет, чтобы услышали сейчас, немедленно, все. Не припомню случая, чтобы художника поверг в отчаяние сногсшибательный успех. Кроме одного, но о нем позже.

И, что греха таить, художник тоже хочет кушать. От мысли о презренном металле ему никуда не деться. Художник живет в ожидании зрителя, рисует ли он мелками на тротуаре или расписывает своды Сикстинской капеллы. Между Папой римским, оплачивающим труд Микеланджело, и прохожим, кидающим монетку бедолаге, разрисовывающему уличный тротуар, есть нечто общее – это зритель, который платит.

Впрочем, есть особая категория зрителей, которые не только не платят за то, что они зрители, но еще и требуют гонорар за высказывание своей точки зрения, сколь бы относительна ни была ее интеллектуальная ценность. Эта категория живет за счет художника. Это критики.

Разве это не так, уважаемые господа критики? Ведь если бы не было творца, не было бы и вас. Хотите вы или нет, но вы единственные, кто живет за счет художника. В определенном смысле вы паразиты – наберитесь мужества, признайтесь в этом!

Если использовать аналогию художественного творения как результат мастурбации, то критик способен испытать творческую эрекцию только после того, как художник «отстреляется». Он отражает как бы уже отраженный материал, его творческий процесс – это мастурбация по поводу мастурбации. Ему, бедному, надо сидеть и ждать, когда появится объект для его критического осмысления. Ведь критика питается не живой жизнью, а уже отработанным, переработанным ее продуктом. Возможно, логика моих построений шатка и неубедительна, но раз уж начал, попробую довести аналогию до конца.

Художник – любой! – это человек, увидевший нечто в мире, в человеческой душе, постаравшийся осмыслить увиденное, взваливший на себя тяжкий, достойный всяческого уважения воловий труд – понять человека. Вообще, художник мне напоминает не птичку небесную, не ведающую, что поет, а вола, тащащего плуг, распахивающего целину. Вздувшиеся вены, полуприкрытые от усилий веки, взмокшая от пота шкура... А вокруг вьются букашки, жужжат под ухом, норовят подсесть где-нибудь в нежном месте и подпустить жало под кожу. У букашек своя иерархия: тут бойкая мошкара вьется – чтобы отогнать ее, достаточно одного дыхания ноздри. Там – слепни, их можно отогнать хвостом. Но уж если сядет овод – хрен его достанешь!

Где учат критиков в России? Повсюду. У кого-то литературоведческий диплом, у кого-то театроведческий, у кого-то еще какой-то «ведческий», а то и вообще сугубо технический. Бог с ним, в конце концов, не столь уж важно какой. Важнее, чему их учат? Ну, наверное, истории искусств, эстетике, начиная с Аристотеля; надеюсь, и анализ художественной формы они проходили. Но разве о качестве сапога не лучше судить человеку, самому умеющему хорошо его сшить? Кто бы ни судил о моих произведениях, мне интересна его точка зрения, если за ней не стоит желание навязать ее всем на свете.

Но, убежден, никогда и никто не учил наших критиков уважению к личности. В известном смысле это понятно – такова традиция. Кажется, Герцен сказал, что никому в Европе не пришло бы в голову высечь Спинозу или отдать в солдаты Паскаля. В российской истории это заурядные факты. Вспомните трагические судьбы прошедшего через десятилетия солдатчины Шевченко, повесившегося после унижения порки Сороки, объявленного сумасшедшим и посаженного под домашний арест Чаадаева. Только в нашей «пассионарной» стране могли быть написаны слова, принадлежащие перу столпа отечественной критической мысли: «...одного страстно желаю по отношению к нему: чтобы валялся у меня в ногах, а я каблуком сапога размозжил бы его...физиономию... Пусть заведутся черви в его мозгу и издохнет он в муках – я рад буду» (*Белинский В. Г.* Полн. собр. соч. Т.12. С. 109). О ком бы ни были эти слова написаны – о писателе самом бездарном или самом реакционном, не слишком ли непомерен накал эмоций? Не слишком ли велики притязания критика?

Помните «Чайку» Чехова? Я – помню. А помните, что писала о ней критика? Нет? Не странно ли? В определенном смысле художнику везет, ибо, как правило, критические статьи печатаются на газетной бумаге, которую наш предприимчивый народ использует для заворачивания селедки или для иных, гигиенических надобностей, хотя общеизвестна антигигиеничность подобного употребления ввиду вредоносности свинца, из коего льют печатные формы. Но ведь это мы с вами не помним, что писала критика о «Чайке», а Антон Павлович помнил! Поклялся в истерике никогда не писать для театра... Депрессия Рахманинова после критических отзывов о Первой симфонии длилась три года. О живом Врубеле критика вообще писала в прошлом времени. А что писали шведские критики о Бергмане, левые итальянцы о Феллини? Где все эти статьи? Кто их читает?..

В каждом человеке живет творец. В критике тоже живет творец. Он в своем творчестве, так мне кажется, подсознательно хочет создать художника по образу и подобию своему. Но если старания художника создать по образу и подобию своему зрителя тщетны, то старания критиков порой достигают успеха. Сколько художников растеряло крупицы своей самобытности, стараясь быть ими обласканными! Сколько, в отчаянии от разрушительной критики, забыли мерещившуюся им в темноте тайну!

Только алмазная твердость, только прислушивание к своему внутреннему пульсу, только, пусть вынужденное, презрение к навязываемому извне мнению охраняет художника от разрушения. Отсюда надменная улыбка Врубеля: «Ваше отрицание меня дает мне веру в себя». Отсюда признание Бергмана: «У художника иногда возникает желание выйти на сцену, подойти к рампе, выблевать в зрительный зал, а потом убежать за кулисы и повеситься».

Однако всякая Божья тварь имеет свое место в природе, и, стало быть, она нужна. Без мошкары переведется рыба в водоемах, крохотные моллюски оберегают кита, выедая у него из-под кожи личинок... Нужен и критик. Без него художник зарастет штампами, успокоится. К тому же, именно противостоя критике, художник остается самим собой– имеется в виду любая критика, даже хвалебная, может быть, более всего именно хвалебная, ибо очень часто успех толкает художника на подсознательное самоповторение. Словом, ругают – плохо, хвалят – тоже плохо. В Англии, не славящейся хорошей погодой, есть поговорка: «Климат делает характер». На взаимоотношения художника с критиком это вполне можно спроецировать...

В «8 1/2» Феллини вокруг героя-режиссера вьется интеллектуал-критик. Анализирует сценарий, высказывает претензии, пожелания, горячится, советует. Советы умные, послушать их – на пользу... Но у художника одна мечта, как у того самого вола, – взмахнуть хвостом и прихлопнуть. Чтоб не зудел над ухом.

...Три часа ночи. Слышу «голоса». В полусне нащупываю карандаш и записываю: «Надо запретить всяческую художественную критику. За исключением той, которая пишет только про меня и только хвалебно».

РОССИЯ И РЕЛИГИЯ

Эта книга пишется во время, когда в России начинается религиозное возрождение. И само это возрождение, и освобождение религии от гнета идеологии – бесспорно, замечательные факты нашего внутреннего, духовного освобождения. Но одновременно с этим я с тревогой замечаю экзальтацию, русскому характеру вообще очень свойственную, преувеличенно старательное следование внешним сторонам и атрибутам религии. Я говорю сейчас не о том, верить или не верить, ходить или не ходить в церковь, а о том, как поляризовалось сознание людей. Пошло в ход деление на «наш» и «не наш». «Не наш» – тот, кто верит в другого Бога, ходит не в нашу церковь. Мне давно уже грустно наблюдать это, поскольку самому мне стоило больших трудов внутренне для себя хоть в какой-то степени стать терпимым. Двадцать лет назад мне это совсем не было свойственно, не говорю уж про тридцать.

Сегодняшняя экзальтация, деление на православных и инославных становятся настолько ярко выраженными, что, конечно же, я рискую навлечь на себя темное облако подозрений, по меньшей мере – сожалений о моей религиозной неразборчивости. Но тем не менее, мой читатель, не могу не поделиться с тобой сомнениями, мучащими человека, который желает понять, зачем он живет в этом мире. Речь о самом, может быть, интимном – о взаимоотношениях человека и Бога.

С чего начинаются взаимоотношения художника с властью? Прежде всего они определяются культурой страны, где ты вырос, и здесь не последнее место занимает религия. Ведь религия определяет форму взаимоотношений человека и Бога, и если Бог есть власть в последней инстанции, форма твоих взаимоотношений с Богом проецируется на форму взаимоотношений с властью.

Посмотрите на форму отношений между индивидуумом и Богом в разных частях света, в разных религиях–

разница очевидна. В буддизме, где Бог разлит везде, отношения с властью во всем о себе напоминают, но при этом не подавляют. В мусульманских и православных странах отношения с Богом исключительно иерархические, как бы по вертикали: Бог наверху, человек внизу. Давайте посмотрим на маленькие детали, казалось бы, малозначительные, вроде бы сами собой разумеющиеся. Обращали ли вы внимание, что в православной церкви общаться с Богом можно только стоя; если вы хотите опуститься, то только на колени – сидеть нельзя. Где еще существует подобное? В мусульманстве. Человек не имеет права позволить себе сесть перед Господом. Хотя в религии о правах не задумываются – ее принимают вместе со всеми ее нормами долженствования.

А в католичестве сидеть перед ликом Бога можно, в нем отношения с Богом либерализованы. Грех можно откупить, получить индульгенцию. В протестантстве, утвердившемся в результате целого периода реформаторства, религиозных войн, революций, либерализация отношений с Богом пошла еще дальше. Человек как бы посадил Бога напротив себя за стол переговоров, отношения с ним стали уже не вертикальными, а горизонтальными. Между человеком и Богом нет никого, человек сам за себя отвечает, сам контролирует собственные поступки.

Только вдумайтесь: какое множество религий и вер существует в мире! Каждый верит в свою истину, в каждой религии есть свои убежденные, свои сомневающиеся, свои яростные фанаты. И каждому ведомо, что есть истинный Бог. В этом многомиллионном хоре живых и уже ушедших, отдавших жизнь за истину, почитаемую божественной, и мучительно пробивающихся к истине, как понять, кто же из всех ближе к правде? Тщетный и, наверное, вредный вопрос.

В этом сложном, изменчивом мире ты то ощущаешь присутствие Бога, то нет. От чего это зависит? Не знаю. Не решусь ответить. Страшно сказал священник в

«Причастии» Бергмана: «Бог молчит. Он мертв». Одно дело – Бога нет, другое – Бог мертв.

Очень хочется иметь идеалы, завидую людям, имеющим ясные идеалы, но главный идеал – это, без сомнения, идеал божественный. А каким может быть божественный идеал, если Бог мертв? Вдобавок идеалы рушатся, теряются.

Набоков сказал о Чехове: «Какой хороший писатель! Но за смехом он потерял идеал». Потеря идеала – вещь прискорбная, но вдумаемся: может быть, и не такая уж трагическая? Ведь потеря идеала может привести к поискам идеала нового.

Очень точно определил один современный писатель Толстого и Достоевского как дон-кихотов русской литературы, а Чехова – как ее Гамлета. У Достоевского и Толстого были в творчестве идеалы, основанные на ясной религиозной основе. Чехов ясной религиозной основы не имел. Недаром он написал, что между утверждением «Бог есть» и утверждением «Бога нет» лежит огромное поле титанической душевной и умственной работы. Легче не мучиться вопросами, просто верить. Даже Толстой не задавал себе вопроса, есть ли Бог. Он ставил вопрос, кто его наместник на земле.

Не скрою, меня часто тревожат сомнения. Целая плеяда великих русских мыслителей, богоискателей – Соловьев, Розанов, Бердяев, Карсавин, Шестов, Франк, Булгаков, Ильин – мучилась над вопросами: есть ли Бог? В чем искать подтверждение его бытия? И нужно ли его искать? Не проще ли просто верить? «Ясность веры чистит душу»?

Может быть, искать подтверждения бытия Бога в каких-то чудесах, в знамениях? Всякое бывает. Бывают удивительные совпадения. Вроде как им не верить? Вот увидел черную кошку, а потом разбил машину. Но сколько раз бывало, что кошку увидел, а ничего затем не случилось...

Религиозное чувство не связано с мыслью. Чувство

оно и есть чувство, но страх-то рождается мыслью. А очень многое в религии определяется страхом. Страх Божий. Страх неправильно поступить. Страх понести наказание. Это все ведь проекции нашего сознания.

Так или иначе, но существует своеобразный закон компенсации. Истины, которые ты принял, в которые поверил, определяют твою дальнейшую жизнь. Хочешь не хочешь, но оказывается, что за все в этом мире надо платить. За свободу, за отсутствие свободы, за свободу внешнюю и за свободу внутреннюю. Человек, свободный внешне, должен быть чрезвычайно организован внутренне. Чем более человек организован, то есть внутренне несвободен, тем более свободное общество он создает. Каждый знает пределы отведенной ему свободы, не тяготится ее рамками. Самоограничение каждого – основа свободы всех.

Очень часто приходится слышать о свободе русского человека. Да, русские действительно чрезвычайно свободны внутренне, и не удивительно, что компенсацией этому является отсутствие свободы внешней. Свободное общество они создать не в состоянии (или пока не в состоянии), и именно из-за неумения себя регламентировать. Каждый хочет быть свободен сам – всем стать свободными при этом заведомо нереально.

Святые люди – это, наверное, не те, кто лишен чувственных, плотских страстей, но те, кто способен подавлять их в себе. Потому средние века знали намного больше святых, чем нынешние. Не та ли сила, которая необходима для победы над плотским, животным, и делает человека святым?

Иногда я думаю: можно ли быть святым в сегодняшней Швеции? Чувства людей абсолютно контролируемы, животного в человеке почти не осталось. Может ли свободное общество породить святого? Не верю в это. Истинная религия там, где общество несвободно. Где человек должен давить в себе зверя. Если бы у него этой необходимости не было, если бы он умел контролировать и самоограничивать себя, он давно бы уже это свободное общество создал.

Там, где человек поставлен перед необходимостью задавить в себе зверя, там и дух прорастает в чувстве. Поэтому в Европе истинная религия была до реформации, в средневековье. Сегодня истинная религия в России, в Латинской Америке – где еще не погасли эмоции, где отношения людей чувственны, плоть непокорна, где есть, что подавлять...

Наверное, потому же и искусство в России такое страстное, чувственное, полное возрожденческого накала страстей – в Европе такого эмоционального градуса давно уже нет.

Увы, жизнь – вещь очень несправедливая. По многим поводам возникают знаки вопроса. Да, для меня моя культурная среда, русская среда, осталась основной, единственной: в русской церкви я себя чувствую дома, в отличие от церкви протестантской или католической, от мечети или пагоды. И все же, все же...

Вертикальность отношений человека и Бога, по сути, означает ощущение человеком своей ничтожности, рабского подчинения высшей воле. Чехов видел смысл человеческой жизни в выдавливании по капле из себя раба. Не эта ли абсолютная вертикаль «человек – власть» и есть законченное выражение рабства? Если так, то важнейшим шагом на пути освобождения человека от своего рабства есть преодоление абсолюта вертикали «человек – Бог». Наберемся мужества признать, что русское рабство неотделимо от православия. Так, во всяком случае, я думаю. Так же как и рабство мусульманское – от ислама.

Возьмем наместников Бога. Кто стоит между Богом и человеком? Церковь, правительство. Они есть власть. Недаром в России нынешней государство и церковь сомкнулись в объятиях...

Россия – страна православная, этим определен и характер народа, и история страны. Если бы коммунистическая революция произошла бы, допустим, в Швеции – допустим, заведомо зная, что это невозможно, – там никогда не возникла бы система, сколько-нибудь похожая на советскую. А в мусульманской стране любая социальная революция приведет лишь к диктатуре, к деспотии, к взаимоотношениям вертикальным. В координатах этой религии иное невозможно. Точно так же и в координатах православия. Что же касается атеистов, то и они бывают разные. Как и коммунисты. Сравните, к примеру, коммуниста английского и коммуниста арабского. Много ли у них общего?

С момента своего возникновения христианство претерпевало огромные изменения, стоившие подчас потоков крови. Лютер, Кальвин, гугеноты... Религиозные войны эпохи реформации привели к рождению разновидности христианства, именуемой «протестантизм». С его утверждением в определенных странах и нациях родилось и само понимание этики взаимоотношений индивидуума с Богом. Церковь перестала быть непременным и всеведущим посредником между ними. Индивидуум стал ответственным перед Богом сам. Это значит: читай Библию, соблюдай закон, хорошо работай и Бог тебе воздаст.

Производным этого стало: богатство не порок. Человек, который богат, – работает много. Человек, который небогат, – мало. Ему надо не завидовать богатому, а трудиться. Не правда ли, совершенно иные постулаты христианства, чем те, которые почитались истиной в момент раскола Византии и Рима? Верблюду незачем примеряться к игольному ушку – рай богатому не заказан.

Существует концепция «культурологического детерминизма». Как и все концепции, она, естественно, ограничена, и в былые времена непременно бы сказали, что буржуазна или мелкобуржуазна. Но в любом случае мимо главных ее положений нельзя пройти мимо. А они таковы: культура страны, культура нации и религия как важнейшая часть этой культуры определяют, в конечном счете, уровень ее экономического развития.

Недавно я читал замечательную книгу «Кто процветает?». Автор – Ричард Харрисон, ученый из Латинской Америки – занялся изучением взаимосвязи между культурным и экономическим развитием стран и пришел к любопытным выводам.

Менталитет наций основывается на религии, истории, климате, масштабах страны; у каждой нации своя иерархия приоритетов, сильно не похожая на другую. Скажем, в китайском менталитете, сформированном религией даоизма и буддизма, главные нравственные (они же экономические) приоритеты – дать образование детям и возвратить долги до Нового года. Если ты не отдал долги, ты позоришь своих предков. Почитание загробных душ предков очень развито. Ты не должен оскорблять их ничем, и в частности невозвращенными долгами. Иначе – позор на твою семью! Страшный позор! Как нетрудно припомнить, такая система ценностей, уважение авторитетов далеко не всем нациям свойственны. На одном этом видно, сколь многое определяет религия в экономике. Если бы в России так почитали души умерших!

Религиозные войны, я не открываю тут истин, возникли не случайно. Экономика и политика требовали реформы религии. Отсюда – протестантизм. Он породил то, что психологи называют отчуждением самосознания. Протестантизм дает человеку право самому судить свои поступки – нет надобности бежать в церковь за прощением. Следствие этого – развитая персональная и анонимная ответственность индивидуума перед обществом. Грубо говоря, Бог видит человека всегда, даже когда он в общественном туалете. Потому общественные туалеты чистые. Каждый ощущает свою ответственность, при том что она анонимна – никто не узнает, как он себя там вел. Нам это чувство анонимной ответственности неведомо, поэтому про наши туалеты лучше не вспоминать – у меня даже была мысль сделать об этом документальный фильм.

Отчуждение самосознания повлекло за собой развитие гражданского правосознания. Только анонимная ответственность человека ведет его на демонстрацию, на избирательный участок. Отсюда понятно, почему в одних странах вся нация участвует в контроле за тем, как правительство ведет дела государства, в других – она вполне равнодушна. В одних чуть что – все встают на дыбы, правительство валится: для этого не нужно ни кровопролития, ни братоубийства, достаточно, если обнаружится элементарная нечестность. В других – правительство само по себе, индивид – сам по себе.

Поскольку я не философ, могу позволить себе вольность метафор. Протестантский мир построен исключительно на ясности, отсутствии излишеств. Достаточно посмотреть на характер архитектуры, зайти в церковь, клинику, квартиру – всюду ничего лишнего. В архитектуре – абсолютный минимализм. Сравните протестантскую церковь и католическую. Посмотрите на жилище эстонского крестьянина – у него не просто чисто, у него все лишнее – тряпки, мусор – выбрасывается. Немедленно, сразу, ежедневно. На постоянной основе. Заглянешь к православному крестьянину – у него ничего не выбрасывается. Все лежит, все на всякий случай хранится – коробочки, тряпочки, вилочки, лапти. Запихано куда-нибудь в угол, за печку. Как в России убирают? Если уборка, то непременно генеральная. Раз в полгода. Вот тогда все вышвыривается, выбрасывается. Потом опять копится, копится, копится...

То же самое и в политике: наведение порядка производится не ежедневно, а циклами, с гигантскими интервалами. Сначала, какие бы безобразия ни творились, все сидят на своих местах. Потом вдруг, непонятно по какой причине, всех прежних начальников выметают к чертовой бабушке, сажают новых, и все пошло по очередному кругу.

Сегодняшние страны можно поделить на индустриальные и крестьянские. В индустриальных странах, как правило, доминирует или протестантизм, или конфуцианство, как в Японии, хоть эта страна и очень отсталая — с точки зрения демократии. В странах крестьянских сознание не менялось тысячелетиями. Постулаты: моя семья – моя опора, за стеной – все враги, все хотят у меня что-то отнять. Поэтому главное – никому ничего не давать. Партнерства, как такового, быть не может. Дело можно вести только с родственниками.

Харрисон очень интересно пишет о том, что большинство населения современного мира сохраняет крестьянское сознание. Личная ответственность человека перед обществом очень низка. Общество – враг, правительство тем более. ОНИ там, наверху, все решают. Я к этому никакого отношения не имею. Бразилия, Индия, Малайзия, Латинская Америка – всюду крестьянское сознание. Тот же менталитет в России. Если не понимать этого, стараться навязывать людям формы, для них чуждые, они будут гнать граблями и вилами их носителей, так же как гнали крестьяне своих очкастых радетелей-социалистов, пошедших после отмены крепостного права «в народ».

Я люблю Россию. Но что такое любовь к Родине? Я бы сравнил ее с любовью к матери. В разных человеческих возрастах она разная. Спросите у ребенка, за что он любит свою маму. Он не сможет объяснить, В лучшем случае скажет: потому что она лучше всех на свете. Проходит время, наступает пора зрелости, свое понимание жизни, и человек не может не замечать, что какие-то черты и свойства матери его раздражают. Бывает, он взрывается, доходит до скандалов, конфликтов – очень болезненных, поскольку это конфликты между самыми близкими людьми. Но нельзя уже не видеть, нельзя игнорировать недостатков человека, который тебе бесконечно дорог. Мешает ли это тебе любить этого человека? Да нет же. Ты его любишь гораздо более сильной и нежной любовью, чем в детстве.

Очень часто в разговорах о России, особенно сейчас, да и в прежние годы было подобное, у людей, считающих себя истинными патриотами, сквозит детская, незрелая любовь. Они любят Россию, потому что прекраснее ее на свете нет. В ней для них нет ничего плохого – только хорошее. Все недостатки, которые кто-то не может не замечать, объявляются происками вражеской пропаганды или кознями жидомасонов. А если вопрос ставится так, то, значит, уже они в одном лагере, вы – в другом. Думаю, Чаадаев любил Россию гораздо сильнее, чем те, кто безмерно ее восхвалял. Он просто не мог не видеть ее недостатков.

Да, Россия – страна замечательная, прекрасная, у нее великое будущее, до которого мы, к сожалению, не доживем. Не надо тянуть ее в это будущее за волосы.

ЭПОХА САМОЗВАНСТВА

Мы подходим к концу столетия. Нетрудно заметить, сколь важные сдвиги произошли на его протяжении, как отличается начало века от его конца. В начале его человек жил в мире, где были неписаные законы, которые хорошо ли, плохо ли, но соблюдались. Был свод нравственных правил, незыблемые этические нормы, которым, как казалось, человечество и далее будет следовать на пути своего прогресса. И коммунизм, и даже фашизм (два крайних течения, одно ультраправое, другое – ультралевое) преследовали единую цель – создать идеальное общество. Но идеальному на этом свете, увы, места нет.

С середины первого тысячелетия и вплоть до начала XX века людям казалось, что существует абсолютная истина. Пусть у каждого, и у каждого политика в частности, свое представление о том, что есть истина и каков идеал, но все жили с высокомерным ощущением, что рецепты в общем-то найдены. Те или эти, но найдены.

Сходились на том, что главное – свобода, демократия, равенство, братство. Кто спорит – вещи замечательные.

Сегодня, под конец века мы приходим к довольно странным выводам. Мы их еще не до конца осознали, мы только еще начинаем понимать относительность того, что еще вчера считали абсолютным. Например, демократия. Святое слово. Особенно для Запада, почитающего ее абсолютным благом. Но кто бы в каком-нибудь застойном брежневском 1982-м поверил, что через десять лет в Грузии абсолютным большинством в 98 процентов голосов будет избран узник ГУЛАГа, диссидент, образованнейший человек, говорящий на пяти языках, сын академика, любимого народом писателя, и первое, что сделает, – начнет при полном восторге избравшей его массы жесточайше преследовать демократию, расправляться со своими идейными противниками, сажать их в тюрьмы, и понадобится военный переворот во главе с бывшим генералом КГБ, чтобы освободить страну от террора бывшего борца за права человека и вернуть ее в русло минимальной человеческой демократии. Если бы тогда я предсказал такое, сочли бы бреднями сумасшедшего. А ведь избрали Гамсахурдия самым демократическим образом.

А сколько еще подобных примеров! Сомали хотя бы, где демократически избранное правительство может привести страну к национальной катастрофе, к геноциду. Могла бы такая перспектива прийти кому-то в голову в начале века или в наши прекраснодушные 60-е?

Хочется поразмыслить над тем, куда приходит наша цивилизация. У меня для тебя, читатель, плохие новости. Но не отчаивайся: плохие новости, в конце концов, хорошие. Потому что лучше иметь плохие новости, соответствующие действительности, чем хорошие, ей не соответствующие.

Куда же мы приходим?

Свойства современной культуры – результат развития современного общества и результат коммерциализации любого процесса. Первым поп-звездам XX века – Чарли Чаплину или Мэри Пикфорд, Шаляпину или Рахманинову не снились ни те гонорары, ни та армия специалистов, которая обслуживает современную звезду шоу-бизнеса. Сегодня популярность не произвол судьбы, а результат большого, кропотливого труда серьезных институтов, многочисленных организаций, специализирующихся на маркетинге. То, что раньше было сугубо профессией актера или спортсмена, теперь в результате колоссальной универсализации и глобализации мира при помощи масс-медиа превратилось в гигантский маркетинговый бизнес. Сегодня футболист, баскетболист, теннисист получает контракт на десятки миллионов долларов в год. Откуда эти деньги? От нас с вами, мы платим их, покупая любой, и самый нужный и самый ненужный, товар. А механизм оплаты идет через маркетинг. То же относится не только к звездам спорта, шоу-бизнеса, но к любой публичной фигуре. Если вы стали товаром, то на этом должны зарабатывать не только вы сами. Ваши деньги должны приносить деньги во много раз большие. Ваш товар (талант, спорт, искусство, политика) важен тому, кто выписывает вам гонорар, не сам по себе, а лишь как реклама другого бизнеса.

Само общественное сознание становится товаром, его можно формировать, а затем продавать. Занимаются этим масс-медиа. Они обрабатывают свою аудиторию, внушают ей те или иные предпочтения, настраивают на выбор того, а не другого товара – коммерческого, политического, нравственно-ценностного. Звучит пессимистично, не правда ли?

Глядя на своем домашнем экране рекламные вставки в дорогой вашему сердцу мыльной опере или, разницы нет, высокохудожественной ленте, просматривая рекламу в газете, которую вам кладут в почтовый ящик, вы думаете, что это вам предлагают товар. Но мы не задумываемся, что рекламодатель не просто так дает деньги телекомпании или газете – он платит ей за ее товар. Какой? За аудиторию, которой она владеет. За нас с вами, наше с вами внимание, наше с вами время, за нашу с вами привычку сидеть у телевизора, читать газету.

Рынок стал глобальным. Чем глобальнее масс-медиа, тем глобальнее рынок, тем глобальнее продажа товара. Недавно прошел аукцион бальных платьев принцессы Дианы. Физически проводился он в Нью-Йорке, но на самом деле – по всему миру, через «Интернет». Из миллиона мультимиллионеров нашелся, как видно, с десяток тысяч супермиллионеров: ну почему бы им для разнообразия не потратить полсотни тысяч долларов на платье? Даже трагическая гибель принцессы Дианы была использована в маркетинге: платье, стоившее 50 тысяч, уже выставлено на продажу за 375 тысяч.

Чем глобальнее рынок, тем больше на нем цена любой публичной фигуры. Тем серьезнее, качественнее она должна упаковываться и продаваться. Тем большее значение обретает ее имидж. Агентства, службы «паблик релейшенз», менеджеры – все это части единой пропагандистской машины, обрабатывающей массу. Сильвестр Сталлоне или Майкл Джексон, Том Круз или Мадонна – у каждого своя стратегия взаимоотношений с массой. Имидж точно выверяется, должно быть учтено все – как звезда одета, причесана, как выглядит на людях, что о ней пишут, что она сама отвечает на вопросы интервьюеров. Реклама, афиши, рецензии, журнальные обложки, скандалы, сенсации – все работает на имидж, внедряет его в ваше сознание. Вы сами не замечаете, как начинаете думать то же, что все.

Когда имидж вами уже усвоен и вам хочется видеть актера «вживую», появляется фильм или шоу. Успех! Вы спешите в кинотеатр или концертный зал, куда уже валом валит зрительская толпа... Но день за днем идет количественное накапливание, и со временем оно переходит в качественное: вы уже устаете от того, что еще вчера вас неудержимо манило. Во избежание «переедания», лишь только интерес публики пошел вниз, артист исчезает из ее поля зрения. Ни афиш, ни фотографий в журналах, ни публичных появлений – его словно бы нет вообще. Любая его фотография защищена авторским правом, ни одно издание не может поместить ее без разрешения артиста или его менеджера. А где-то через полгода после исчезновения артист вновь появляется и вновь к нему всеобщий интерес. Этот товар не должен терять в цене, в него вложены слишком большие деньги, и он должен принести еще большие...

Джордж Сорос в журнале «Атлантик мансли» поделился своими соображениями по поводу глобализации рынка. Человек, которому капитализм позволил заработать огромные миллиарды, рассуждает об... угрозе капитализма. Или, более широко, об опасностях, подстерегающих мир в конце тысячелетия.

Существовали две главные концепции общественного устройства, внутри которых мы жили. Мир был поделен на открытые общества и закрытые. Закрытое общество навязывало человеку свою, идеальную концепцию мироустройства, открытое – давало возможность проявить себя, никак не ограничивая. Противостояние двух концепций, как оказалось, было очень удобно для всех. Внутри страны наши фильмы и награды им на кинофестивалях рассматривались как победы советской идеологии, Запад же видел в них почтового голубя, донесшего весть из тюрьмы. Теперь русское кино исключительность свою потеряло, времена те кончились.

Сорос исходит из того, что ни у кого нет монополии на истину. Мы очень часто ведем себя так, будто имеем ее, точно знаем, как надо и как не надо поступать. Но этой монополии не может быть в принципе, и по очень простой причине. Абсолютная истина закрыта для нас уже в силу того, что мы живем внутри этого мира. Если бы мы жили в другой Галактике, то, может быть, сумели бы познать законы этой, поскольку были бы вне ее. Но мы внутри, и потому наша оценка всегда зависит от того, *как* мы хотим поступить, от нашей точки зрения, нашей системы приоритетов, сколь бы не отличалась она от других. Христос, Иегова или Будда – каждый в своей культуре почитается как единственный носитель истины, никому не возбранено считать себя доверенным окончательной правоты.

Сужу по себе. Когда мой отец лет шесть назад возмущался происходящим в отечестве, тем, как немыслимо богатеют одни и как стремительно нищают другие, я говорил: «Ну хорошо, папа, пускай богатые воруют. Главное, чтобы они наворовали достаточно, чтобы стать капиталистами». Сегодня мое отношение к этому заметно поменялось. Я тоже грешил верой в абсолютную истину. Рынок казался мне системой саморегулирующейся и самодостаточной. Сорос очень убедительно пишет о том, что нынешний рынок совсем не таков. Думать о саморегуляции, как думалось во времена Адама Смита, когда экономическая теория создавалась, заблуждение. Смит полагал, что тем, кто строит развитое экономическое общество, присущи как само собой разумеющееся этические нормы, иными словами Божий страх. Не убий, не укради. В общем, будь порядочным. Но чем ближе мы к концу века, тем очевиднее расплывчатость этических норм – попросту тем меньше страха Божьего.

Гершензон еще в начале века очень точно заметил, что человеку достаточно было бы знать лишь одну тысячную божественной истины, чтобы стать святым. Но факт остается фактом: человечество далеко не свято, ибо знать истину и жить по истине – две разные вещи. Сегодняшнее развитие дикого, варварского капитализма в России как раз и связано с тем, что рынок есть, а принципов – нет. Никаких. Нет морали. Никто не живет по истине.

Реклама, маркетинг, упаковка – все это насильственно формирует предпочтения, навязывает их. Потребителю не дают выбирать, ему навязывают. «Не уверенные в собственных принципах, – пишет Сорос, – люди все в большей степени полагаются на деньги и на успех как критерии ценности. Считается, что лучше то, что дороже. То, что в прошлом было профессиями, становится формами бизнеса. Политиков, отстаивающих идеи, которые препятствуют их избранию, списывают со счетов как любителей-неудачников. Предмет, который когда-то был средством обмена (т. е. деньги. – *А. К.*), узурпировал место основополагающих ценностей, диаметрально перевернув отношения, постулированные экономической теорией. Культ успеха вытеснил веру в принципы».

Возможность действовать сегодня, исходя из нерыночных ценностей, стала иллюзией. Жить и действовать можно, только полагаясь на ценности рыночные – не этические. «Общество лишилось якоря», – пишет Сорос. И это он говорит об открытом обществе! Парадокс! Социальный дарвинизм, который взяли за норму открытые общества, принцип «выживает сильнейший», может привести планету к драматическому итогу. Разрыв между богатыми и бедными все более увеличивается. И будет увеличиваться, если не принять меры к его сокращению. То есть вмешаться. Все понимают, что это необходимо, но и свободное общество не готово еще включить ограничители человеческого эгоизма. Вмешаться – это граничит с социализмом, а от него бегут, как черт от ладана. Хотя и социализм бывает разным.

Вот и получается, что, уходя от российской формы коммунизма в густые дебри варварского капитализма, надо надеяться на то, что где-то впереди нас ожидают те или иные формы государственного вмешательства, а значит, те или иные производные от социализма. Пишу и сам удивляюсь, что выступаю за это я. Я, мечтавший о том, чтобы советская система рухнула.

Если перенести процесс размывания этических ценностей на кинематограф, то там прослеживается все то же. Что произошло с кино за те 35 лет, что я в профессии?

Мы начинали в эпоху, когда примерами для нас были великие мастера – Куросава, Бергман, Бюнюэль, Феллини, Джон Форд, Орсон Уэллс. Все они великие индивидуальности и индивидуалисты. Пятнадцать лет послевоенного развития кинематографа ознаменовались приходом в искусство кино того, что чуть раньше уже произошло в литературе – чрезвычайного субъективизма в оценке реальности. И, как следствие, героичности поступка. Творение большого режиссера было актом героическим. Мало кого интересовало, есть успех у фильма или нет, собрал или не собрал он кассу. Последними в этой плеяде, думаю, были Годар и Тарковский, хоть как художники они на разных этических полюсах.

Где-то в конце 80-х Феллини и Бондарчук ехали на машине по Риму, Феллини неожиданно остановил у кинотеатра машину, сказал:

– Зайдем на минутку.

Они зашли. В зале было пусто.

– А где же зрители? – спросил Бондарчук.

– Мои зрители все умерли, – сказал Феллини.

Жил он после этого недолго. Ему уже было мучительно трудно набрать хоть какие-то деньги, чтобы снимать.

Медленно, но неумолимо отодвигается в прошлое эпоха героической режиссуры – время, когда сама эта профессия была героической. Режиссер был первооткрывателем. От него ждали откровения. Сегодня в это трудно поверить, но на картины Антониони в Европе стояли очереди. Даже в том же самом Голливуде сегодня невозможно было бы сделать картины, которые делались там в 40–50-е – «Отсюда и в вечность» Циннемана, «Лучшие годы нашей жизни» Уайлера, «Сокровища Сьерра-Мадре» Хьюстона, «Касабланка» Майкла Кертица. Несчастный конец, два главных героя убиты, женщина уезжает. Такая картина в сегодняшнем Голливуде немыслима. Герой непременно должен победить в прямой физической схватке с противником. Невозможно сделать картину без розового оптимистического финала. Почему так случилось? Причин много, но главная – губительная роль масс-медиа.

Телевидение не претендует на то, чтобы быть большим искусством, его зритель не ждет от него этого. Телевидение изменило зрителя, и сам зритель изменился. После войны сразу же повысилась рождаемость. Пережив войну, самое страшное, что, казалось, больше никогда не должно повториться, люди хотели родить ребенка. В 60-е годы в зрительные залы пришло целое поколение новых детей. Тем, кто родился в 46-м, в 66-м было двадцать. Это поколение не знало войны, голода, борьбы, героизма, предательства, не знало сложностей философии. 14–15-летние подростки определили, какое кино надо делать. То, которое они будут смотреть. Сегодня эти подростки уже родители, и новое поколение подростков диктует кино новые законы. Оно уже совсем не такое, как в 60-е годы.

Идет ускорение процесса жизни, а одновременно – иначе не могло бы быть – и ускорение процесса восприятия. Значит, от режиссера требуется ускорение изложения материала. Абстракционизм, Фрэнсис Бейкон, быстрый монтаж, М-ТВ, смазанное изображение в окне летящего самолета или мчащегося поезда – это то, как сегодняшний человек видит мир. Он уже не сидит на берегу озера, долго-долго созерцая пейзаж. Для этого надо иметь время, а чтобы иметь время, надо быть элитой, если не финансовой, то интеллектуальной.

Новый зритель обращает внимание не на фильм как произведение искусства, а на рекламу фильма. На упаковку. В Нью-Йорке, в Лондоне, в Париже – наверное, только в этих трех городах можно вычитывать в газете, где сегодня показывают Ренуара, Бергмана или малобюджетную художественную продукцию. 90 процентов картин, идущих на экране, огромны по постановочному масштабу, но не рассказывают ничего нового о человеке – грохочущая реклама этих картин всепроникающа. Именно их и смотрит зритель.

Невольно приходишь к грустным размышлениям. Где теперь те идеалы, которые освещали путь художника еще каких-то 15–20 лет назад? Не получается «привлечь к себе любовь пространства», живя «без самозванства». Пространство глухо. Это понял уже в 30-е годы в Голливуде Эйзенштейн, а потому призывал Штрауха биться, чтобы построить плацдарм для своей гениальности. Мы приходим в век, взыскующий самозванства.

Вспомните звезд 50–60-х. Синатра. Он вообще кажется клерком. А «Битлз»? Они тоже были похожи на клерков – пиджачки, галстучки. Это совсем не мешало им стать звездами. А как выглядят поп-звезды сегодняшние? Один наголо обрит, у другого – пол-лица замазано синей краской. Где только не проколоты дырки и не понавешаны серьги! Нас окружает мир постмодернизма, где самонадеянность и агрессивность – желанные качества, позволяющие что-то сделать. Прежде качество было важней обертки. Сегодня обертка важней качества. Чтобы тебя хоть как-то заметили. Как тут обойтись без самозванства! Как слышать будущего зов! Невольно приходишь к выводу: героическое время кончилось.

Самобытность сама по себе перестала быть необходимостью. Оригинальное сегодня – это то, что продается. То, что не продается, не оригинально. Постмодернизм в своей основе весь заимствован из прошлых лет. Произведения даже больших художников, таких, как Шнитке, состоят из эклектических собраний сделанного до них. Что такое кино Тарантино, при всем несомненном таланте автора? Ничто. Просто замечательный коктейль из всего на свете. Раньше бы это называлось плагиатом, сегодня – заимствованием. Раньше за это могли привлечь к суду, теперь – это норма. Начал это Энди Уорхолл. Искусство все в принципе пришло к самоповторению, к умножению в дробленых зеркалах. Любой художник сегодня кажется состоящим из цитат. Плохо это или хорошо, не знаю. Но это так.

Кувалда рекламы неизмеримо сильнее хрупкого стекла достоинств фильма. Две мои последние картины – «Ближний круг» и «Курочка Ряба» – полностью провалились. Никто их не увидел, хотя, смею надеяться, это не худшее, что было сделано в кино. Товар был, продавца не было. Продавец важней товара.

Когда вы открываете газету и видите на всю полосу рекламу, а на соседней полосе рекламу другого фильма, на третьей – третьего и где-то в самом конце в крошечном маленьком квадратике – «картина Кончаловского», состязание заведомо проиграно, какой бы шедевр вы ни сняли. О ком бы ни шла речь – о Тарковском, Бергмане, Феллини. Какое-то количество зрителей они, конечно, соберут, еще не перевелись киноманы-фанатики, но сделать картине успех они не в состоянии.

Перед художником всегда стоит дилемма. С одной стороны, хочется работать, не останавливаться, но если не останавливаться, особенно в кино, то приходится делать то, что нужно. Ты становишься коммерческим режиссером. Ты выражаешь уже не себя, а желания продюсера. Если же ты хочешь делать свои картины, работать без остановки уже нельзя. Очень немногие режиссеры смогли, оставаясь авторами, избежать перерывов. Феллини мог бы снять гораздо больше: случалось, он не снимал по три, по четыре года. Он так и не сумел найти деньги на свою последнюю картину. Не останавливаться, создавая свое кино, можно только тогда, когда снимаешь на свои деньги. Как это делает, предположим, Вуди Аллен. Но он и делает всегда очень малобюджетные картины. Звезды снимаются у него без всякого гонорара – с Вуди Алленом можно работать бесплатно...

Как незаметно бежит время! Спохватываясь, замечаешь, что уже пришло новое кинематографическое поколение. Что удивляться? Это естественно. Так и должно быть. А я, как ни странно, все еще считаю себя начинающим. Ну, может, уже не совсем начинающим, но все еще подающим надежды. Может, это оттого, что не снял своей лучшей картины? Но все еще подаю надежды – себе, не другим. Очень много сил невостребовано в жизни.

Много сейчас режиссеров, которые не снимают – хорошие, плохие, талантливые, не очень талантливые – все невостребованы. Стать нужным сложнее, чем снять кино. Особенно в той среде, в которой мы оказались, – в как бы капиталистической. Раньше все шло вроде бы само. Нашел сценарий – будешь снимать, нет проблем. Сейчас надо доказать, что ты нужен. Попробуй докажи! Надо уметь делать из себя товар.

В России, хотим мы того или нет, вряд ли можно быть свободным художником. Хочешь быть в порядке – дружи с властями. Не важно какими: монархическими, коммунистическими, демократическими. Дружишь с царем– ты на коне, не дружишь – пеняй на себя. Впрочем, это не только в России – в других странах все то же самое, хоть, может быть, и не так явно. У нас же наметанный глаз мгновенно и без ошибки выделяет прирученных художников. Они, как зубры в Беловежской пуще, протоптали дорожки к специально для них заготовленным кормушкам. Их приглашают в Кремль на праздничные обеды. Посмотришь хронику в телевизоре, фотографии в газетах: кто-то что-то шепчет на ухо Лужкову, кто-то маячит вблизи Ельцина. Даже фамилии называть не надо – они у всех на слуху. Но ничего тут не поделаешь: это Россия. Надо иметь свою руку при начальнике. Да и начальнику лестно иметь при себе художника.

Я перечитал эти написанные всего несколько месяцев назад строки и подивился тому, как быстро устаревают наши прежние представления. Мы все еще не можем вытравить в себе остатки былого интеллигентского подхода: мол, только те хорошие художники, которые с начальством не дружат, а которые дружат – те нехорошие. Это точка зрения очень партийная, хотя тех, кто ее высказывает (и меня, когда я ее придерживался), слово «партийность» всегда приводило в ужас. Бывают великие художники, которые в чести у начальства (достаточно вспомнить Веласкеса и Тициана или хотя бы Галину Уланову), и бывают жуткие художники, при том что у начальства они не в чести. Партийный признак оппозиции к власть имущим никогда не является мерилом истинности искусства.

А что истинно? Кто может ответить в мире, где ни у кого нет монополии на истину? Итак, готовьтесь: наступает эпоха самозванства. Уже наступила.

СТРАХ БОЖИЙ ИЛИ СТРАХ КЕСАРЕВ?

Одно из капитальных заблуждений, от которого не без труда избавляются сегодня социологи, – это то, что достаточно разрушить плохую систему (не важно, плохую систему капитализма или плохую систему социализма), чтобы жить на земле стало лучше. Разрушили капиталистическую систему, лучше стало или хуже? Разрушили социалистическую – опять же, стало ли лучше? Уж точно, не менее страшно, чем было.

Мы живем в постоянно становящемся мире. Мы следуем выработанным формулировкам, которые проверены нашим прежним опытом. Но формулы все время отстают от меняющегося мира. Подобно глобальной погоде, мир находится в постоянном движении, изменении – формулы не в состоянии с адекватной скоростью адаптироваться к переменам. Поэтому мир в своем развитии всегда впереди наших представлений о нем. Наконец-то до нас это доходит, мы с удивлением открываем для себя эту новость, а она тоже уже не новость. И того мира, который пришел на смену прежнему, знакомому нам, тоже уже нет. Мир по-прежнему в движении, в процессе обретения своей формы, которая тут же меняется, не успев обрести законченность.

Шопенгауэр говорил, что истина приходит к человеку

в три стадии. Первая – она высмеивается, вторая – встречает яростное сопротивление, третья – воспринимается как банальность.

Кто-то замечательно сказал про Россию: триумф мечты над практикой. Это очень точное определение российской ментальности. Все время изобретаются объяснения, не имеющие ничего общего с реальностью. Недавно двое моих русских знакомых пытались доказать мне, что во всем виноваты евреи, потому что они все скупили и русские теперь работают на них как рабы. Хорошо, говорю, я. А у кого они скупили? Продавали-то русские, а они скупили.

Опять евреи виноваты! Как легко человек поддается на обезболивающие средства.

Когда умирает эпоха или когда она переворачивается, с какой легкостью творится изничтожение тех, кто был наверху в предыдущей системе, в советской, предположим, как по ним ходят, пинают, клеймят за беспринципность, конформизм, продажность – в нашей стране это делают с особой страстью. Что далеко ходить за примерами! Чего я только не наслышался про своего отца! Что он заслуженный гимнюк Советского Союза и далее в том же стиле. С какой легкостью мы задним числом обвиняем людей!

А если задуматься всерьез: заглядывали ли те, кто выступает сейчас в роли моралистов, в свои собственные души? Ставили ли они себя на место тех, кому выносят нравственный приговор? Как бы вели себя сами в подобной ситуации? Иногда я думаю, что чем жарче и яростнее человек разоблачает пороки другого, чем пламеннее он в своих обвинениях, тем более он сам несет в себе то, что обличает в других. Безжалостность как принцип – свойство людей слабых. Силе всегда свойственно сдерживать себя и прощать. Сознание собственной погрешимости – свойство силы. Проверь себя, поставь себя на место другого: а как бы ты сам проявил себя в тех самых обстоятельствах? Смог бы быть бескомпромиссным и принципиальным? Да я не очень поверю тем, кто скажет: смог бы. Это легко сказать.

Да, одни имели отчаянность говорить правду в глаза и расплачивались за это. Другие этой отчаянности не имели, хоть от себя самих правды не скрывали. Что, они предатели? Что такое предательство? Можно или нельзя простить предательство? Оппортунизм – свойство человека или животного? Или возможны оба варианта?

Мне доводилось сталкиваться в жизни с людьми, которые меня или близких мне людей предавали. Не могу сказать, что я после этого мог с ними сохранять какие-либо отношения, но почему-то что-то во мне всегда заставляло стараться понять мотивы, почему они так поступили. Самый страшный ужас, который я могу себе представить, самое тяжкое испытание– это необходимость выбора между своей жизнью и жизнью кого-то из близких мне людей.

Я покрываюсь липким потом, когда думаю о подобной необходимости. Пожертвовать собой можно инстинктивно. Смог бы я это сделать сознательно? Где-то у той последней черты, где возникает человек как существо, способное на самопожертвование, там прекращается великий инстинкт самосохранения и начинается чудо. Если не сумасшествие. Часто ли мы заглядываем в те самые бездны своей души и совести? В те темноты, где живет та самая тварь дрожащая. Страшно туда заглянуть! Многие ли из нас окажутся способными на величие духа, когда пистолет приставлен к виску? Повезло, что мне не выпадало проверить это на деле. Узнать, каков я на самом деле. Повезло тому, кто может тешить себя иллюзией о своей моральной цельности.

Легко быть неплохим человеком в нормальных обстоятельствах. А когда все вдруг сдвигается со своих опор? Достаточно посмотреть, что сегодня происходит в России, хотя бы по части отношения к религии. Те, кто вчера клялся в своем атеизме, сейчас в церквах. Отстаивают службы, бьют поклоны. Смотришь на эти лица, думаешь: что они сейчас чувствуют, что испытывают? Я уважаю Горбачева – ни разу не видел его в церкви.

Конечно, не исключено, что кто-то в прежние времена скрывал свои религиозные убеждения и вот теперь-то дожил до возможности следовать им открыто. Но та страсть и старание, с которыми иные из нынешних официальных фигур исполняют религиозные обряды (не зная, не умея толком их исполнять), наводит меня на грустную мысль, что от язычества мы не избавились. Раньше в социалистические праздники заворачивали все дома в красные тряпки, теперь крестом и кадилом святим все подряд – биржи, банки, казино, автомашины. А между прочим, вплотную уже конец тысячелетия. Смеяться над этим не стоит, задуматься – самое время.

XXI век, к которому мы приближаемся, будет отнюдь не лучезарным, как казалось некогда. На самом деле – мы уже живем в XXI веке. Мы не даем себе в этом отчета. А он уже наступил со всеми его замечательными и ужасными семенами, которые были заложены в веке XX. Только теперь они проросли уже совсем другими ростками. Начало нового века видно уже в тех войнах и конфликтах, которые сейчас на планете, – расовых, племенных, религиозных, конфликтах между бедными и богатыми. Югославия, Гаити, Албания, Чечня, Нагорный Карабах, Сомали – тут и там начинающаяся резня требует вмешательства извне. Чаще всего это «голубые каски», реже – дипломатические посредники, но прослеживается некая закономерность. Угроза ядерной войны отпала – мир уже не делится на две противостоящие системы, да и ясно уже, что при накопленном арсенале боеголовок такая война приведет лишь к «ядерной зиме», то есть гибели всей планеты. Не исключено, конечно, что какой-то взбесившийся тиран заимеет ядерную бомбу и взорвет ее, может, даже и над нами с вами, но атомная аннигиляция человечества уже не реальна. Однако отсечение угрозы ядерной привело лишь к расширению войн обычными средствами. Страх ядерного апокалипсиса ушел, и во все тяжкие понеслось производство стрелкового вооружения. Войны обычные развязываются теперь с гораздо большей легкостью. По всему миру там и сям возникают очаги войны, правота доказывается исключительно силой оружия. Тутси режут хуту, мусульмане – христиан, христиане – мусульман, иракцы – курдов... Погасить эти очаги можно тоже только силой оружия: другие методы воздействия безрезультатны, действенно только принуждение.

Взять хотя бы недавно происходившее в Югославии. Пятнадцать лет назад даже нельзя было представить себе, что люди этой страны начнут истреблять друг друга на религиозной основе. Пока был жив Тито, сама возможность подобного пресекалась в корне. Как только он умер и люди обрели чуть больше свободы, немедленно началась резня. Оба менталитета, как христианский, так и мусульманский, отличились исключительной жестокостью в геноциде друг друга. Все попытки решить проблему путем уговоров и переговоров провалились. Пришлось посылать солдат. Аргумент «будете драться – будем стрелять» действие возымел. Десять лет назад послать войска ООН или НАТО в другую страну как международного полицейского было невозможно. Принцип невмешательства почитался незыблемым. Теперь уже мир понимает, что военное вмешательство подчас единственный способ заставить людей поступать по-человечески – остановить войны.

Единственная надежда остановить потоки крови – происходящая сейчас колоссальная технологическая революция. Достижения в области компьютерной техники, точного наведения приводят сегодня к концепции так называемого хирургического военного вмешательства. То есть достаточно наведения ракеты на одно-единственное окно или один-единственный узел, но окно Генерального штаба или узел связи всей армии, и войну можно бескровно пресечь.

Казалось бы, век просвещения все эти конфликты должен был ликвидировать. Информатика распространяется по всему миру. Всем уже ведомо, что «свобода, равенство, братство» золотыми буквами написано на портике всемирного государственного устройства. Так почему бы этим великим принципам немедля не восторжествовать? Не тут-то было.

Я задумываюсь: а что же мы подразумеваем под этими замечательными словами, существует ли истинная свобода, истинное равенство, истинное братство? Если это абсолютная истина, то как она выражается? В чем выражается братство? Равенство? Свобода? Если они существуют в абсолюте, должно быть этому какое-то подтверждение. Где оно? Социологический дарвинизм с культом победы сильнейшего «милости к падшим» никогда не призывает. Те опасности, о которых предупреждает Сорос, опасности развития угрожающего неравенства между богатыми и бедными в глобальной экономической системе, приводят к мысли о том, что в целях сохранения стабильности в той или иной стране, том или ином регионе мира государство или группы государств должны будут брать на себя роль пугала. Будь то армия ООН, будь то полицейские силы, призванные покончить с криминальной обстановкой. От этого государство не станет полицейским государством. Напротив, без полиции, без армии, как выясняется, невозможно хоть какое-то осуществление свободы, равенства, братства, пусть хоть в самом приблизительном их виде.

Но, оказалось, есть проблемы не менее страшные, чем войны.

Мы еще слишком мало знаем о самих себе. Кто мы? Чем руководствуемся в своих поступках? Какие цели ставим перед собой? Ну а если попытаться взглянуть чуть со стороны? Если бы инопланетянин попытался произвести какую-то классификацию человечества, он бы прежде всего, конечно, отделил бы человека от прочих тварей. Это человек, а не крокодил.

Затем инопланетянин разделил бы всех людей по тому, что у них промежду ног. Второй главный признак человека – пол, кто ты: мужчина или женщина? Ученые все больше приходят к тому, что мужской и женский мозг работают по-разному. У мужчины речевая часть находится только в левом полушарии, у женщины – и в левом и в правом. Поэтому в случае инсульта у мужчины речь парализуется чаще, чем у женщины. Поэтому женщины болтают больше. У мужчины где-то в мозгу сохранилась та же железа, которая есть у ящера, реакции мужчины на опасность – это реакции рептилий. У женщины этого нет. Поэтому когда мужчина мстит – он бьет, когда женщина мстит – она сплетничает. Мальчики вступают в драку, девочки садятся в кружок и начинают перемывать косточки. Напоминаю, это выводы не житейские, а научные. С ними полезно было бы ознакомиться феминисткам, пытающимся во всем уравнять мужчин и женщин. А это два совершенно разных вида и видения. Сейчас об этом вышла любопытная книга – «Мужчины – с Марса, женщины – с Венеры».

Третий признак – цвет кожи, деление на расы. Что же дальше?

Некоторые говорят – язык. Вовсе нет. Следующее – система ценностей. Чем отличаются люди одной расы друг от друга? Возьмем, скажем, всех черных. Среди них есть язычники, мусульмане, христиане. Все они будут отличаться друг от друга поведением, потому что поведение определяется системой координат, этикой. То есть, по сути, религией. Есть арабы-христиане, есть негры-иудеи, цвет кожи и язык у них такой же, как у соплеменников, – поведение другое.

Когда мы говорим о дальнейших путях сегодняшней цивилизации, развития человечества, жизни на земле, весь эволюционный процесс входит в третью стадию – на эту тему только что выступил Хокинг, знаменитый физик, автор «Краткой истории времени», человек, который, несмотря на недуг тяжелого паралича, имеет мужество думать не только о себе. Он написал, что ныне человечество входит в третью стадию эволюции жизни на земле. Первая – когда из белкового вещества и аминокислот он превратился в самовоспроизводящее, кормящее себя существо – «гомо сапиенс». Когда он стал мыслить и проецировать прошлое в будущее. Вторая стадия эволюции: когда он стал способен записывать свои познания, воспоминания и предвидения будущего – на камне, на бумаге, в компьютере, то есть стал аккумулировать знания при помощи средств их фиксации и трансляции. Но на двух этих стадиях процесс эволюции биологических видов происходил согласно законам природы, человек был не в состоянии влиять на развитие видов. Сейчас наступает третья стадия живой жизни – самоконструируемая эволюция. Человечество пришло к возможности вмешиваться в генетический код, влиять на развитие и самовоспроизводство видов жизни. Генетика подошла вплотную к тому, чтобы начать производить людей по заданным характеристикам. Скажем, людей, которые будут быстрее бегать или иметь абсолютный слух (уже эти гены найдены – ген абсолютного слуха, ген специальных фибр в мышцах). Сегодня достаточно царапнуть новорожденного младенца, взять крошечку его мышечной ткани, чтобы сказать, что он имеет шансы стать олимпийским чемпионом. Оказывается, у спортсменов-чемпионов другая мышечная клетчатка. Призвание человека заложено на генном уровне.

Иначе говоря, джинн выпущен из бутылки. И, можно не сомневаться, найдутся люди, которые захотят потратить свои деньги, чтобы улучшить самих себя. А будет спрос – появится и предложение. Человек вступает в эру эволюции себя, как такового, по заданному дизайну.

Последствия этого могут оказаться самыми страшными. Можно ли ввести этот процесс в границы этики? Какая должна быть здесь этика? Это абсолютно неизведанные сферы человеческого общества.

Сегодня мы едим уже бананы, помидоры, которые все созданы генетически. Клонированные росточки бананов отсылаются в Африку и Южную Америку, им уже задан набор генных качеств, определяющий вкус, размер, способность противостоять всему, чему только может возникнуть необходимость противостоять. Различие бананов в размерах только оттого, что один росток оказался на горе под солнышком, а другой – под горой в тени, иначе бы они были одинаковы, как из-под штампа.

Оказывается, генетический код человека и дрожжевых бактерий общий на 50 процентов, человека и свиньи – общий на 90 процентов, человека и обезьяны – на 99 с долями процента. Немыслимое количество общего. Печально, но хочется повторить известный вопрос любознательного мальчика: «Мама, а если люди произошли от обезьяны, то почему не все обезьяны согласились стать людьми?»

Вопросы, вопросы... У человека неизбежен соблазн проверить религию наукой и объявить ее постулаты научной истиной. Подобные попытки не раз случались. Рассказывают, что на Украине в недавнее время готовился учебник для школ и институтов – «Основы научного национализма». Слава Богу, у кого-то хватило ума повременить с этим изданием.

Очень много возникает вопросов, на которые так или иначе необходимо искать ответ.

Наверное, одним из важных постулатов новой этики должно стать понимание собственной погрешимости – во всем, избавление от убежденности в исключительности собственной нравственности и собственного знания. Мы должны понять и принять, наконец, что монополия на абсолютную истину никому не дана. Каждый может быть неправ.

Человечество неизбежно будет встречаться с кризисами, грозящими смертельной опасностью, и выходить из них. Оптимизм мой оправдывается тем, что человек – существо мыслящее, способное к адаптации и к выживанию. И если человечество поймет, что оно на грани катастрофы, оно выживет. Как говорил в своей Нобелевской речи Фолкнер: «Человек становится лучше, когда единственной альтернативой морального прогресса является гибель».

Но чтобы выжить, человеку придется решать проблемы. Это значит, что ООН, которая только начинает применять свои вооруженные силы как миротворческие, будет все больше и больше прибегать к помощи этого контингента с дубинками, чтобы не допустить геноцида. Это значит, что богатые нации во избежание геополитического конфликта должны будут наступить на горло собственному эгоизму и включиться в серьезные программы по развитию стран бедных. В противном случае перекос может привести или к повальной эмиграции в богатые страны (как из Алжира во Францию), или к локальным войнам, которые придется усмирять, посылая туда войска. Не проще ли потратить те же деньги на то, чтобы этих людей учить. А учить, как известно, можно разными путями. Можно ставить в угол голыми коленками на горох, можно учить полезным навыкам, умению пользоваться собственными ресурсами, которые у каждой, даже у самой бедной, нации есть. Эфиопия, к примеру, после того как рухнула власть марксистов, медленно-медленно начинает приходить в порядок, использовать современные формы агрокультуры и т. д.

Не теряю надежды и на осознание бездны экологической катастрофы. Уже сейчас мигают красные лампочки – карельский и сибирский леса тают. Их уничтожают со скоростью, не уступающей уничтожению бразильского леса. А это прямиком поведет к глобальной катастрофе. Ибо у планеты осталось только два легких – Амазонка и Сибирь. Не исключено, что, когда истребление лесов достигнет критической точки, потребуется международное решение, каким образом это варварство прекратить. Может быть, мировому сообществу придется пойти на давление, на угрозу изоляции России, если не будет прекращено вырубание леса. В данном вопросе надежда у меня исключительно на воздействие извне, ибо наш русский предприниматель сегодня вполне соответствует описанному мною средневековому типу мышления.

Вопрос стоит о выживании, и не только человека, но всех млекопитающих. Достаточно снизить содержание кислорода в атмосфере менее чем на один процент, как млекопитающие, как таковые, перестанут существовать. Белые кровяные тельца возможны только благодаря избытку кислорода в атмосфере. Упадет содержание кислорода – упадет и содержание белых кровяных телец, перестанет работать иммунитет. У всех млекопитающих – от китов до человека...

Очень важно услышать будущего зов. Не ростки его, а само это будущее, которое уже наступило. Поэтому я говорю о СПИДе, об экологии, о наркотиках – трех страшных бичах, которые угрожают гибелью России. И погубят, если каждый в России не почувствует себя персонально ответственным. Как это сделать – не знаю. Мобуту в Заире собирал на стадионе десять тысяч человек и наугад расстреливал каждого десятого. Те, что уходили живыми, уже знали, что они персонально ответственны. Ощущение своей персональной ответственности – это что, тот же страх Божий? Или страх кесарев?

Страх Божий нужен. Что имел в виду Достоевский, когда говорил: «Широк русский человек! Широк! Надо бы сузить»? Как? Каким способом? Чем менее человек придерживается нравственных категорий, помогающих ограничить самого себя, тем больше нужно внешнее, насильственное его ограничение.

Приходится выбирать между страхом Божьим и страхом кесаревым. Страх кесарев оставляет свободы меньше, страх Божий – свободы больше, потому что человек ограничивает себя сам, руководствуясь нормами этики.

И возможен ли выбор между страхом кесаревым и страхом Божьим? Ибо когда мы говорим о нравственных нормах, нормах, основанных на религии, то есть на страхе Божьем, то, как ни крути, чтобы хоть как-то осуществить их в реальности, нужен страх кесарев.

Боюсь, что человечеству в одиночестве придется искать новый кодекс нравственных истин, и да поможет ему в этом деле Господь!

ПЕЧАЛЬНЫЕ РАЗМЫШЛЕНИЯ

В недавно прочитанной статье о французском художнике-импрессионисте я нашел интересную мысль: он никогда не стал звездой импрессионистской школы, потому что в его жизни было слишком мало борьбы. Большим художником можно стать, только выстрадав на это право,– отрезав себе ухо, сев в тюрьму, сойдя с ума. Не отстрадав положенное, не много шансов стать признанным.

Сейчас я перебираю свои старые записные книжки. Почти в каждой повторяются бергмановские слова о головокружительной свободе, необходимой, чтобы снимать свое кино. И еще постоянно повторяющиеся записи: «Начать говорить правду. Что это? Что ты чувствуешь? Как говорить правду? Пора перешагнуть. Что перешагнуть? Границу».

У каждого художника есть граница, дальше которой идти как бы нельзя.

Желание перешагнуть ее, проверить себя, свои возможности, на их максимуме, на последнем пределе у меня возникло очень давно, но и по сей день ощущаю, что никогда по-настоящему не сделал этого, не снял своей лучшей картины. В чем вообще заключается творчество? Ну конечно же, это поиск самого себя; я его вел в каждой своей картине, может быть, за исключением «Танго и Кэш» – там поиск, впрочем, тоже был, но, скорее, не художественного, а технического свойства.

Когда приходит какой-то образ, какая-то фраза, какой-то сценарный ход, человеческое движение, приоткрывающее завесу над тайной (потому что, конечно же, тайна – то, что художник делает), и возникает нечто, заставляющее зрителя плакать или смеяться, постигать ранее неведомое в характере и существе человека.

Каждое такое открытие вызывает в художнике непередаваемое ощущение восторга, дрожи, озноба. Я очень четко чувствую физиологически эту дрожь, эти мурашки по коже, встающие дыбом волосы – в этот момент ты творец, с тобой восторг открытия. Ради этих моментов и существует художник.

Такие моменты не раз сопутствуют процессу рождения фильма – когда пишешь сценарий, когда снимаешь и, самое ответственное, когда монтируешь. Соединяешь кусок и кусок, накладываешь шумы, музыку, и только в этот момент становится ясно: вот оно, получилось, что-то такое возникло. Восторг открытия. Ощущение, что переступил в неведомое.

Но этот восторг испытываешь совсем не часто, а с возрастом – все реже и реже. И самое смешное, что люди, которые придут смотреть картину, будут видеть в ней совсем другое. Они придут смотреть не картину, как таковую. Они будут смотреть картину, снятую вот этим человеком, живущим вот в этих обстоятельствах, у которого вот эти родители и вот эти друзья, который в жизни сделал то-то и поступил так-то. Это привносит в восприятие совершенно иное измерение, что особенно ощутимо в кругах профессиональных, в кругах критических. Этим людям кажется, что они тебя знают и потому имеют право сомневаться в твоей искренности. Сомнение зрителей в искренности художника, думаю, самое для него разрушительное.

Во всяком случае, лично для меня было так. Ничто так не подрубает крылья, как неверие в искренность того, что делалось тобой со всей самоотдачей, с желанием высказать самое главное, самое в этот момент тебя волнующее. На это неверие мне много раз в жизни случалось наталкиваться. Но все равно, пока снимаешь, остается желание найти себя, себя выразить, себя постичь – особенно если снимаешь по своему сценарию.

Мы живем в эпоху масс-медиа. Сегодня Шекспир читал бы «Московский комсомолец». Может, даже попользовался какими-то почерпнутыми оттуда сюжетами. И все же, думаю, само это слово «масс-медиа» обрело свой полный смысл не в эпоху газет, даже телевидения, а именно сейчас, в 90-е, в компьютерный век. Владимир Ильич вовремя понял, почему из всех искусств для нас важнейшим является кино. Потому что изображение сильнее слова. Кино было важнейшим до тех пор, пока не появилось телевидение. Оно – тот же самый образ, но еще и доставленный на дом. Не надо никуда ходить. Процесс восприятия образа можно совместить с отправлением естественных потребностей. Напрягаться совершенно не нужно – все входит в тебя через подкорку.

С момента своего появления в человеческом сообществе образ имел сакральный характер. Бизон, нарисованный на стене пещеры великим и безвестным художником первобытных времен, имел четкое функциональное назначение – поймать животное, дать победу над ним охотнику. Скульптура, эллинские изваяния, поганьские идолы – все имели мистический характер, все изображали божества. Сегодня образ донельзя девальвирован, хотя по-прежнему служит той же сакральной цели – сотворению кумира. Только уже по прихоти тех, в чьих руках масс-медиа, кто организует рекламные кампании, кумиром может стать любой.

Какова будет роль масс-медиа в XXI веке, если уже сейчас они начинают занимать трагически большое место?

Мир движется в сторону таблоида, дешевой газеты с обилием фотографий. Они становятся важнее текста. Раньше газеты читали – теперь их разглядывают. Все больше и больше цветных фотографий на полосах. Самые читаемые сегодня газеты – бульварные: много картинок и масса сплетен. Основные новости – на первой и третьей страницах. Остальное реклама, сплетни, местные новости. И фотографии, фотографии, фотографии... Что это означает? Означает, что современный человек схватывает не текстовой материал, а изобразительный. То, что в компьютере называется «икона», образ. Текст становится функциональным. Судить, насколько серьезную роль образ играет в обработке массового сознания, можно по такому примеру. Когда первый раз выбирали в президенты Миттерана, была проведена большая кампания по внедрению его имиджа в массовое сознание. На фотографиях он представал исключительно в фас, снятый чуть снизу, с протянутыми руками. Как отец – к детям. Программа, с которой он шел на выборы, была социалистическая, гуманная, для чего как раз и подходил образ человека в фас, который кажется всеобъемлющим и менее символичным, чем образ человека в профиль. С этой программой и с этим имиджем он победил.

В преддверии следующих выборов Миттеран понял, что социалистическая партия проигрывает, теряет популярность, он стал медленно отходить от социалистических идей и столь же не спеша переходить к надпартийной политике. К началу новой избирательной кампании он давно уже ничего не говорил о социализме, а на фотографиях представал в профиль. Почему? Семантически профиль – это империя. Профиль чеканят на монетах. Это монарх, надпартийный лидер. Все выборы прошли под знаком Миттерана в профиль.

Великие люди истории лишь с достаточно недавнего времени обрели возможность увидеть свой прижизненный образ. Образ создавался на основе слухов, преданий, легенд. Человек сначала должен был обрести ореол славы, стать легендой, а потом уже эту легенду закреплял образ. Сегодня образ покупается. Достаточно заплатить некую сумму и взамен получить желаемый образ. Мы живем в эпоху лжепророков, лжеидолов, лжекумиров. Сегодня великим становится один, завтра – другой, послезавтра – третий. Прикиньте, что нужно было Христу и что – Мадонне (я имею в виду рок-певицу), чтобы стать образами. Христос не был и не мог быть при жизни товаром, Мадонна – товар при жизни. Образ – это товар.

От частого использования образ девальвируется. Сегодняшний кинематографист живет в принципиально иной ситуации, чем кинематографист времен Эйзенштейна. Он добавляет лишь малую толику образов к нашей и без того непомерной перегруженности дешевыми изображениями. Думаю, что последними из кинематографистов, кто имел могущество влияния на мир своими образами, было поколение Тарковского. Мое поколение. Вряд ли возможно возвращение времени, когда кинематографические образы обрели бы столь же высокую цену.

Образ очень приближает человека, из которого он творится, к окружающим. Все идолы всегда настолько знакомы, что к ним тянет обращаться по имени, хотя, быть может, в самой жизни никогда их и не встречал. Они уже родные тебе, ты их столько раз видел! Феномен масс-медиа в нашем веке заключается в том, что они рождают иллюзию близости между тобой и созданным ими кумиром. Отсюда общение с носителем образа приобретает характер панибратства.

На протяжении многих месяцев работы над этими страницами я не раз приходил к выводу, что книга может вызвать у читателя тягостное чувство. Ну и что, успокаивал я себя, почему эти горькие мысли я должен обдумывать в одиночестве? Почему, уж если кто-то заинтересовался моими размышлениями, не разделил бы со мной хотя бы толику моих разочарований и сомнений? Я, конечно, понимаю, что найдутся люди, которые, прочитав эти страницы, скажут: «Ну и дурак! Разоткровенничался! Я бы такого никогда не стал писать». Готов понять и такую реакцию, у каждого человека есть нечто, скрываемое от других. Но все же во мне сохраняется надежда, которая и подвигает меня писать все это. Надежда на то, что кто-то скажет: «А я? Как я чувствую, думаю, отношусь к этим нравственным проблемам?» Что он заглянет в закоулки и бездны своей души. Хотя бы самому себе признается в собственной погрешимости. В принципе нельзя рассчитывать на то, что любые откровения сейчас могут изменить что-нибудь в мире или в человеческой природе. Придется любить человека таким, каков он есть, со всеми его экскрементами.

Хотя, готов признаться, трудно это – любить человека такого, каков он есть. И мне как автору совсем не просто убедить себя полюбить читателя, вполне равнодушного к тому, что я хочу поделиться с ним чем-то важным, сокровенным, дорогим для себя. Гоголь был очень расстроен успехом «Ревизора», просто впал в депрессию от оваций и восторгов. Ему-то хотелось, чтобы зритель уходил потрясенный, раздавленный, увидевший себя в героях пьесы, размышляющий, ужаснувшийся: «Неужели это я?» Ничего похожего! Все кричали: «Ура!» Радовались: «Эк, придумал! Эк, загнул!» Он был убит тем, что его не поняли.

Трудно приходить к осознанию того, что большинству людей не нужна истина. Они уже заведомо убеждены в том, что знают ее. Огорчительно, что теперь надо думать и о своем имидже. Сегодня упаковка важнее содержания. А может, всегда так было?

В том-то все и дело, что низкие истины политически некорректны. Политически корректен возвышающий обман. Чтобы люди выбрали вас в президенты, чтобы пошли на вашу коммерческую картину, чтобы предпочли вас как врача, юриста или модного дизайнера, им нужно преподносить возвышающий обман. К отношениям между людьми это тоже вполне относится. Лично я (боюсь, что и другие) предпочитаю слышать о своих фильмах «гениально!», а не «дерьмо!».

Сегодня добиться, чтобы тебя услышали, намного труднее, чем даже двадцать лет назад.

В предисловии к первому изданию «Тропика Рака» Генри Миллер написал: «Эта книга – пинок под зад человечеству».

Дать пинка – может быть, это и есть один из способов заставить понять важные истины. Даже если это всего лишь низкие истины.

ОГЛАВЛЕНИЕ

Часть первая. НАЧАЛО

Часть вторая. ВЗРОСЛЕНИЕ

Часть третья. «ЧАСТНОЕ ЛИЦО»

Часть четвертая. ФИНАЛЬНЫЙ СРЕЗ

Кончаловский А. С.

К 64 Низкие истины. – М.: Коллекция «Совершенно секретно», 1998. – 384 с., 32 л. ил. на вкл.

Книга известного русского кинорежиссера Андрея Кончаловского – это воспоминания человека интереснейшей судьбы. Выросший в семье автора Государственного гимна СССР Сергея Михалкова, познавший и благоволение властей и начальственную немилость, создавший в тоталитарных условиях честные, искренние, опередившие свое время фильмы – такие, как «Первый учитель», «Сибириада», «Романс о влюбленных», «История Аси Клячиной...», – он нашел в себе смелость пойти против системы, начать свою биографию с нуля в Голливуде, сумел и там снять выдающиеся фильмы, что до него не удавалось ни одному из советских коллег. Кончаловский с редкой откровенностью рассказывает о своей знаменитой семье, об этапах своего взросления, о преодолении в себе страхов и табу, естественных для человека тоталитарной страны, о друзьях, о женщинах, которых любил, о великих художниках и звездах кино, с которыми его сводила творческая судьба.

ISBN 5-89048-057-X

УДК 882
ББК 84(2 Рос-Рус)6

Андрей Сергеевич Кончаловский

НИЗКИЕ ИСТИНЫ

Редактор *М. Стояновская*

Технические редакторы *Л. Самсонова, Л. Фирсова*

Корректор *А. Лазуткина*

Компьютерная верстка *Л. Фирсовой*

Изготовление диапозитивов *Д. Попикова*

Ретушь фотографий и цветоделение выполнены ООО «РЕПРОЦЕНТР», г. Тверь

ЛР № 063742 от 13.12.94.
Подписано в печать с готовых диапозитивов 11.03.98. Формат 84×108/32.
Бумага тип. № 2 (на вкл. офсетная). Гарнитура «Миниатюра». Печать высокая (вкл.— офсетная). Усл. печ. л. 23,52 (в т. ч. вкл. 3,36). Уч.-изд. л. 22,25 (в т. ч. вкл. 3,65).
Доп. тираж 30 000 экз. Заказ 2363. С 82.

Набор и верстка выполнены ТОО «Коллекция «Совершенно секретно»
109004, Москва, ул. Земляной вал, д. 64, стр.1

Отпечатано на Тверском ордена Трудового Красного Знамени полиграфкомбинате детской литературы им. 50-летия СССР Государственного комитета Российской Федерации по печати.
170040, Тверь, проспект 50-летия Октября, 46.